L'Allaitement

Marie Thirion

L'Allaitement

Albin Michel

«Bibliothèque de la famille»
Collection dirigée par Mathilde Nobécourt

© Éditions Albin Michel S.A., 1994
22, rue Huyghens, 75014 Paris

ISBN 2-226-06868-6

À Caroline, Nelly, Alice.

À Ingrid Bayot
pour sa participation active
à ce travail.

Sommaire

Introduction 17

Chapitre 1 : S'il te plaît, dessine-moi un sein 25
— *Le tissu qui produit le lait* 37
— *La pompe d'éjection* 39
— *L'éponge sanguine* 41
— *Le silo* 42
— *Le démarreur aréolaire* 43
— *L'emballage cutané* 47
— *Les saisons du sein* 47

Chapitre 2 : Le lait jaillira, ou la physiologie du lien
mère-enfant 53
— *Le signal bébé de la tétée* 57
— *Le temps cérébral de réaction à la stimula-*
tion aréolaire 68
— *L'arrivée des hormones hypophysaires* ... 75
— *Le jaillissement du lait* 81
— *Un peu d'horaire, pour ne plus compter...* 85
— *L'action bénéfique de la lactation sur l'orga-*
nisme maternel 86

Chapitre 3 : Le lait du petit d'homme, ou la biologie
du lien 91
— *La fabrication du lait* 94

— *Le lait, spécificité de l'espèce* 100
— *Le colostrum, lait de l'adaptation* 103
— *Le matériau de construction complet du tissu
humain* 105

Chapitre 4 : Choisir l'allaitement et s'y préparer . . 137
— *L'allaitement est un choix* 139
— *Trois conditions nécessaires et suffisantes* 142
— *Faux problèmes et racontars, vraies contre-
indications* 146
— *L'alternative : les méthodes de blocage de la
lactation* 154
— *Comment se prépare-t-on à allaiter ?* 158

Chapitre 5 : La première tétée 167
— *Pourquoi une tétée précoce ?* 169
— *Naissance et première tétée* 176
— *Avantages médicaux de cette tétée précoce* 183
— *Premières tétées et naissances difficiles* . . 187

**Chapitre 6 : Le séjour hospitalier, ou la mise en route
de l'allaitement** 193
— *Une nécessité absolue : l'allaitement à la
demande* 196
— *De meilleures conditions pour réussir l'allai-
tement à la demande* 206
— *Petites difficultés de démarrage* 218

**Chapitre 7 : Les problèmes médicaux de l'allaitement,
lésions des mamelons et des seins** 233
— *Les difficultés fréquentes* 236
— *Les infections sévères du sein* 248
— *Allaitement et pathologie mammaire* 251

**Chapitre 8 : Les mille et une tétées, ou la phase
d'équilibre** 255

■ *Le jardin des délices* 257
■ *Un minimum de connaissances* 261
■ *Quelques cas particuliers* 275

Chapitre 9 : Le sevrage, un nouveau pas vers la liberté 281
■ *Un mot et un moment difficiles à définir* . 283
■ *Quelques notions de bon sens* 293
■ *Sevrage et changement de lait* 306
■ *Sevrage et alimentation diversifiée* 315

Bibliographie 327

Où trouver les réponses aux principales questions que
vous vous posez 353

Au commencement il y avait une énorme goutte de lait
Alors vint Doondari et il créa la pierre
Puis la pierre créa le fer
Et le fer créa le feu
Et le feu créa l'eau `
Et l'eau créa l'air
Puis Doondari descendit pour la seconde fois. Il prit les cinq
éléments
Et il en modela l'homme.

Contes africains de la création, Ulli Beïer (Fédérop)

Maria l'allaitait elle-même, et un jour je la vis découvrir sa gorge et lui présenter son sein...

Ô la singulière extase où me plongea la vue de ce sein — comme je le dévorais des yeux, comme j'aurais voulu seulement toucher cette poitrine !

Balzac

Désirer, concevoir, porter de longs mois en son ventre un tout petit enfant, le voir naître de soi, est une des plus belles aventures qui puisse être vécue.

L'allaiter, c'est poursuivre avec lui une relation unique et privilégiée au-delà des gestes, au-delà des mots, relation dans laquelle les corps gardent toute leur place : corps d'enfant programmé à cette recherche dont il recevra les éléments de construction de sa matière vivante les plus directement, et fidèlement, adaptés. Corps de mère largement transformé par et pour cet enfant, lui assurant nutrition parfaite dans son nid utérin, nutrition idéale au long des mois après la naissance. Échange vrai où le don de lait de la mère à l'enfant s'accompagne du don de l'enfant vers sa mère d'un équilibre hormonal et neuroendocrinien précieux. Il n'y a aucune rupture entre le temps d'avant et celui d'après la naissance. La maternité, cet immense art féminin, peut se vivre et se jouir dans une merveilleuse continuité.

Mais au fait, qu'est-ce que la maternité ?

La maternité, c'est d'abord l'aventure d'un couple. Couple stable ou couple de hasard. Amour fou ou passage inattendu, peu importe. Au début est la rencontre, la recherche de l'autre dans son corps. Au début est la sexualité, ses plaisirs, sa peur, sa folie. Au début est le corps à corps d'un homme et d'une femme. Au début est la « vie ».

La maternité, c'est ensuite l'aventure d'une femme. Aventure unique et irremplaçable. Heureuse ou affolée, accueillante ou rigide, épanouie ou désespérée, une femme devient mère dans son corps : seins qui gonflent, ventre qui se tend, s'arrondit, enfant qui bouge doucement, fatigue, joie, dépaysement de soi-même, angoisses, rêves doux. Tout un univers nouveau de bonheurs et de peines, de sensations nouvelles, qui fait de chaque femme «ni tout à fait une autre, ni tout à fait la même»... Aucune grossesse ne ressemble à une autre. Il n'y a pas de recettes, de mode d'emploi, de guide pratique, pour vivre un tel bouleversement.

La maternité, c'est surtout l'aventure mystérieuse et profonde d'une femme et d'un enfant : le porter, le couver, l'aider à naître, le reconnaître, l'aimer, lui apporter ce dont il a besoin, le nourrir, le voir grandir, le regarder s'éloigner. Être mère, ce n'est pas seulement donner la vie, c'est aussi la préserver, la protéger, la conduire jusqu'à son épanouissement. C'est donc accepter le risque de la vie et de la mort, de la joie et de la souffrance, de la solitude et de la rencontre, de la vie fusionnelle et de la séparation.

C'est une aventure de corps à corps, de cœur à cœur, de sein à lèvres, de peur à plaisir, de peau à peau. Tout un univers de soins, de tendresse, d'amour, dont l'allaitement n'est qu'un des éléments.

La maternité, c'est enfin l'aventure de toute une société : présence du père, pérennité de l'espèce, rôle de la famille, regard des autres femmes, transmission du code, des croyances, tout se joue dans l'enfant à travers sa mère.

Un événement aussi capital ne pouvait rester ignoré et individuel. De tous temps et dans toutes les sociétés, ce qui touche à la maternité — sexualité, grossesse, naissance, allaitement — a été soigneusement ritualisé et codifié. Tous les rituels de naissance et d'allaitement transmis de génération en génération, de femme à femme, de médecin à accouchée, ont toujours eu pour but premier la sécurité de l'accouchement et des tout-petits.

Mais ce but premier, à chaque époque, a été repris en main.

Au nom de la famille, des nécessités économiques, des découvertes scientifiques et médicales, des croyances ou des superstitions, des différentes lois politiques ou religieuses, de la place de la femme dans le couple et la vie sociale, chaque civilisation a imposé tout un arsenal de règles et d'interdits pour ramener la maternité dans son juste domaine, celui des femmes... et de leurs devoirs!

Le XXᵉ siècle en Europe a multiplié les rituels de naissance. Ils ont connu en quelques décennies de profonds changements dont chacun est devenu, devient pour un temps la «norme» sous le nom pas toujours justifié de «sécurité».

En 1900, toutes les femmes ou presque accouchaient chez elles, entourées de leur famille, des «femmes sages» du voisinage. En 1950, toutes les naissances ont lieu en clinique ou à l'hôpital où les femmes sont seules avec des médecins ou sages-femmes inconnus. En 1960, se perfectionnent les techniques de surveillance de l'enfant pendant l'accouchement, permettant d'intervenir très vite en cas de danger. Mais l'on ose alors — incroyable abus de langage — nommer ces lieux, ces murs où se déroule la naissance, «maternité», laissant clairement entendre que l'immense aventure des mères peut se réduire à ces moments de contrôle technique et d'interventions médicales de plus en plus pressantes. Et tout cela au prix d'un accueil technicisé, aseptisé, déshumanisé, rigide, qui a fait des hôpitaux des lieux tellement... inhospitaliers!

En 1975, retour de bâton. Des parents et des médecins refusent cette inhumanité, et réfléchissent à l'accueil de l'enfant, à l'intimité nécessaire pour la mère, à la présence réconfortante de son «homme», au bain pour accueillir l'enfant dans un milieu chaud, rassurant, qui le porte, à la possibilité — peut-être pas toujours délirante — de laisser l'enfant naître «à la maison», dans le lit où il a été conçu. La bataille fait alors rage pendant près de dix ans entre les partisans du tout-technique et ceux de l'accueil idyllique. Les médecins et les maternités s'affrontent, chacun affirmant être non seulement parfait sur son propre terrain, mais aussi tout à fait performant sur le terrain de l'autre.

Mères, pères et soignants de bonne volonté ne savent plus qui croire, ni à qui faire confiance. Cette polémique autour des berceaux s'apaise à peine, et nous voilà dans l'ère hypertechnique, hyperangoissante des procréations médicales assistées, du contrôle de la reproduction humaine dès ses premiers instants, de la banalisation médiatique de prouesses médicales. Au risque de voir surgir insidieusement une nouvelle norme presque «extracorporelle» de faire nos enfants, qui rejoindrait les rêves de la littérature de science-fiction et de nos fantasmes les plus fous. Nous n'en sommes plus très loin. Nous laisserons-nous piéger par ce mythe de toute-puissance?

Même historique raccourci sur l'allaitement. En 1900, les bébés nourris autrement qu'avec du lait de femme meurent à 90 %. Les femmes de France allaitent leur enfant, ou s'achètent les services d'une nourrice. La guerre de 14-18 qui envoie à l'usine pendant l'absence des hommes un large contingent de jeunes femmes de milieu défavorisé (justement le milieu qui «fournissait» les nourrices) sonne le glas de cette tradition. On tente d'alimenter les bébés au lait de vache, d'abord simplement coupé d'eau et sucré, puis peu à peu modifié, adapté. En 1950, un nourrisson sur trois seulement est nourri par sa mère. Le dernier bureau de placement des nourrices à Paris vient de fermer ses portes... pendant que se créent les premiers lactariums, modernes structures pour procurer médicalement aux bébés malades et prématurés cet aliment-médicament indispensable. Les laits de vache en poudre font leurs premières grandioses publicités et les jeunes femmes en tricotant bavardent des mérites comparés de la marque Truc et de la marque Machin, ignorant que la composition chimique de ces différents produits est la même ou presque... et qu'il s'agit toujours de lait de vache!
Pendant ce temps, les femmes, les mères, et donc aussi le personnel soignant des hôpitaux désapprennent, oublient l'allaitement. Les mères, les grand-mères ne l'ont pas vécu, ne savent plus et racontent les échecs qu'on leur a fait subir. Qui d'entre nous a vu dans son enfance sa mère ou une autre femme allai-

ter, qui d'entre nous connaît les gestes ? Toutes les petites filles donnent le biberon à leurs poupées... Quel médecin, quelle sage-femme, qui du personnel soignant peut guider, conseiller, accompagner une jeune mère qui débute un allaitement ? Ils n'ont appris au cours de leurs études qu'une diététique traditionnelle de rations et d'horaires — prévue pour faire mieux tolérer aux nouveau-nés des laits qui leur sont biologiquement peu adaptés —, et n'ont que de vagues notions du fonctionnement des seins de femme. Savez-vous que dans le programme des cours dits d'« éducation sexuelle » au lycée, le mot sein n'est même pas prononcé ! Quand on sait la place des seins dans l'imaginaire des adolescents...

La dérive actuelle est spectaculaire : les recherches sur le lait humain démontrent chaque jour un peu plus ses qualités et son adaptation parfaite aux besoins de l'enfant. Les pédiatres, les services de soins aux prématurés cherchent désespérément du lait humain pour sauver des nouveau-nés gravement malades ou prématurés. Les lactariums ne savent plus comment recueillir quelques litres de ce médicament inestimable... Et de moins en moins de femmes arrivent à « avoir du lait, avoir assez de lait », ce qu'elles attribuent immédiatement à une anomalie définitive chez elles. Pour chacune, l'absence de lait devient une sorte de fatalité : ma mère n'en a pas eu, je n'en ai pas... Nulle ne songe à mettre en cause un défaut du démarrage de cette fonction à laquelle leur corps s'était longuement préparé. Il est admis que les seins des femmes de France ne marchent plus ou marchent mal. Chacun conseillera de s'en faire une raison.

Combien de parents ou de médecins se demandent seulement pourquoi. Que s'est-il passé dans nos corps, dans nos têtes depuis moins de cinquante ans pour que cet organe ne fonctionne plus ? La castration symbolique est évidente, mais qui s'en soucie ?

Tout le personnel soignant se fait — plus ou moins innocemment — complice de cette désinformation. On donne d'emblée aux nouveau-nés des « compléments », ce qui signifie que ni le bébé ni sa mère n'ont de chance de réussir à temps l'adaptation de l'un à l'autre qui fait couler le lait. Il convient de les compléter, ils sont «insuffisants». Tous les pédiatres, les psychiatres s'occupant d'enfants et de jeunes femmes parlent haut et fort des conséquences graves pour la mère de se voir — dans le regard des autres — insuffisante pour son bébé dès les premiers instants de leur relation, mais qui s'en soucie?

Il est temps de retrouver les bases, de les raconter simplement pour donner à chaque femme le choix vrai de nourrir ou non son bébé. **Les seins fonctionnent si on les met en route. Ils végètent si on les fait végéter. Ils s'arrêtent s'ils fonctionnent peu.** Les bases, les voilà.

Chaque femme le vit dans son corps, avec ses émotions et ses rêves, ses rejets ou son épanouissement, son histoire de petite fille et sa liberté. Tout comme la naissance, l'allaitement la confronte à l'inconnu, aux sensations nouvelles, aux intensités de l'instant. Il y aura de la joie et de la peur, des seins lourds et des émotions de vide, les commentaires pesants de l'entourage et la bouche active du bébé, le regard inquisiteur ou heureux du père, l'impression que la vie s'arrête et que tout cela va durer... Il y aura la «vie», ses chahuts et ses bonheurs.

Choisir l'allaitement et le réussir, choisir le biberon et être en paix : c'est cela le véritable enjeu. Cela implique de connaître son corps et ses possibles. Et d'avoir le courage de faire réellement un choix. Sortons enfin de ces discours pervers où les femmes qui préfèrent nourrir leur bébé au biberon devraient obligatoirement se sentir culpabilisées si on parle d'allaitement devant elles. Le choix existe. La liberté d'en parler aussi.

Dans ce livre, volontairement, je ne vais parler que d'allaitement. Comprenez bien que je ne cherche pas à promouvoir une nouvelle mystique de l'allaitement au sein. Je n'écris pas un plaidoyer pour que les mères «rentrent à la maison» et s'occupent de leurs enfants. Je ne cherche pas à renvoyer les femmes à leur physiologie de femelles mammifères. Je ne voudrais pas participer à la rédaction d'un nouveau manuel de recettes infantilisantes ou intellectuelles sur les mille et un détails techniques nécessaires pour être une bonne «mère-nourrice», et encore moins participer à créer une nouvelle norme.

Je voudrais simplement raconter, avec des mots de tous les jours, ce que fait le bébé avec sa bouche, ce qui se passe dans le corps de la mère, comment coule le lait, ce qui peut le bloquer, les moyens de sortir des petits problèmes de mise en route.

Toutes les notions sur ce sujet, tant dans les revues médiatiques que dans les journaux scientifiques courants, ont des dizaines d'années de retard sur les découvertes des chercheurs. Ce type d'informations n'apparaît jamais aux informations télévisées du soir. Vous entendrez parler régulièrement de sida, de cholestérol, de régimes et d'infarctus, mais jamais de ce sujet qui, si l'on y réfléchit bien, n'intéressent que... 700 000 jeunes couples en France chaque année. Pour eux, au moins, il est temps de faire le point.

Je l'ai fait une première fois il y a quinze ans, moment où nous avions commencé à comprendre l'inadéquation profonde des besoins des mères, des bébés avec les réponses habituelles des soignants. Le fossé a continué à se creuser entre ce qui est recherche scientifique récente et ce qui est culture locale ou régionale, ou même ce qui nous vient tout droit d'une idéologie «importée».

Il faut refaire le point.

D'abord parce que les découvertes scientifiques de ces dernières années nous ont permis de confirmer et d'approfondir un certain nombre d'hypothèses indispensables à la compréhension de cet «échange des corps» au cours duquel le lait se met à couler.

Ensuite parce que la situation des bébés et de leurs mères ne s'est guère améliorée depuis quinze ans. L'accueil des hôpitaux s'est fait plus humain, mais les techniques médicales pèsent plus lourd. Les programmes des écoles de sages-femmes, de puéricultrices et d'auxiliaires-puéricultrices ont gardé longtemps tous leurs archaïsmes. En particulier celui des «protocoles alimentaires» de nouveau-nés qui ne font aucune différence entre celui que sa mère veut allaiter et qui doit, avec elle, mettre au point sa technique, et celui qui boira un biberon.

Il y a aussi l'évolution des connaissances sur la composition des laits, celui de mère et celui des substituts artificiels. Connaissances sur l'équipement enzymatique du bébé, et donc sur ce qu'il peut digérer, utiliser, pour construire sa matière vivante, et ce qui va l'encombrer, lui apporter inutilement du travail métabolique digestif, hépatique ou rénal.

Il y a encore l'épouvantable mortalité dans les pays en voie de développement des bébés que leurs mères — croyant « bien » faire en faisant « comme nous » — décident de ne pas nourrir au sein. Les conditions tant nutritionnelles qu'infectieuses sont radicalement différentes. Pour nous, le choix existe ; dans ces pays, les conséquences sont dramatiques.

Il y a enfin, et c'est un sujet complexe, la multiplication de problèmes autrefois rares et qui handicapent le quotidien de nos petits : allergies, infections ORL chroniques, diarrhées virales multiples. Beaucoup d'éléments ont transformé la vie de nos bébés depuis le début du siècle : l'urbanisation, la vie en crèche, la pollution de l'environnement... Le choix du mode d'alimentation interfère-t-il — et si oui dans quel sens — dans l'évolution de nos enfants ? Les recherches scientifiques sur ce sujet sont rarissimes en France, mais la littérature mondiale permet de poser les premières hypothèses sérieuses. Là encore il nous faut faire le point.

Et puis, au-delà de ces connaissances théoriques, parler de rencontre, de corps et d'émotions. Parler de la tendresse, parler de la peur et de la souffrance, parler du désir et de tout ce qui le bloque, parler du non-désir et du corps qui préfère le silence, parler des jours joyeux à « bébé rond » et des moments de découragement, du sourire et des larmes, de puissance et de vide, parler de nous, hommes, femmes, enfants dans nos trajectoires d'humains vulnérables et rieurs. Et parler du lait qui gicle quand la joie fleurit.

CHAPITRE 1

S'IL TE PLAÎT, DESSINE-MOI UN SEIN...

Il est temps de réaliser que nous n'avons pas à perpétuer les peurs et les règles de nos ancêtres. Il est temps pour chaque individu de se laisser aller totalement, dans la plénitude de la vie, telle qu'il la ressent.

C. Milinaire, *Naissance*,
Albin Michel, 1977

Alors elle laissa voir le sein le plus charmant que la nature eût
jamais formé. Un bouton de rose sur une pomme d'ivoire n'eût
paru auprès que de la garance sur du buis, et les agneaux sortant
du lavoir auraient semblé d'un jaune-brun...

Voltaire, *Zadig*

Qu'y a-t-il à l'intérieur d'un sein?
Que contient-il?
Quel tissu le remplit?
De quoi est-il fait?
Quand fonctionne-t-il?
Comment pourrait-on le dessiner?

Toutes ces questions, apparemment très anodines, vous pourriez vous les poser, tenter d'y répondre avec un papier et un crayon. Il est facile de prévoir les réponses, car le tabou d'information est très fort et les stéréotypes toujours les mêmes. Tout le monde sait que c'est une « glande », mais, derrière ce mot, que se cache-t-il?

Dans un bel emballage triangulaire, trop triangulaire et pointu pour être réaliste, se cachent surtout nos « gros fantasmes », et bien peu une fonction normale du corps. Pour tenter de les démythifier, je vais vous décrire les fausses visions qui traînent dans nos têtes et donc aussi dans celles des professionnels de santé qui n'ont guère eu le loisir d'affiner leurs connaissances. Nous ne le savons pas, mais elles imprègnent profondément nos modes de pensée, donc nos conduites et contribuent largement aux échecs ou aux difficultés de l'allaitement.

■ *Première vision fausse : le sac*

Ce drôle d'objet ne serait qu'un récipient, une besace, un

vague biberon mal gradué qui se vide et se remplit au gré du temps et des humeurs, directement en fonction de ce que mange la mère. Après une tétée, il faudra laisser à la besace le temps de se remplir... Alors le lait «monte», mais la «première» montée de lait est une sensation terrible qui peut donner de la fièvre. Ce sac peut être vide, ou trop plein, jamais «juste comme il faut». Le lait peut stagner dedans et s'infecter. Plus il est tendu, plus il y a de lait dedans. La preuve, c'est qu'avant la tétée il est tendu ; après, il est tout mou.

Savez-vous qu'en pays bigouden un joli soutien-gorge se nomme «porte-brenou à dentelle» ce qui signifie très exactement «porte-sac» ?

Et savez-vous que les «roberts», nom courant des seins dans les conversations de bistrots, étaient les premiers biberons commercialisés, sorte de sac suspendu au-dessus du berceau avec un tuyau qui descendait dans la bouche du bébé.

Le dessin ci-dessous illustre bien cette fausse image si fortement ancrée. Regardez bien : ce bébé boit sur un récipient à moitié vide, va avaler de l'air, et sera sans doute gêné pour son rot. Pourtant ce sein trop bombé, rond, rassurant, a la superbe forme d'un sein... gravement engorgé. Quant au volume, la graduation ne nous dit rien, mais il est évident que la mère devrait compter, et que le bébé ne sera satisfait que lorsque son estomac sera plein...

DES REPRÉSENTATIONS IMAGINAIRES

Méfions-nous de ces visions simplistes. La vie n'est pas faite de matériel de laboratoire. Qui pourrait croire que l'allaitement serait plus simple si les seins et l'estomac étaient en verre... et gradués !

Continuons nos visions mythiques. Pour être fonctionnel, ce sac devrait avoir une tétine correcte : bien longue, ni trop aplatie ni trop ronde, ni trop carrée, pas trop large, pas trop étroite et, bien sûr, stérilisable, c'est le moins que l'on puisse faire. Le modèle choisi comme idéal, tout le monde le connaît : ce sont ces merveilleuses tétines en caoutchouc que l'on peut acquérir pour quelques francs dans n'importe quelle pharmacie ou dans les supermarchés, et qui rentrent si bien dans la bouche de nos bébés.

Quand une femme quitte son soutien-gorge et regarde ses seins, l'horreur est immédiate : ce n'est pas ça du tout — tout plat, tout mou, tout rentré. L'entourage ne lui fera grâce d'aucun commentaire : elle n'a « pas de bouts », des « bouts mal formés », des seins « ombiliqués » et j'en passe. A-t-elle eu seulement l'occasion d'observer ses mamelons lorsqu'ils sont en érection, donc plus durs, plus longs. Cela peut survenir dans un bain froid ou un peu trop chaud, au cours de certaines émotions, et bien sûr dans la jouissance amoureuse. Mais qui le sait, qui en joue... ? La mutilation mentale semble extrêmement violente.

Il existe depuis quelques années des protège-mamelons en silicone, vendus dans toutes les pharmacies, censés servir de prothèse-téton à ces pauvres jeunes femmes mal formées. Tout le monde les appelle en toute impunité « bouts de sein », ce qui laisse bien croire qu'à l'endroit où on les applique il n'y a « rien » et qu'il faut appareiller ce handicap. Que se passerait-il dans la tête de nos adolescents si les préservatifs s'appelaient, dans le langage courant, verge ou pénis ?

Il serait peut-être temps de se rappeler que les tétines des pharmacies ne datent que du début du siècle, qu'elles ont suivi les premières importations de caoutchouc (pour la fabrication des pneus de voiture...), et que les premières ont été inventées par les vétérinaires pour des petits animaux, sur le modèle des pis de vache ou de chèvre. Les médecins n'ont fait qu'imiter leurs confrères animaliers. Voilà comment se crée un modèle !

Dans certaines régions de France sévit encore le mythe que le mamelon, cette tétine mal faite, doit être « percé » avant le premier allaitement. Ce curieux obscurantisme entretient chez des jeunes femmes une angoisse diffuse sur ce qu'il va leur falloir subir. Nous ne sommes pas loin du fantasme d'une « autre virginité » à déflorer de gré ou de force, et bien sûr douloureusement. Quel gâchis !

■ *Deuxième vision mythique : la source*

Le sein est une richesse de la nature, un lieu qui coule «tout seul», mais que l'on ne contrôle pas.

Si par chance la source est «vive», le bébé pourra boire à satiété ce qui lui est passivement donné. Mais comment le savoir? Les questions qui viennent obscurément à l'esprit sont innombrables : n'y a-t-il pas sécheresse, triste temps pour les sources? Comment mesurer le débit, comment jauger la qualité du flux? Coulera-t-il encore demain, ou dans deux heures? Ma mère ne coulait pas, donc je ne pourrai pas non plus! Ce qui coule est-il pur ou a-t-il été «pollué» par notre monde moderne? Cette «eau de mère» — comme j'ai entendu nommer le lait de femme en Normandie — peut-elle être vraiment nourrissante?

Et puis vous le savez, tout le monde le sait, *les sources sont mystérieuses, capricieuses... les femmes aussi !* Mieux vaut ne pas compter sur elles. Écoutons les mots populaires : les eaux peuvent inonder, se tarir, déborder, s'engorger, s'assécher, disparaître, resurgir... le lait aussi! Dans toutes les régions de France de fort ensoleillement, la sécurité du foyer a été de creuser un puits près de la maison, de ne pas compter sur la source. Quant aux femmes, impossible de leur faire confiance, «complétons-les» avec nos beaux biberons... Les professionnels de santé s'y emploient dès les premières heures après la naissance. Les dieux familiers des sources et des fontaines sont bien morts!

■ *Troisième fausse vision : la mère nourricière*

Pour allaiter, il faut des gros seins, des grosses fesses, des gros bras pour «caler le bébé», et une peau bien blanche pour que le lait soit bien blanc. Ce sont les critères sur lesquels se choisissaient les nourrices, nous ne les avons pas encore oubliés.

Là encore, écoutez le langage populaire : les seins sont des miches, des nids, des nichons, des nibarts, des nénés, des doudous, des roudoudous, des coussins, tout ce sur quoi on peut se lover, se blottir. Ils se doivent d'être plantureux, «généreux» et «remplir la main d'un honnête homme». Sinon ils sont qualifiés de façon méprisante de gants de toilette, œufs sur le plat, oreilles de cocker et autres gentillesses.

Les «mamans-tétons», nourrices en Périgord au XVIIe siècle, étaient «maintenues au diamètre» par une alimentation incroyablement riche, pour que «le petit» ne manque de rien. Obésité, symbole de fertilité et de richesse, qui existe dans de nombreux pays de la planète. On engraisse encore quelques fillettes au Moyen-Orient pour qu'elles soient nubiles et fertiles très tôt...

 Bref, dans nos souvenirs inconscients, plus une femme ressemble aux déesses antiques, aux Vénus callipyges, plus elle peut être socialement considérée comme mère au lait fertile et fertilisant, garantie de tendresse et nutrition abondantes. La «vraie» mère est donc une déesse obèse.

Dans notre civilisation imprégnée de christianisme latin, l'image a logiquement évolué vers celle de la jeune madone pure, au lait pur, asexuée. Elle n'est plus vierge, modèle mystique inatteignable, mais devrait fuir la sexualité et ses «impuretés» au moins jusqu'au sevrage de l'enfant sous peine de nuire à la santé de son petit.

Nous pourrions longuement décrire cette ambivalence permanente entre la mère et l'amante, la maman et la putain. Elle imprègne nos mentalités. Les interdits rituels ont été majeurs, et le restent. Nous en retrouvons de lourdes traces dans le langage populaire et dans la pratique quotidienne de certains médecins :

● La reprise «trop précoce» de la sexualité des parents «coupe» le lait.

● Le retour de couches impose un sevrage rapide car le lait devient moins bon, ne peut plus convenir, n'est plus nourrissant.

Nous sommes là en plein fantasme sur l'«impureté des femmes» et de leurs écoulements. Ah, l'impureté des règles des femmes et du sang qui coule hors de tout contrôle! N'a-t-il pas toujours été dit que ça fait tourner le lait dans les laiteries, et empêche la mayonnaise de monter...

● Si une mère est à nouveau enceinte, elle doit sevrer immédiatement l'enfant encore allaité, car le risque pour le suivant serait terrible.

● Allaiter en public, c'est indécent.

● Allaiter un enfant qui commence à marcher ou à parler, c'est carrément obscène.

Avez-vous entendu les commentaires qui pleuvent sur cette impudique qui va «nous» faire un malade mental ou un homosexuel à ne pas «le laisser se décrocher» du sein?

Dans les pays nordiques, le mouvement féministe des années 70 a conduit toute une génération de femmes à redécouvrir leur corps dans une mouvance de plaisir et d'équilibre. L'allaitement est redevenu une évidence heureuse pour la plupart d'entre elles. Pour des raisons sur lesquelles, à ma connaissance, personne ne s'est encore penché, le féminisme chez nous a eu un effet inverse. Les mères allaitantes des années 70 ont plus donné l'image des «babas» à longues jupes et sabots...

Comment une jeune femme actuelle, qui se veut libre, svelte, élégante, amoureuse, bronzée, sportive, dynamique, professionnelle au-dehors, amante tonique chez elle, peut-elle supporter au long cours de telles images savamment distillées par son entourage? Qui peut se voir en mère-madone ou en grosse baba dans le regard de son homme, qui en parlera librement et joyeusement avec lui?

■ *Quatrième vision d'horreur : la vache laitière*

Qui produit du lait en quantité satisfaisante? La vache. Pas de doute : si le paysan fait sa traite, il en récolte vingt-cinq ou trente litres à tout coup. Et quelles mamelles! volumineuses, lourdes, pendantes, «pleines», d'où le lait jaillit en grands jets puissants qui résonnent au fond du seau. Voilà le modèle de la production «normale», satisfaisante puisque visible par tous.

Et quel lait! Épais, crémeux, mousseux, abondant, nourrissant, prototype de l'aliment indispensable. De l'alimentation de l'enfant à celle du sportif, de la femme enceinte au vieillard, il est toujours prescrit. Quand arrivent une sécheresse, un tremblement de terre, une guerre ou un drame économique sur la planète, les appels à la générosité publique font toujours référence à nos clichés les plus profonds : du pain pour les adultes, du lait (de vache!) pour les enfants.

Seulement voilà, une vache c'est lourd, mou, peu réactif. Le regard «bovin», ça vous dit quoi?

Et puis les étables, c'est sale et ça sent mauvais. Il y a des bouses partout, de l'urine qui vous ruisselle sur les pieds, le purin dans la cour, l'odeur tenace des agriculteurs après la traite, le chiffon que le paysan passe sur les pis avant de traire, les mouches qui tournent... Toute une série d'images rurales ancestrales qui fascinent nos vacances de citadins.

Des traces de tout cela reviennent dans les têtes des jeunes mères quand leur entourage ou les soignants leur répètent que leur lait est *vachement* bon, que le lait doit bouillir car il s'infecte rapidement, que des microbes peuvent être transmis dans le lait au bébé, que les laits en poudre sont stériles, qu'elles n'ont pas assez de lait, qu'il faut être calme et bien manger pour bien allaiter, et avoir l'indispensable «air doux» des femmes enceintes, tous ces mots prononcés sans savoir, en se croyant neutre... «Celle-là n'arrivera pas aux quotas...», ai-je entendu dire en maternité au sujet d'une jeune femme qui venait de tirer un peu de lait pour son bébé prématuré. Une phrase qui tue...

Les images sont tenaces, et les comparaisons difficiles à assumer pour une jeune mère qui ne les avait pas vues venir.

Rappelons-nous aussi que dans les provinces rurales de France, il y a quelques siècles, lorsqu'un paysan perdait sa vache, c'est toute sa richesse qui disparaissait d'un coup, mettant en péril la survie alimentaire de toute la famille. Il avait fort peu de chances de pouvoir un jour en racheter une. Par contre, si sa femme mourait, il pouvait en trouver une autre, qui en plus lui apporterait un trousseau et une dot... Ne serait-ce pas là l'une des explications de l'incroyable valeur accordée à tort au lait de vache comme aliment idéal pour nos petits?

■ *Cinquième vision fausse : la vision tiers-mondiste!*

Cadeau direct des journaux télévisés et des documentaires filmés, les seules images de bébés allaités qui nous sont proposées sont toujours des images de drames planétaires. Mères décharnées tenant contre elles un enfant immobile et sans larmes, seins plats dont plus rien ne coule, indifférence des regards, celui de cette femme au-delà du désespoir, le nôtre au-delà du repas du soir. Biafra, Somalie, Kurdistan, Colombie, Afrique... toutes les misères du monde s'illustrent par des allaitements aux portes de la mort.

Il serait intéressant de mesurer combien de minutes en dix ou vingt ans nos chaînes de télévision ont consacrées à ces images et combien à de ravissantes jeunes femmes aux seins gonflés et bronzés, allaitant en riant un bambin rond et hilare, devant un compagnon épanoui... Combien aux seins nus, vides et jolis sur les plages? Combien à un sein dont le lait gicle à trois mètres dans l'allégresse générale? Ces quelques chiffres seraient plus éloquents que tous les sondages directs pour comprendre les messages que nous faisons passer à nos enfants. Le non-dit est à la mesure du tabou.

Lorsqu'une jeune femme enceinte s'interroge sur son désir ou non de nourrir son bébé quand il sera né, elle a toutes ces images à gérer, en plus de son histoire personnelle de petite fille, fille de son père, de sa mère... Les émotions n'oublieront pas d'être au rendez-vous.

Effaçons vite toutes ces images fausses de sac, de citerne, d'animal, de source. Parlons cette fois-ci du sein, du sein réel, du sein fonctionnel allaitant. Parlons des corps de femme. Quelques phrases pourraient résumer toutes nos connaissances.

- Le sein est une glande, une usine de production.
- Le sein est une éponge de matières premières, **avant** transformation en lait.
- Le sein est une usine à fonctionnement doublement intermittent. Il ne marche qu'après une grossesse, et dans les instants où le bébé tète. De la puberté à la mort, tout le reste n'est que temps de latence, temps passif d'attente.
- Le sein ne fonctionne que s'il est mis en route. C'est l'activation du «démarreur» qui fait, instantanément ou en quelques minutes, jaillir le lait.
- Le sein dont la fonction est bien entretenue, comme une voiture, peut «servir» longtemps.
- Mais les humains ne sont pas des mécaniques. La vie, les émotions transforment nos fonctionnements au gré

> de nos peurs ou de nos joies. Le fonctionnement des
> seins est un reflet de notre capacité à affronter la vie et
> à en jouir...

Pour comprendre ce qu'est un allaitement, il est nécessaire de se familiariser longuement avec tous ces paramètres.

Le sein est une glande, un organe conçu pour produire. Chaque glande a sa production spécifique ; les ovaires produisent des ovocytes, les testicules produisent des spermatozoïdes, le pancréas sécrète l'insuline et des enzymes pour la digestion, le rein sécrète l'urine... les seins fabriquent le lait.

Il n'existe pas dans l'histoire biologique des individus des organes qui se tromperaient de production ou dont la production serait spontanément (hors pathologie) notoirement insuffisante. La survie de l'espèce humaine au cours des millénaires est indissociablement liée au fait que les mères nourrissaient les bébés, qu'elles avaient assez de lait. Si l'espèce humaine a survécu, surpassé (peut-être !) un certain nombre d'espèces, c'est que les femelles humaines pouvaient nourrir leurs petits. Elles en avaient les organes, ils fonctionnaient. C'est toujours biologiquement vrai à l'approche de l'an 2000 : *les femmes ont toutes des seins « en état de marche », mais nous avons en grande partie perdu le mode d'emploi...*

Le sein est un organe **plein**, un tissu compact, sans réserve ni citerne, un tissu prêt à fabriquer du lait après la naissance de l'enfant. Il se compose de quatre zones étroitement imbriquées permettant de fabriquer en un temps record le «produit fini», c'est-à-dire le lait, suivant l'exacte recette du programme génétique. Ces quatre zones sont :
— la chaîne de montage ;
— la pompe interne qui le fait jaillir ;
— l'éponge sanguine de matières premières ;
— le silo conjonctivo-adipeux ;
et toutes quatre sont mises en route au même moment, et par les mêmes hormones, si le démarreur fait son travail. Décrivons longuement ces différents éléments.

LE TISSU QUI PRODUIT LE LAIT

C'est le tissu glandulaire proprement dit, celui capable de fabriquer le lait. Il a l'étonnante particularité de n'exister que pour l'enfant. Avant la grossesse, il est atrophique, presque inexistant, mais les cellules se mettent à germer, à se multiplier dès la nidation de l'embryon, avant tout retard de règles. Combien de femmes ont su qu'elles étaient enceintes à la tension nouvelle de leurs seins, témoin de cette multiplication cellulaire rapide sous l'influence de toute une série d'hormones. Parmi ces hormones de la grossesse, plusieurs d'entre elles sont sécrétées par le placenta, donc par l'enfant, qui induit ainsi lui-même dans le corps de sa mère la transformation des organes dont il aura besoin pour se nourrir. Aucun embryon n'a jamais oublié de le faire, ou alors c'est au prix de sa propre existence, puisque ces mêmes hormones sont celles de l'équilibre de la grossesse... *Toute femme dont la grossesse est active a des seins qui se préparent.*

Cette préparation se déroule dans les quatre premiers mois de la grossesse. Chacun des minuscules bourgeons glandulaires apparus dès la vie intra-utérine va entrer en maturation, se développer, multiplier son nombre de cellules, augmenter la taille de chaque cellule, pour former petit à petit une large surface fonctionnelle. Pour chacun des innombrables bourgeons, les cellules s'organisent en petite structure arrondie, nommée alvéole (ou acinus) qui débouche directement dans un canal qui conduira le lait dès sa fabrication vers la bouche du bébé.

Chaque alvéole est ainsi constituée d'une unique couche de cellules, sans membrane basale, ni muscle extérieur pour le soutenir. Cela a deux conséquences :

> ● Ce tissu extrêmement fin, un des plus fins de l'organisme, ne peut en aucun cas résister à l'étirement ou à la pression, ce qui interdit tout stockage de lait dans les petites alvéoles. D'autant plus que le canal en aval n'a aucun sphincter sur son trajet, ni à son abouchement à la peau, aucun moyen de verrouillage. Il ne peut donc rien contenir. La glande qui fabrique le lait

TISSU
GLANDULAIRE

CELLULES

CANAUX

TISSU VASCULAIRE SANGUIN ET LYMPHATIQUE

TISSU CONJONCTIVO-ADIPEUX

HISTOLOGIE DU SEIN
(vue en coupe)

et le canal qui le conduit au mamelon ne sont donc que des lieux de passage.

● En revanche, la finesse de ce tissu monocouche est un gage de la rapidité et de l'intensité des échanges entre l'amont et l'aval des cellules, entre le côté maternel et le côté enfant. Grâce à ce mince filtre cellulaire, des quantités importantes d'eau et de constituants du sérum sanguin maternel vont traverser les cellules en quelques secondes, pour constituer une fraction prépondérante du volume de lait. Au même moment, chaque cellule fabriquera les constituants spécifiques qui seront entraînés par le flux filtré. Nous y reviendrons au chapitre 3.

Tout cela se déroule lorsque la glande fonctionne, au moment où le bébé stimule le mamelon de sa mère, et à condition que le lait fabriqué soit immédiatement expulsé vers l'extérieur. Il y a donc un moyen actif d'éjection du lait.

LA POMPE D'ÉJECTION

Autour de chaque unité fonctionnelle glandulaire sont réparties de curieuses cellules en forme de pieuvre, avec de longs bras qui enserrent l'alvéole. Lorsque le sein est mis en route par une

LA CELLULE MYOÉPITHÉLIALE DE LA POMPE
(vue externe)

stimulation adéquate, la cellule se met à se contracter rythmiquement, effectuant un véritable mouvement de pompage. Si la cellule se détend, le lait traverse l'usine-filtre glandulaire et passe dans l'alvéole. Quand la cellule se contracte, le lait est activement expulsé à l'extérieur, puisque l'alvéole s'ouvre à plein diamètre dans les canaux galactophores (qui transportent le lait), et qu'il n'y a aucun sphincter musculaire au niveau du mamelon qui permettrait de retenir le liquide ainsi propulsé.

La dynamique de cette pompe mammaire n'est guère différente de celle de la pompe cardiaque, avec une alternance de contractions et de remplissages, à un rythme rapide, véritables systoles et diastoles du sein.

Si vous imaginez qu'il existe des milliers d'alvéoles, que chacune possède sa propre pompe, et que toutes ne fonctionnent pas exactement à la même seconde, il est aisé de comprendre que le flux de lait qui en résulte est presque continu, mais semble provenir tantôt d'un pore cutané, tantôt d'un autre.

DIASTOLE ALVÉOLAIRE

SYSTOLE ALVÉOLAIRE

LA DYNAMIQUE DU FLUX

Cette pompe est mise en route au moment de chaque tétée, par une hormone, nommée ocytocine, qui arrive de l'hypophyse maternelle lorsque le cerveau a «reconnu» la stimulation adaptée du démarreur. Nous en reparlerons longuement.

L'ÉPONGE SANGUINE

Le troisième tissu au niveau du sein est le plus méconnu de tous. En volume, c'est lui qui prend presque toute la place dans l'augmentation des seins en fin de grossesse. Ses variations de remplissage expliquent toutes les modifications de volume dans les premières semaines d'un allaitement.

En effet, autour de chaque alvéole s'organise dès le début de la grossesse un intense réseau de vaisseaux sanguins et lymphatiques. Il s'agit de capillaires, donc des plus petits vaisseaux de l'organisme, et leur paroi très fine, aussi fine que celle des alvéoles, permet elle aussi des échanges rapides et intenses.

arbre
sécrétoire

fibres
myoépithéliales

arbre
vasculaire

et aussi :
- graisse
- tissu conjonctif
- nerfs...

acinus ou alvéole
cellule cubique
fibres myoépithéliales
capillaire

Dans ces vaisseaux, le débit sanguin ou lymphatique *triple* après la naissance, au moment où les hormones du placenta ne sont plus présentes dans le sang de la mère, donc un peu après quarante-huit heures. Ce que tout le monde appelle «montée laiteuse» est en fait la dilatation assez brutale de ces réseaux vasculaires par un débit trois fois plus important qu'auparavant. Le sein est «en crue». S'il fonctionne bien, si le démarreur provoque la stimulation hormonale de lactation, il y aura du lait, beaucoup de lait puisque les échanges sont rapides. Si le démarreur n'enclenche pas le mécanisme de lactation, le sang et la lymphe distendent les vaisseaux, le sérum traverse la paroi et infiltre les tissus avoisinants. Ce que nous appelons communément engorgement n'a donc rien à voir avec une accumulation de lait coincé dans le sein. C'est une distension des vaisseaux et des tissus environnants par cet excès de liquide, en amont des cellules glandulaires. En fait, il s'agit d'une congestion sanguine avec œdème, exactement identique à ce que l'on voit dans une entorse, ou sur les chevilles après une station debout trop prolongée... Si l'on veut traiter cet engorgement, il est donc évident qu'il ne sert à rien de presser le sein pour «faire sortir le lait». Deux seuls traitements seront utiles :

— traiter l'œdème et la congestion, comme on traite une entorse ;

— actionner régulièrement le démarreur pour que le sein fabrique et éjecte du lait, ce qui diminuera la tension liquidienne dans les vaisseaux.

LE SILO

Qui dit silo dit réserve. Le sein est un grenier de graisses, riches en éléments directement utilisables dans la fabrication du lait.

De la puberté à la ménopause, les graisses donnent au sein sa forme, son volume et sa consistance. Le tissu glandulaire est le même chez toutes les femmes. Les graisses, elles, peuvent varier dans de très grandes proportions. Ces cellules adipeuses entourent les alvéoles et l'éponge vasculaire. Entre elles, le tissu de soutien n'est guère solide : quelques fibres conjonctives bien peu capables de résister à des distensions importantes. Donc les variations brutales de volume des seins, que ce soit au cours d'une prise de poids rapide ou d'un régime, au cours d'un engorgement, au cours de certains traitements hormonaux, sont préjudiciables pour l'avenir esthétique du sein. Ce n'est pas l'allaitement qui abîme les seins, ce sont les variations de volume brutales.

Au moment de la grossesse, ce tissu évolue peu. Les modifications ressenties par la mère sont plutôt dues à la maturation des alvéoles glandulaires et des réseaux vasculaires, maturation qui existe toujours, chez toutes les mères.

La possibilité de fabriquer du lait n'a donc rigoureusement rien à voir avec le volume des seins, ni avant la grossesse, ni au moment de l'allaitement. De tout petits seins peuvent nourrir allégrement de magnifiques jumeaux dodus. Mal mis en route, des seins apparemment «généreux» tardent à enclencher une lactation satisfaisante. Tout est dans le démarreur...

LE DÉMARREUR ARÉOLAIRE

Dans notre société, le tabou le plus total règne sur les «bouts de sein» excepté quelques chansons de Pierre Perret célébrant avec tendresse cette peau brune ou rosée, en large ou courte «auréole» pointant sous le chemisier. Même les fillettes de cinq ans sur les plages portent des maillots deux pièces ou montants pour cacher ces «taches». Est-ce notre fierté d'une peau blanche que nous avons voulue «supérieure» qui induit de tels comportements de *non-dit, non-montré* de nos zones plus... pigmentées?

Dans un carnaval au Brésil, j'ai vu une fillette de dix-huit mois arborer pour tout déguisement deux fleurs que sa maman avait dessinées au rouge à lèvres autour de ses mamelons. Riant aux éclats, elle cambrait les reins et dansait, fière de ses deux attributs colorés avec lesquels elle provoquait les passants. Dans la liesse générale, ce minuscule bout de fille, dans les bras de son père, se savait femme... jusqu'au bout des seins! Qui d'entre nous a eu cette chance?

Loin d'être une vague zone de peau sombre un peu plus solide, l'aréole est une région passionnante.

C'est une des régions les plus sensibles du corps à certaines excitations, région vivante qui réagit et manifeste si la stimulation lui plaît. Elle gonfle alors, se durcit, fait pointer son mamelon, véritable *érection* active qui n'ose dire son nom. Toutes les femmes ont eu l'occasion de l'observer, certains compagnons amoureux en jouent. Le chaud, le froid, les émotions, la sexualité sont de bons excitants. En dehors de ces moments d'excitation, l'aréole est plate, molle, le mamelon plus ou moins visible, voire carrément rentré. Même chez les petites filles, les petits garçons ou les hommes, ces différences entre une aréole au repos et une aréole stimulée sont évidentes. Pourquoi nous le cachons-nous? L'analogie sexuelle n'est pas si gênante...

L'aréole pendant la grossesse s'organise en messager odorant pour le bébé. Très tôt apparaissent tout autour du mamelon de petites glandes sébacées, nommées tubercules de Montgomery, qui contiennent un produit blanchâtre, épais, crémeux. Très long-temps, dans le discours populaire, cette crème servait à lubrifier le sein au cours de l'allaitement. Cela n'a jamais été démontré, pas plus d'ailleurs le fait que cette lubrification soit utile. Ce que nous avons découvert depuis quelques années est beaucoup plus fascinant : ces glandes, spécifiques de la grossesse et de l'allaite-ment, fabriquent un *concentré d'odeur* de la mère, un fil conduc-teur sensoriel qui va guider l'enfant dans sa recherche.

● Tous les êtres vivants ont une odeur qui leur est propre, indispensable à la reconnaissance entre individus. Même les humains dont l'odorat est complètement atrophié sont capables de repérer les yeux bandés l'odeur d'un chien, d'un chat ou d'un cheval à proximité, ou la différence entre une rose et un brin de muguet.

Dans notre vie quotidienne, l'odeur de «l'autre» joue un rôle réel dans l'attraction ou le rejet, la facilité de création d'une relation, et bien sûr dans l'attirance sexuelle. L'odeur d'un individu, homme, femme ou enfant est sécrétée par des glandes, proches de celles de la sueur réparties un peu partout sur le corps, mais concentrées à trois niveaux :

- à la base du cou, à la racine des épaules, lieu de prédilection pour nicher son visage, son nez, lors d'un câlin ;

- sous les aisselles, lieu de forte émission d'odeur lors de l'activité physique ;

- près des organes génitaux... pour favoriser l'attirance sexuelle.

• Pendant la grossesse et l'allaitement, ces trois sites restent actifs, mais les bouts de sein se mettent de la partie, émettant un fort message chimique odorant. Quand l'aréole se met en érection, ce que je viens de décrire, les tissus sous-jacents se gonflent de sang. Cet afflux sanguin provoque une augmentation de la chaleur locale, qui va diffuser au loin les particules parfumées. Le sein réalise donc une véritable «chaufferette à odeur» qui ne laissera pas le bébé insensible. Cette odeur le calme lorsqu'il est perdu ou fatigué, lui sert d'apéritif stimulant quand il a faim. Vous avez sûrement tous vu des nouveau-nés cherchant fébrilement le sein, narines bien ouvertes, humant l'air pour mieux se diriger, même à travers les vêtements, et même s'ils sont nourris au biberon. L'odeur est le premier repère du bébé, son stimulant, son signe d'appel prioritaire. L'intensité des échanges entre une mère et son bébé dans les premières semaines de vie n'a rien d'étonnant. Elle porte intensément l'odeur de la nutrition, elle porte l'odeur de la tendresse ; son enfant les reconnaît... Peu à peu il apprendra d'autres odeurs, d'autres tendresses, celles du père, des frères et sœurs, des adultes qui le prendront en charge, celles de l'environnement. Mais il reconnaîtra longtemps sa mère, entre toutes, grâce à l'odeur de ses aréoles.

Enfin, les bouts de sein recèlent le *démarreur de la lactation*. Sous la peau pigmentée solide de l'aréole, se trouvent toute une série de récepteurs sensitifs : des récepteurs sensibles à la température, d'autres au toucher et à la douleur, d'autres encore à certains mouvements. Ce que j'appelle le démarreur, ce sont des récepteurs sensibles à un mouvement très précis, celui que va faire le bébé avec sa langue quand il tète : ce sont des récepteurs sensibles à un *étirement longitudinal oscillant*.

• On pourrait les imaginer comme des petits ressorts, placés sous la peau, dans l'axe des canaux, donc tournés du thorax vers le mamelon. Si l'aréole est étirée dans ce sens, les ressorts sollicités et allongés vont transmettre au cerveau l'information qu'il est temps de fabriquer du lait, et le cerveau réagira en envoyant les hormones nécessaires, l'une pour mettre en route l'usine de production, l'autre pour activer la pompe. Le lait alors jaillira. Il n'est donc pas excessif de dire que c'est le bébé qui fait le lait.

• Ces récepteurs sensitifs sont localisés sur tout le pourtour de l'aréole, nettement en arrière du mamelon, et plus en profondeur. Téter le mamelon, extrême bout du sein, n'est pas efficace : d'abord, ça fait mal à la maman et, surtout, rien ne peut fonctionner : les récepteurs ne sont pas stimulés, les canaux à leur sortie sont comprimés, ce qui gêne l'écoulement. Une bonne tétée pour être efficace se fait bouche grande ouverte, lèvres et langue collées loin sur l'aréole pour que le maximum de récepteurs soient stimulés. Le bébé doit en avoir «plein la bouche».

Le mamelon lui-même n'est que la terminaison des canaux. Ils débouchent à sa surface en une vingtaine de pores larges, facilement visibles à l'œil nu. Ces pores s'ouvrent spontanément dès la vie intra-utérine, donc dans les premiers temps de l'existence, quel que soit le sexe de l'embryon.

Comprenez-le bien, la forme des mamelons n'a que très peu, voire aucune, incidence sur la réussite de l'allaitement. Longs ou courts, ronds ou plats, durs ou mous, quelle importance puisque le bébé active le sein plus en amont, sous la peau pigmentée de l'aréole. Si l'aréole, pas trop gonflée, est assez souple pour que le bébé puisse la saisir à pleine bouche, il activera le démarreur.

L'EMBALLAGE CUTANÉ

Pour être plus au frais, les seins, comme les testicules, sont des organes externes mais bien mal soutenus. Ils reposent sur la cage thoracique, directement sur un muscle puissant, le grand pectoral, mais ne sont pas liés à lui. Les mécanismes de suspension ne sont guère solides : aucun muscle vrai de contention, une peau fine et peu élastique, peu de tissu conjonctif élastique de soutènement, de larges coussins graisseux qui n'ont eux-mêmes qu'une très relative résistance à l'étirement... Pas toujours de quoi éviter les déchirures si les tissus sont étirés ou comprimés.

Il n'y a aucune égalité devant ce phénomène. Certaines femmes gardent un corps et des seins magnifiques après plusieurs grossesses, d'autres ont un corps qui raconte leurs histoires d'enfantement. La grossesse modifie les seins et peut les faire évoluer. Un allaitement bien conduit, sans surtension, laisse au sein toutes ses qualités. Seul un allaitement mal conduit risque d'aggraver les symptômes. Le blocage de la lactation juste après l'accouchement, avec les gros chahuts hormonaux qu'il implique, ne garantit en aucun cas une esthétique satisfaisante...

LES SAISONS DU SEIN

Particularité exceptionnelle, **le sein est un organe qui a des saisons**, un organe qui peut croître, se développer, puis régresser à nouveau. Vous pouvez imaginer la glande mammaire comme un arbre, un arbre qui fonctionnerait à l'envers : dans un arbre, la sève monte vers les feuilles ; dans un sein, le lait descend vers les canaux excréteurs et la bouche du bébé. Les ramifications sont un peu identiques : un tronc, rassemblement de canaux, des branches se divisant et s'entremêlant, des feuilles ou alvéoles, parfois en bourgeons, parfois en plein développement.

Cette architecture existe déjà en miniature chez l'enfant bien avant la naissance, tant chez les garçons que les filles. Il a été prouvé que les pores, émergences des canaux, sont ouverts à la peau vers le quatrième mois de vie intra-utérine.

● *La première saison active se situe dans les premiers jours de vie.* Dans les semaines qui précèdent la naissance, une certaine quantité d'hormones sexuelles de la mère traverse le placenta et imprègne les organes sexuels du bébé. Ce phénomène se traduit chez un bon nombre de nouveau-nés (30 % environ) par ce que l'on appelle la « crise génitale ». Les organes sexuels sont gonflés, colorés, légèrement sécrétants. Une petite fille a souvent des glaires vaginales, et peut même vers le cinquième jour présenter un petit écoulement de sang, ayant valeur de premières règles. Son utérus, déjà complet, réagit à la disparition des hormones maternelles, et saigne comme celui des femmes lorsqu'elles arrêtent leur pilule, par privation. En même temps, les seins gonflent, durcissent, s'engorgent légèrement, et peuvent présenter, aussi bien chez le nouveau-né garçon que chez la fille, un écoulement lactescent. Ce « lait de sorcière » avait au Moyen Âge grande réputation pour la fabrication de philtres magiques... Nous comprenons maintenant ce que ces manifestations signifient : dès la naissance, les seins sont virtuellement prêts à fonctionner. Il suffit d'un apport hormonal pour les « éveiller ».

● *À la puberté, poussée de croissance.* Entre 11 et 14 ans, sous l'influence de la toute nouvelle activité hormonale ovarienne, les seins et les organes sexuels maturent. Les premiers signes d'une puberté sont des signes mammaires : augmentation de diamètre et de pigmentation de l'aréole, puis, petit à petit, augmentation de volume. Ce n'est que plusieurs mois après que surviendront les modifications de la vulve, et la pilosité pubienne permettant à la jeune fille une sexualité normale. D'ailleurs, au même moment, les seins des jeunes garçons, sollicités eux aussi par leurs nouvelles hormones, hésitent à se développer. Un adolescent sur cinq présente pendant quelques mois une gynécomastie, une maturation des glandes mammaires, puis la pression hormonale se renforçant, tout s'arrête, et la puberté mâle évolue.

Pour la jeune fille, ces premiers signes signifient que les seins s'organisent : développement des canaux et des branches, constitution du silo graisseux, multiplication des alvéoles qui restent atrophiques, en bourgeons.

● *Le premier vrai printemps survient dans les trois premiers mois de la grossesse.* Parallèlement à un allongement et à une prolifération du tronc et des branches, les feuilles vont « s'ouvrir ». Les cellules glandulaires se multiplient, augmentent de volume, préparent leur « chaîne de montage » intracellulaire. La base de ces cellules rencontre les ramifications des vaisseaux sanguins et lymphatiques et crée d'étroites interconnexions avec eux pour puiser les éléments indispensables à la fabrication du lait. Ces vaisseaux eux aussi se multiplient, se dilatent. Certaines veines deviennent apparentes sous la peau. Au même moment, l'aréole s'épaissit, devient plus solide, plus résistante, et s'orne des tubercules de Montgomery sécrétant l'odeur. Dès le quatrième mois, tout est prêt, l'arbre est mature, l'usine n'attend que le signal pour fabriquer.

Il est passionnant de comprendre que les hormones responsables de cette maturation sont essentiellement des hormones placentaires, donc des hormones fabriquées par l'enfant. Il se charge donc, au début de la

VIE EMBRYONNAIRE

PUBERTÉ

GROSSESSE

Différenciation fonctionnelle

ALLAITEMENT

Tissu glandulaire en activité

SEVRAGE

Involution

VIE GÉNITALE FÉMININE ET ÉVOLUTION DE LA GLANDE MAMMAIRE

grossesse, d'induire sa future alimentation, puis du quatrième mois à la naissance, d'en freiner le fonctionnement : «Inutile de commencer sans moi, semble-t-il dire. Attendez-moi...!»

● Pendant l'allaitement, le sein est en plein épanouissement et fonctionne. Nous détaillerons longuement cette période dans les chapitres suivants.

Mais savez-vous qu'*au moment du sevrage*, ou s'il n'y a pas d'allaitement dès les premières semaines après la naissance, le sein réinvolue. Les alvéoles se «ratatinent», les cellules réduisent leur taille, l'usine se démonte. Les feuilles alvéolaires et une partie des branches disparaissent, laissant la place à de très petits bourgeons involutifs qui ne peuvent plus rien fabriquer. Les seins sont en «hiver». Un nouveau printemps ne surviendra qu'avec une nouvelle grossesse.

Une chose étonnante, c'est que l'hiver est moins rigoureux, l'involution moins totale si l'allaitement a duré longtemps. Si le sevrage est très tardif, au-delà de cinq à six mois, une partie des feuilles restent fonctionnelles, malgré l'arrêt des tétées. Certaines mamans peuvent encore avoir du lait pendant des semaines ou des mois par ce mécanisme. Des couples savent que certaines stimulations amoureuses provoquent pendant des années un écoulement, peu abondant mais très sucré. En Afrique, quand une jeune femme ne pouvait allaiter son bébé, c'était sa mère qui s'en chargeait, retrouvant une potentialité de son corps de femme qui n'était qu'endormie. La plupart des scientifiques qui ont raconté ces épisodes ont été bien en peine de comprendre ce qui se passait ; nous avions tellement occulté, enfoui que les seins pouvaient produire bien au-delà des courtes semaines qui suivent la naissance. Il est vrai que les seins non stimulés, s'il n'y a pas d'allaitement ou si celui-ci ne dure qu'un ou deux mois, réinvolueront en «plein hiver», et que toute fonction disparaîtra, puisque toutes les feuilles sont redevenues bourgeons. Les seins ne fonctionnent en plein été, et pour longtemps, que s'ils sont abondamment et longuement stimulés. Sinon ils s'endorment... Il n'y a pas d'autre exemple d'une telle rythmicité dans le corps humain.

CHAPITRE 2

LE LAIT JAILLIRA...

ou la physiologie du lien mère-enfant

*Problème ethnologique au demeurant classique :
comment comprendre que ce qui fut l'évidence
d'un monde devienne aussi parfaitement
hermétique à un autre ?*

Luc Ferry, *Le Nouvel Ordre écologique*,
Grasset, 1992

Si vous vous promenez dans différents musées d'Europe, vous pourrez parfois repérer des tableaux du XVe ou du XVIe siècle montrant un sein dont le lait gicle à plusieurs dizaines de centimètres. Ces peintures anciennes nous racontent clairement que les générations qui nous ont précédés connaissaient bien mieux que nous le fonctionnement des seins et n'avaient pas de fausse pudeur à le mettre en image : un sein qui marche est un sein qui gicle... !

Au Rikjmuseum à Amsterdam, vous pouvez admirer une magnifique statue de bois du début du XVe siècle d'une jeune femme en train d'allaiter, son bébé étroitement serré contre elle, en parfaite position.

Au Louvre, à Paris, vous pouvez voir un tableau intitulé *Jupiter et Antioche*. Antioche est une belle femme plantureuse, à la mode du XVIe siècle, étendue nue et lascive dans un jardin. Jupiter est un diablotin enfant, qui du bout des doigts lui «titille» les bouts de sein. Les jets de lait ainsi provoqués arrosent les fleurs du voisinage.

Ces illustrations ne sont pas rares jusqu'au milieu du XVIIIe siècle. Peu à peu apparaissent des peintures plus «réservées», des caricatures au fusain sur les allaitements de misère et des statues où le bébé qui tète n'a que bien peu de chance de réussir puisqu'il est installé complètement de travers...

Que nous reste-t-il de notre ancestrale connaissance du corps, qu'avons-nous oublié, que redécouvrons-nous?

Depuis les premiers jours de la médecine, les humains ont essayé de comprendre ce qui régit les corps, d'où viennent la vie et la mort, la santé et la souffrance. On a étudié le corps des hommes et des femmes, les besoins des enfants et leur fonctionnement particulier. Pourtant la médecine traditionnelle oublie souvent un point capital : pour vivre, pour fonctionner dans son corps et dans son cerveau, l'humain ne peut être isolé, une graine semée dans la nature, qui pousse seule, au hasard du vent et du terrain. Pour exister, le petit d'homme a besoin de vivre en relations, relation avec sa mère, relation avec le groupe social qui l'entoure. Pendant de longs mois, son fonctionnement est intimement lié à celui de sa mère. Son développement en dépend. Et le corps de la mère est programmé pour cette relation. Il existe entre eux des interactions physiologiques profondes, essentielles. Il est impossible de parler de physiologie de la lactation, du fonctionnement des seins de femme, sans parler de la bouche du bébé qui tète, de sa langue et de sa déglutition. Pas possible de parler de développement du cerveau et de croissance harmonieuse, sans parler des mains de sa mère, de sa voix, du lait et de la tendresse. Pas possible de parler du lait qui coule sans parler d'émotions et de désir. On ne peut parler de l'un sans l'autre. C'est cela qu'il nous faut avoir sans cesse à l'esprit pour comprendre le fonctionnement de la lactation.

Et se rappeler aussi que cette relation peut être, peut devenir, au fil des jours, une grande source de plaisir. « Jusqu'à l'apparition du biberon, la survivance de la race humaine reposait sur deux actes sexuels bien définis : le coït et l'allaitement. Si ces fonctions n'avaient pas été agréables, l'être humain aurait rejoint, depuis bon nombre de siècles, le rang des espèces disparues[1]. »

Pour illustrer simplement cette interaction des corps dans l'allaitement, il nous faudra approfondir quatre notions :

_____

1. Colette CLARK, _Le Livre de l'allaitement maternel_, p. 155.

— le bébé avec sa bouche effectue un *signal* sur le démarreur du sein ;
— le cerveau de la mère traite l'information et répond ;
— l'arrivée des hormones cérébrales fait fonctionner les seins ;
— le lait jaillit et le bébé manifeste qu'il le reçoit.
Reprenons chacun de ces paramètres.

LE SIGNAL BÉBÉ DE LA TÉTÉE

Il s'agit du mouvement tout à fait spécial effectué par un bébé qui tète, lorsqu'il veut obtenir du lait. Attiré et motivé par l'odeur diffusée par l'aréole, le bébé s'approche du sein, fouine avec son nez, secoue sa tête, cherche à repérer la région la plus précise pour « s'installer ». Quand il l'a trouvée, il ouvre grand la bouche, sort sa langue une ou deux fois pour « goûter », puis saisit l'aréole à pleine bouche, place sa langue en gouttière sous le mamelon qu'elle amène jusqu'au milieu du palais, et se met à téter : longs moments d'activité, entrecoupés de pauses pendant lesquels la langue effectue un rapide mouvement de va-et-vient sous l'aréole.

Ce que je décris là est, bien sûr, la théorie. En pratique, tous les scénarios sont possibles. Il y a les bébés super-rapides qui dès la naissance se ruent sur le sein et franchissent en accéléré toutes les étapes, bien avant que les parents et les soignants, ébahis, aient eu le temps d'analyser leur technique. Il y a le bébé qui dort, qui ne se motive pas, qui lèche le mamelon d'un air étonné et se rendort ou tourne la tête. Il y a celui qui s'approche du sein, semble très intéressé mais qui soudainement se met à hurler, créant la panique chez sa mère et de curieuses interrogations chez les soignants. Il y a celui qui paraît très éveillé et participant mais qui se contente d'attraper le bout du mamelon et de le pincer fort entre ses gencives, faisant un mal de chien à sa mère qui ne va pas le supporter longtemps. Il y a celui qui prend bien le sein en bouche, après avoir calmement franchi les étapes de reconnaissance, mais qui s'endort avant même d'avoir commencé à se nourrir. Il y a celui qui dort beaucoup et celui qui crie tout le temps. Dans cet apprentissage, il n'y a pas de justice. Certains parents n'auront jamais le moindre souci et raconteront un allaitement idyllique, d'autres lutteront, plus ou moins longtemps, avec plus ou moins d'angoisse pour apprivoiser leur bambin à cette technique nouvelle pour tous.

Téter est une activité unique, un «jeu de bouche» qui n'a de sens que sur l'aréole des seins pour provoquer un signal-lait. Tous les petits mammifères en possèdent le mode d'emploi, inscrit dans leur programme génétique. *In utero*, les bébés non nés s'y entraînent déjà. Les échographies les montrent bien tétant leur pouce, mobilisant leur langue et avalant.

Téter est une activité des premiers mois de la vie. Prête à la naissance à terme, elle peut se révéler un peu complexe pour un bébé né avant terme, et momentanément impossible pour un bébé franchement prématuré. Cette technique alimentaire disparaîtra progressivement au cours des deux premières années, au fur et à mesure que l'alimentation devient solide et se diversifie.

Téter, c'est d'abord positionner la langue loin en avant, dépassant la gencive inférieure, et l'enrouler en «gouttière» sous le bout de sein. Celui-ci s'allonge dans le tube formé par le palais au-dessus, la langue dessous. Il se meut au gré du rythme et des positions de la langue. Tous les récepteurs sensitifs de l'aréole en contact avec ce «tube» sont ainsi largement stimulés.

La langue effectue un véritable *mouvement de va-et-vient, horizontal et ondulant*, mouvement complexe peu facile à décrire. La langue avance et recule dans la cavité buccale, et en même temps effectue un mouvement de «vagues», une ondulation haut/bas. Très difficile à repérer chez le nouveau-né, ce mouvement est par contre très visible chez un enfant de plus de six mois qui tète sa sucette, ou... chez un petit veau en train de téter! Il est impossible à filmer avec les techniques de radio-cinéma car le lait maternel n'est pas un produit radio-opaque, et qu'un tel produit devrait être apporté par une tétine, ce qui fausse radicalement la technique. Pour le visualiser, les échogra-

TÉTER

Bouche grande ouverte
Langue collée sous l'aréole
Gencive inférieure recouverte
Mouvement horizontal en deux temps :
- avancée directe
- retour ondulant

Déglutition infantile :
- la langue avance
- dépasse les arcades dentaires

SUCER

2 gencives en appui : mouvement vertical
Langue en arrière de la gencive inférieure
Mouvement :
- pincer
- aspirer

Déglutition adulte : la langue remonte

LA DYNAMIQUE DE LA BOUCHE DU BÉBÉ

phies non plus ne sont pas très performantes, car l'air dans la cavité buccale et l'absence de repères échogènes gênent la compréhension des images.

Ce mouvement de tétée est un mouvement *puissant*. Lorsque nous tentons de l'imaginer, le modèle le plus proche dans nos expériences d'adulte est celui de lécher, lécher une glace par exemple, langue sortie s'appuyant sur la boule glacée au maximum de sa surface, en attrapant la glace par-dessus pour que la lèvre supérieure participe à la prise. En faisant ce geste, la glace s'étire dans notre bouche et nous en prenons beaucoup plus qu'avec un simple léchage. En tétant, le bébé prend ainsi tout le bout du sein (aréole plus mamelon) en bouche, mais le soumet à une stimulation puissante : forte, prolongée, répétitive. Les jeunes mamans sont souvent étonnées de cette force qui les inquiète et peut, au début, déclencher une hypersensibilité locale désagréable. Il est évident que plus le bébé prend en bouche une large portion de l'aréole, plus les efforts mécaniques se répartissent sur une large surface, et plus la tétée est confortable. Par contre, si le bébé tient en bouche le seul mamelon et tire dessus pour tenter de le happer davantage, la douleur peut être franche, et les crevasses ne sont pas loin...

● Dans les premiers jours de la vie, favoriser une bonne technique, c'est-à-dire *bien positionner l'enfant et éviter les «fausses» expériences*, devrait être une règle absolue. Il sera souvent utile de calmer la sensibilité des bouts de sein, jusqu'à ce que les aréoles, mais aussi la mère, se soient «habituées» à une telle stimulation.

Téter, c'est aussi une technique tout à fait spéciale de déglutition. Pour avaler le liquide qui va jaillir dans sa bouche, en jets directs sur son gosier, le bébé adopte une technique proche de celle que nous prenons pour boire «à la régalade» les jets d'une gargoulette. Langue en avant, arrière-bouche grande ouverte, tête bien dans l'axe du jet, tous les repères anatomiques de l'arrière-bouche et du pharynx s'organisent pour diriger le liquide qui arrive sous pression directement dans l'axe de l'œsophage. Cette déglutition, que tous les dentistes appellent «déglutition infantile» est strictement coordonnée au rythme de la langue. Le bébé n'avale qu'aux instants où sa langue est en avant, très à l'extérieur, en fin du premier temps du mouvement de va-et-vient. Ce faisant, il réalise l'exploit, qu'aucun d'entre nous ne saurait reproduire à l'âge adulte, de *téter, avaler et respirer sans avoir à lâcher le sein.* Tout son programme génétique l'a programmé pour cette technique.

Très différente, la déglutition que nous appelons de «type adulte» consiste à faire remonter la pointe de la langue contre le palais, puis le corps de la langue fait progressivement «le gros dos» en se collant d'avant en arrière sur le palais. C'est une technique prévue pour les *aliments solides.* Préalablement mâchés, ils sont happés par la langue qui les conduit vers l'arrière, à la verticale de l'œsophage. Normalement cette déglutition ne survient chez les enfants allaités qu'avec les premières cuillères de purée ou de compote, donc vers quatre à six mois.

Malheureusement, de trop nombreux nouveau-nés vont perturber leur apprentissage en faisant trop tôt connaissance de ce deuxième type de déglutition qu'ils doivent mettre en place pour avaler un liquide présenté au biberon avec une tétine. Au biberon, pour faire ouvrir les trous de la tétine, le bébé doit pincer le caoutchouc entre ses deux gencives, et comme il n'aime pas se mordre la langue, il la laisse à l'intérieur de sa gencive inférieure. Au moment d'avaler, la langue ne peut pas sortir loin vers les lèvres et doit donc remonter vers le palais... ce qui est le début de la *déglutition adulte, incompatible avec la tétée au sein.*

Si ces notions vous paraissent difficiles à cerner, essayez-les avec votre bouche : tentez d'avaler normalement, comme vous en avez l'habitude, analysez le mouvement de votre langue. Tentez ensuite d'avaler en tournant fortement la tête sur le côté, puis en regardant au plafond, puis en tirant la langue. Si vous le faites bouche vide, c'est inconfortable. Si vous le faites en buvant, prévoyez quelqu'un près de vous pour vous taper dans le dos car vous avalerez de travers...

Ce qu'il faut bien comprendre, c'est que notre déglutition est un réflexe d'une précision absolue, tant dans le rythme que dans les rapports anatomiques de la bouche et du pharynx au moment d'avaler. Ce *réflexe inconscient, involontaire,* peu maîtrisable tend à empêcher les fausses routes. Notre survie à court terme dépend à chaque repas du fait que nos aliments descendent bien dans l'œsophage et non dans la trachée. Pour cela, notre cerveau déclenche le mouvement à des instants extrêmement précis, coordonnés à la respiration.

Chez le nouveau-né, la confusion causée par la tétine se joue à ce niveau. Normalement un nouveau-né doit avaler au moment où sa langue est en avant. Une expérience de tétine peut l'obliger à déglutir langue en haut. Pour certains d'entre eux, cette technique se fixera précocément, rendant le bébé inapte à déglutir les jets de lait maternel, empêchant donc toute tétée efficace. Il pourra prendre passivement les quelques gouttes de pré-lait rétro-aréolaire, mais ne pourra pas provoquer de flux de lait. Le risque d'avaler de travers serait trop grand.

Pour bien réussir son mouvement de tétée, le bébé doit absolument être en très bonne position. Tous les manuels de puériculture ont insisté longuement sur la **position de la mère**, disant qu'un inconfort ou des douleurs du dos pouvaient à court terme rendre un allaitement extrêmement pénible. C'est absolument exact. Pour la mère, toutes les positions sont possibles : assise, couchée sur le côté, penchée en tailleur et même debout si le bébé repose sur une hanche ou dans un sac kangourou. La seule règle, mais impérative : **confort absolu**. Le poids du bébé ne doit pas reposer sur les bras ou faire tendre les épaules et le dos. Mieux vaut l'asseoir sur les cuisses, le coucher sur un coussin reposant sur les genoux, l'allonger contre soi, ou même s'enrouler tendrement au-dessus de lui. Mieux vaut un dos rond et un bébé posé, qu'un dos bien droit et un bébé dont tout le poids tire sur les épaules de sa mère. Soyons bien clairs : une tétée en position instable ou pesante n'a aucune importance, mais six ou sept tétées par jour pendant des semaines, et un bébé qui double son poids de naissance en quatre ou cinq mois, cela retentit vite sur les douleurs de la maman si elle n'a pas pris soin de préserver systématiquement son dos.

Pour le bébé également, la bonne position est une règle

simple mais impérieuse : son ventre, son nombril doivent être au contact du corps de la mère, son menton collé au sein, et sa bouche doit être exactement dans le prolongement du sein, dans le même axe que les canaux, juste au niveau de l'aréole. Pas question de lever trop la tête, pas question de la tourner non plus. Ni sa mère ni lui n'auraient une tétée satisfaisante.

MAUVAISES POSITIONS DU BÉBÉ,
GÊNANT LA DÉGLUTITION, DONC LA TÉTÉE

Si la bouche n'est pas dans l'axe du jet, le bébé est gêné pour déglutir. Toute déglutition tête tournée est inconfortable (essayez, c'est très instructif !). Le risque de fausse route est important, tellement important que le bébé va tout faire pour l'éviter. Pour cela il attire le sein de sa mère le plus loin possible dans sa bouche pour redresser le mamelon. Comme il est placé latéralement, cet étirement va être asymétrique, la zone la plus étirée tend à glisser hors de la bouche. Le bébé fait tous ses efforts pour la garder en bouche, donc augmente sa pression. Voilà la cause numéro un, pour ne pas dire presque la seule, des crevasses du sein. Le même mécanisme se voit également lorsque le bébé tète bien dans l'axe, mais que la maman appuie sur le bord de l'aréole avec ses doigts pour — dit-elle! — lui dégager le nez. Le doigt crée une zone d'étirement vers l'arrière, le bébé va tirer plus vers l'avant... et voilà une nouvelle crevasse en route. Quand une maman a une crevasse sur la partie supérieure du mamelon, inutile de demander où elle place ses doigts pendant la tétée : au-dessus. Ou alors, regardez téter le bébé, et vous verrez qu'il est placé beaucoup trop bas et qu'il lève la tête pour tirer sur le sein... Si la crevasse est placée sur le bord interne du mamelon, le bébé est sûrement placé dans le creux du bras,

NON   OUI

Bébé qui suce   Bébé qui tète bien
façon tétine   un sein

beaucoup trop latéralement vers l'extérieur. Si enfin la crevasse est sous le mamelon, il y a fort à parier que le bébé a été placé trop haut... Toutes ces notions de «mécanique interactive» ne sont jamais décrites aux mamans, auxquelles on laisse croire que les crevasses sont une fatalité, ou que leur peau est trop fragile, ou que la salive prétendument corrosive du bébé les ronge... et autres fantaisies! Nous y reviendrons au chapitre 6.

Si, malgré tous ses efforts, le bébé n'arrive pas à trouver l'axe du sein ou si son cou trop tourné provoque une gêne doulou-reuse lors de la déglutition, il a de grandes chances d'arrêter tout effort, et d'attendre, plus ou moins patiemment, un autre type de repas qui ne saurait tarder... Pas plus que nous, les bébés ne se complaisent dans une situation inconfortable. Ils préfèrent démissionner. Avez-vous réalisé que les biberons sont, eux, tou-jours proposés dans l'axe, droit dans la bouche ! La position pour donner le sein et celle pour donner le biberon ne peuvent être identiques puisque le sein est perpendiculaire au thorax alors que le biberon est présenté en parallèle. Ce simple bon sens nous avait échappé...

● Il est *inutile de dégager le nez, ou de pincer l'aréole entre deux doigts* pour la «faire sortir», la rendre plus facilement saisissable par le bébé. Cela provoque des crevasses, comme je viens de le décrire, et le bébé n'en a nul besoin. L'idée qu'il pourrait enfouir son nez dans le sein et s'y étouffer n'est qu'un fantasme de plus dans nos cervelles d'Européens. Aucun bébé, jamais, dans aucun recoin de la planète n'est mort ainsi, ni même a pu en être vraiment gêné. Aucun médecin, ni écrivain, ni historien ne l'a jamais raconté. L'explication en est très simple : les narines ne sont pas situées «face à la route», devant le visage, mais sous le nez, donc sous un promontoire qui dégage naturellement sous elles un sillon d'air. Comme en plus le sein est un organe rond, convexe, ce sillon débouche tout normalement en zone libre. Pour peu que le bébé soit juste au bon niveau, que son menton soit collé contre l'aréole et sa tête à peine relevée, il ne sera pas gêné. Par contre, si l'appui des doigts aplatit le sein ou, plus grave, le creuse en concavité, là la respiration pourrait être entravée.

L'attitude raisonnable (et efficace !) lorsque le sein est très gros, un peu mou et que le bébé paraît gêné, c'est de placer la paume de la main en corolle sous le sein, bien toute la main en arrondi, pour soulever le sein, et recréer la convexité. Il suffisait d'y penser !

Dernier point de détail trop souvent oublié, *ce qui motive le bébé dans sa recherche*, qui l'excite et lui fait réussir son mouvement de langue et la coordination de sa déglutition, c'est d'abord et avant tout *l'odeur de l'aréole*, celle diffusée par les tubercules de Montgomery. Vouloir à tout prix désinfecter cette région, la nettoyer, est une aberration. Le lait maternel est l'un des plus puissants antiseptiques du monde. Pourquoi gêner le bébé au nom de principes d'hygiène retardataires quand on sait que son alimentation est un vrai jus d'anticorps contre les infections... Si la maman a une hygiène corporelle globalement correcte (une douche par jour et quelques savonnages par semaine), il n'est besoin d'aucun soin spécifique pour les seins.

EXCELLENTES POSITIONS DE L'ENFANT ET DE SA MÈRE

EXCELLENTES POSITIONS DE L'ENFANT ET DE SA MÈRE

La bonne position d'un bébé au sein peut donc se résumer ainsi :
- corps face à celui de sa mère, nombril posé contre elle ;
- visage face au sein et bouche dans l'axe des canaux donc du « téton » ;
- menton collé au sein.

En y réfléchissant, de multiples positions (sur 360 degrés !) correspondent à ces critères, selon les positions de la mère. À nous d'être inventifs.

Quand un bébé semble trop endormi ou peu motivé par la tétée, il est logique de renforcer cette odeur par celle du lait. En appuyant sur l'aréole, *en arrière du mamelon*, la mère amène facilement à la peau quelques gouttes de lait. Promener cette tentation odorante à proximité du nez du bébé est l'un des moyens de le décider.

Il n'est pas inutile de le répéter : dans les premiers jours de vie, certains bébés réalisent cet apprentissage de la tétée en quelques fractions de minutes, d'autres auront besoin de plusieurs jours, voire près d'une semaine. Pendant ce temps, d'autant plus dur à passer que le bébé est très petit ou prématuré, la plus mauvaise solution consiste à donner des biberons de complément avec une tétine classique. Pour respecter le désir de la maman d'allaiter ce bébé, il convient d'*éviter toute confusion technique de déglutition* donc d'alimenter l'enfant en lui permettant de sortir sa langue en avalant. Le choix est large : *cuillère, tasse, comptegoutte, petit bol avec un bec verseur...* ces solutions paraissent curieuses à qui ne les a pas essayées, nous sommes tellement obnubilés par l'image dominante du biberon. Mais n'hésitez pas, vous verrez, c'est très facile.

LE TEMPS CÉRÉBRAL DE RÉACTION À LA STIMULATION ARÉOLAIRE

Quand le bébé réussit efficacement sa technique buccale de tétée, prenant en bouche une large part de l'aréole et activant sa langue, il excite un grand nombre des récepteurs. De là partent des nerfs sensitifs, qui vont amener en quelques fractions de seconde l'information au cerveau.

Ces nerfs n'arrivent pas n'importe où. Ils vont à la base du cerveau, dans la région des «rythmes automatiques» du corps, juste au-dessus de l'hypophyse, glande qui fabrique la plupart des hormones de notre fonctionnement et commande la fabrication à distance des autres... Donc point central de notre vie et de son équilibre.

La région des rythmes s'appelle *l'hypothalamus*. Là (ou aux proches environs) se règle, à notre insu, toute notre vie : les heures d'éveil et de sommeil, le réglage de la température, les variations des sécrétions hormonales au long de la journée, celles du rythme cardiaque et respiratoire, la faim et la satiété, l'équilibre du poids corporel, la masse sanguine circulante et le pourcentage d'eau du corps, la date des règles et celle des ovulations, etc. On pourrait l'imaginer comme une vaste horloge reliée à un central de contrôle général, recevant des informations de tout le corps et répondant : O.K., c'est l'heure, mettez en route l'appétit... envoyez la sérotonine du sommeil, ou prévoyez des règles pour après-demain matin !

■ La stimulation adaptée

Ce qu'il faut bien comprendre, c'est que cette région, située dans le cerveau profond, très loin du cortex cérébral est une zone de réaction *inconsciente et involontaire*. Nous sommes tout à fait incapables en y pensant, même en nous concentrant très fort, de modifier notre température corporelle ou notre rythme cardiaque, ni de programmer une ovulation, ni de modifier le volume sanguin circulant, ni... Malgré de gros efforts de volonté la plupart des régimes pour maigrir se heurtent à l'«immobilisme» de l'hypothalamus, au refus de modifier le réglage du «pondérostat». Malgré notre rêve de maîtrise, nous ne sommes guère maîtres de nos cycles profonds. Ce n'est pas une décision volontaire qui permet la fabrication du lait. La seule façon de déclencher la fabrication du lait, c'est la stimulation de l'aréole pour que l'information remonte au centre de commande. Le cerveau supérieur conscient et volontaire n'y est pour rien. D'ailleurs, si le bébé contre elle se met à téter, la maman fabrique très facilement du lait... en dormant.

■ Le largage des hormones

Si la stimulation du sein est adéquate, et si d'autres régions du cerveau ne parasitent pas la commande, l'hypothalamus va déclencher la lactation. Pour cela il lève une «interdiction d'agir» qu'il maintenait sur l'hypophyse, et la laisse libérer deux hormones :
— la prolactine, issue d'un groupe de cellules de l'hypophyse anté-

rieure, chargée de mettre en route les cellules glandulaires du sein pour qu'elles *fabriquent*, selon une recette ultraprécise, les éléments spécifiques du lait ;
— l'ocytocine, issue de la zone postérieure de l'hypophyse, qui, elle, va mettre en route la *pompe* autour des alvéoles et l'éjection du lait.

Ces deux hormones quittent l'hypophyse par voie sanguine, passent dans la circulation générale et en quelques battements cardiaques arrivent aux seins. Aux deux seins puisqu'ils sont tous les deux remplis de vaisseaux sanguins et que la circulation sanguine n'est pas sélective.

> Imaginez que l'hypophyse est une toute petite glande, grosse comme un noyau de cerise, pendue à la base du cerveau. Vous comprenez que les deux hormones partant en même temps, du même lieu, par le même transporteur sanguin, arrivent au même moment dans les seins. Raison pour laquelle, dans les premiers temps d'un allaitement, lorsqu'une maman allaite son bébé d'un côté, l'autre sein se met souvent à couler. Logique !

■ *Les blocages du mécanisme*

Si la physiologie de l'allaitement se résumait à ce que je viens de décrire, il n'y aurait rien de plus simple, et l'allaitement marcherait toujours du premier coup. Mais le corps humain n'est pas une mécanique. La vie est source d'émotions, de stress, de joies, de peines, de fatigues et d'inconforts qui vont fausser, empêcher la libre réaction de l'hypothalamus.

Il existe en effet, juste au-dessus de la «boîte noire» de contrôle, une autre structure cérébrale plus ou moins inconsciente et involontaire qui va littéralement parasiter l'hypothalamus. Cette deuxième région du cerveau profond, nommée système limbique par les neurophysiologistes, est le siège de l'affectivité et des émotions. Toute forte réaction de ce système limbique perturbe les réponses de l'hypothalamus. Au paragraphe précédent, vous avez vu par exemple qu'il est impossible par la simple volonté d'élever la température corporelle ou le rythme cardiaque. Il suffit en revanche d'une émotion modérée, une peur ou une joie pour faire rougir, transpirer et battre le cœur...

Toute grande émotion bonne (tomber amoureux par exemple) ou mauvaise (deuil, chagrin, divorce...) peut perturber notre équilibre. Une grande émotion peut couper l'appétit pendant plusieurs jours ou faire dévorer quatre fois plus. Une grande émotion amène des nuits blanches, ou fait dormir comme un loir. Une grande émotion peut bousculer les cycles menstruels. Une grande émotion donne envie d'uriner à contretemps, ou donne soif, ou... tout se dérègle.

TOUT L'ENVIRONNEMENT EST CONCERNÉ

Il en est de même pour l'allaitement. Plus la mère est calme, rassurée, heureuse, détendue, flottant dans une douce euphorie, plus l'hypothalamus a de chances de démarrer au quart de tour. Au contraire, la douleur, la peur, le souvenir puissant des chahuts de l'accouchement, la gêne de «sortir ses seins» devant les soignants ou les visiteurs, la peur de mal faire, les maladresses des premières découvertes, la déception aussi devant un bébé réel si différent du bébé imaginaire tant attendu, les discours angoissés du personnel des maternités sur les risques encourus par le bébé, tout cela peut fausser les premières journées entre un nouveau-né et sa mère, et retarder la lactation.

Beaucoup de mamans ne supportent même pas que «ça» ne fonctionne pas à fond dès les premières minutes, et entrent de plein fouet dans nos fantasmes émotionnels les plus archaïques : peur de manquer, peur de la famine, peur de la faim que pourrait ressentir ce bébé et dont elles n'hésitent pas à croire qu'il pourrait mourir. En dépit de tout ce que l'on sait sur la richesse exceptionnelle du colostrum, toujours présent dès avant la naissance, soignants et parents s'ingénient à attendre comme rassurante une tardive montée laiteuse, premier signe en réalité que la lactation... tarde à se mettre en place !

La réalité des bébés pendant les premiers jours de vie est mille fois plus complexe que ce que l'on a coutume d'imaginer. Écoutez les commentaires des visiteurs d'une jeune accouchée. Si le bébé pleure, c'est qu'il a faim. S'il ne pleure pas, il a peut-être faim sans le savoir. Peu de mères échappent à cette simplification culpabilisante. Le personnel des maternités lui-même participe au scénario, regardant les courbes de poids et demandant l'heure du dernier repas à chaque passage dans la chambre. Or, pendant les deux ou trois premiers jours de vie, l'adaptation du bébé nouveau à son milieu provoque une série complexe de transformations intérieures : régulation de la température à 37°, diminution du pourcentage d'eau contenu dans l'organisme, mise en route du transit intestinal et des métabolismes hépatiques, régulation de la sécrétion de certaines hormones indépendamment de celles de la mère.

● Ce sont ces transformations que nous raconte la courbe de poids, et nullement une «perte de matière vivante» liée à une sous-alimentation. Cela, tous les parents devraient le savoir au plus profond d'eux-mêmes pour résister au délire de famine devant le moindre pleur de leur bébé.

Dans les raisons d'inconfort de ce dernier il y a aussi, plus ou moins désagréables, les sensations nouvelles : la pesanteur du corps sur les draps, le plat du berceau et son silence après des mois d'arrondi utérin bruissant de battements aortiques, l'immobilité des journées, les bruits extérieurs perçus «en direct», l'air frais sur la peau, les plis des vêtements, la texture plus ou moins revêche de tel ou tel tissu, la lourdeur de la tête impossible à soulever ou si dure à retenir, les mobilisations intempestives par des visiteurs indélicats. La sensibilité du bébé est mise à rude épreuve par toutes ces nouveautés. Certains d'entre eux vont hurler haut et fort qu'ils n'apprécient guère tous ces changements. D'autres plus calmes trouveront refuge dans un apaisant sommeil. Aucun de ces deux comportements n'a valeur de repère sur un état nutritionnel ou un besoin énergétique. Au fin fond de son hypothalamus, le bébé mettra des semaines pour créer un rythme alimentaire et savoir la différence entre avoir faim et ne plus avoir faim. Arrêtons de lui prêter à tort une seule raison de pleurer.

Si le bébé stimule correctement les aréoles et si la maman flotte dans une douce sérénité, l'hypothalamus enverra l'ordre hormonal de fabrication du lait.

Il est important de noter que la sensibilité hypothalamique aux émotions ne dure que les premiers temps de l'allaitement. Au bout de quelques semaines, le corps s'habitue, au sens fort du terme, se crée des habitudes. Les gestes qui précèdent l'allaitement proprement dit : prendre le bébé dans les bras, le mouvement pour déboutonner le chemisier ou approcher l'enfant prennent eux aussi valeur de signal. Les flux peuvent alors démarrer à l'instant même où le bébé s'approche de l'aréole. Plus ces gestes sont répétitifs, peu perturbés, plus la mère les vit sereinement et plus vite viendra le conditionnement.

Pour résumer ce chapitre, il serait bon de se rappeler que la commande de lactation survient d'autant plus vite, d'autant plus efficacement que la jeune maman est tranquille et sereine. Il conviendrait donc :

— de créer autour d'elle une atmosphère paisible et douce, sans commentaire inopportun sur ses compétences à nourrir son bébé ;

— de respecter l'intimité absolue nécessaire à ces premières rencontres de «corps à corps». Les visiteurs devraient avoir la correction de sortir de la chambre. La pudeur qui ne peut se dire est l'une des premières causes de retard de lactation ;

— le personnel soignant a pour mission d'éviter les mauvaises positions du bébé pouvant gêner sa technique de bouche, puis, calmement, positivement, d'aider la jeune maman à traduire en son corps les signaux disant : «Ça marche» ;

— tout commentaire défavorable sur le volume des seins, la forme du «bout», et toute tentative d'aider le bébé en tentant de lui faire pénétrer en force le mamelon dans la bouche sont des erreurs ;

— lorsque l'adaptation du bébé à son alimentation n'est pas immédiate (c'est très fréquent, je le répète, près d'un bébé sur cinq met trois à huit jours pour affiner sa technique), le rôle des accompagnants est encore de rassurer, positiver, pallier si nécessaire les conséquences de ce retard sur la congestion des seins de la mère, et compenser astucieusement pour le bébé son retard à déclencher une lactation efficace, sans perturber son apprentissage... Tout un art de patience positive et vigilante.

L'ARRIVÉE DES HORMONES HYPOPHYSAIRES

Reprenons plus en détail le largage des hormones hypophysaires et les conditions de ce largage.

Le sein est un organe à fonctionnement intermittent. Il ne marche qu'après une grossesse, et lorsque le bébé tète. Il existe donc un double mécanisme de contrôle, soumettant la lactation à ces deux paramètres.

— Pendant toute la grossesse, et malgré le taux progressivement croissant de la prolactine sanguine circulante, la lactation est bloquée par... le bébé! Ce sont en effet les taux élevés de progestérone fabriquée par le placenta, donc par l'enfant, qui empêchent le démarrage alors que la glande mammaire est virtuellement fonctionnelle depuis le quatrième mois. Cette période très spéciale est appelée période colostrale. Les seins sont prêts, mais bloqués, bridés par la grossesse. Ils produisent un liquide jaune-orangé, très épais, peu abondant. Certaines mamans le voient perler pendant la grossesse, d'autres ignorent totalement que leurs seins produisent déjà cet *aliment de l'adaptation*, absolument irremplaçable. Au moment de la naissance, le colostrum est donc déjà en place, prêt pour le bébé. Nous y reviendrons longuement au chapitre 4.

À la sortie du placenta, dans les minutes qui suivent la naissance, l'apport d'hormones placentaires cesse définitivement. Le taux de progestérone avait, pour sa part, commencé à baisser plusieurs jours avant. Le taux dans le sang de la mère va donc baisser très vite, surtout celui de la progestérone qui « s'écroule » dès quarante-huit heures après l'accouchement, devenant même plus bas qu'au moment de la puberté. Pendant ce délai le bébé reçoit du colostrum quand il tète, mais le lait ne jaillit pas. Ce colostrum est exactement ce dont il a besoin et lui donne le temps de « fignoler sa technique » en attendant les flux de lait. N'est-ce pas un temps essentiel?

le taux module
la tension
mammaire

le taux régule
la fécondité

PROGESTÉRONE

ŒSTROGÈNES

PROLACTINE

Gestation   Accouchement   Lactation

VARIATIONS DE LA COURBE DE PROLACTINE

8   10   12   14   16   18   20   22   24   2   4   6   HEURES

SCHÉMA DES VARIATIONS SUR VINGT-QUATRE HEURES
DU TAUX DE PROLACTINE DE BASE

tétée

8   10   12   14   16   18   20   22   24   2   4   6   HEURES

SCHÉMA DES PICS DE PROLACTINE LORS D'UNE TÉTÉE,
S'AJOUTANT AU TAUX DE PROLACTINE DE BASE

Demi-vie de la prolactine dans le sang : env. 20 minutes
Période réfractaire après un pic de prolactine : 45 à 60 minutes

● Cette chute brutale d'hormones qui rythment toute la vie génitale menstruelle des femmes et le décalage des taux entre progestérone et œstrogènes sont souvent ressentis comme fatigants, stressants (vous savez, le coup de blues du troisième jour!). Ils entraînent aussi une hypersensibilité transitoire des mamelons et des aréoles (à ne pas confondre avec une douleur de crevasse!) déjà connue des jeunes femmes lors des débuts de leur puberté. Ces mêmes signes se retrouveront un jour comme signes de préménopause, quand ces hormones diminueront définitivement...

● La baisse brutale des hormones placentaires alors que la prolactine de la grossesse est à son maximum entraîne pour la jeune mère deux conséquences :

— un curieux état hormonal responsable de rétention d'eau et d'électrolytes. Tout son corps est saturé de liquide, son poids sur la balance est trop élevé si l'on tient compte du poids au moment de l'accouchement et de celui du bébé et de ses annexes. Cette rétention d'eau va se manifester à son maximum dans les organes où le débit sanguin vient de tripler : les seins. Ils deviennent lourds, chauds, tendus. Certaines femmes ressentent ces variations de façon intense, d'autres, moins sensibles aux taux d'hormones, ne les remarquent qu'à peine. Question de constitution!

— la mise en route de l'hypothalamus qui peut, enfin, libéré des hormones placentaires, rythmer la commande de lait lors des tétées.

— La commande hypothalamique de fabrication du lait corrélée à la stimulation de l'aréole va donc apparaître en moyenne entre trente et soixante-douze heures après la naissance. Plus cet événement se produit tôt, plus la lactation débutante est confortable pour la mère. Plus il tarde, et plus augmente le risque de douleurs et d'engorgement. Vous comprenez bien que les trois éléments précédemment décrits entrent en jeu pour déclencher le mécanisme : la chute des hormones placentaires, la qualité de stimulation par le bébé et les émotions maternelles. Devant tout retard ou toute difficulté, seuls les deux derniers points peuvent être améliorés.

Quand le bébé tète efficacement, prenant en bouche une large part de l'aréole et stimulant les récepteurs spécifiques, l'hypothalamus va donner l'ordre à l'hypophyse de «lâcher» dans la circulation sanguine maternelle la prolactine et l'ocytocine.

HORMONOLOGIE DE LA LACTATION

NOM DE L'HORMONE	CONDITION D'APPARITION	STRUCTURE CIBLE	EFFETS
Ocytocine	émotions et/ou tétée — la post-hypophyse libère une ou plusieurs fois de l'ocytocine	Fibre myo-épithéliale	contractions des fibres myo-épithéliales — Mouvement — dans l'arbre sécrétoire : progression et éjection du lait ; dans l'arbre vasculaire : augmentation de la circulation
Prolactine	tétée — l'anté-hypophyse libère la prolactine pic de la prolactinémie	dans l'arbre sécrétoire, les acini	sécrétion du lait, c'est-à-dire synthèse intracellulaire des différents éléments constitutifs du lait maternel : - lactoses, - protéines, - lipides.
Taux de base de la prolactine variation des taux sanguins : tableau p. 76		arbre vasculaire	«fait l'éponge vasculaire» les variations de volume du sein se jouent dans l'arbre vasculaire

Pour être plus précis, il s'agit en réalité d'une «levée d'interdit». En permanence (par le biais de neuromédiateurs dont les plus connus sont la dopamine et l'acide gamma-amino-butyrique), l'hypophyse fabriquant ces deux hormones une «interdiction de sécréter». Quand le signal de lactation est donné, cet interdit est levé pendant quelques minutes, entraînant la libération dans le sang de la mère d'une dose élevée de prolactine, qui rejoint les cellules glandulaires, et d'ocytocine, qui rejoint les cellules contractiles de la pompe. La lactation démarre alors en quelques fractions de seconde.

Ce qui rythme le caractère intermittent de la fabrication du lait, c'est que cette «levée d'interdit» est de courte durée. Le facteur inhibiteur dopaminergique se remet en place immédiatement après la libération des deux hormones, et le restera jusqu'à la prochaine stimulation.

La durée de fabrication du lait sera directement corrélée à la durée de vie de la prolactine dans le sang, donc dans les seins. La demi-vie de cette hormone est courte, environ vingt minutes. Cela signifie qu'après vingt minutes, la moitié du pic de prolactine est déjà détruite, et que la lactation va bientôt s'arrêter. Pendant ce temps, puis dans les minutes ou heures qui suivent, les cellules de l'hypophyse se «rechargent» pour redevenir aptes à libérer un nouveau pic de prolactine lors d'une nouvelle stimulation aréolaire.

— Un certain nombre de signes, souvent décrits par la mère, traduisent l'arrivée des hormones dans le sang et les seins.

L'arrivée de prolactine est peu perceptible. Les taux élevés de cette hormone ont tendance à entraîner une douce somnolence, une euphorie tranquille, un bien-être global en détente, probablement du fait d'interactions entre cette hormone et les morphines endogènes. On devrait décrire ce phénomène aux mamans. C'est un facteur positif de mise en route de l'allaitement, de la relation avec le bébé et de récupération physique. Comme la détente qui suit l'amour, il ne s'agit en rien d'une fatigue anormale (mot utilisé trop souvent!) mais d'un apaisement du corps. Pourquoi ne pas en jouir calmement?

Au moment des tétées, la plupart des signes sont liés à l'ocytocine, hormone qui contracte les fibres musculaires lisses un peu partout dans l'organisme.

● *Dans les tout premiers jours après la naissance*, les signes sont le plus souvent perçus à deux niveaux :

- au niveau des seins, le signe le plus élémentaire, c'est que les mamelons, sous l'influence de l'ocytocine, se mettent — enfin! — en érection, s'allongent, durcissent pour que les canaux s'ouvrent à plein diamètre à la peau. Vous comprenez là toute l'absurdité des discours sur les mamelons plats ou ombiliqués. Ce n'est qu'en plein milieu de la bouche du bébé qu'ils prennent leur forme «fonctionnelle». Autre signe, facile à repérer : un sein se met à perler ou carrément à couler pendant que le bébé tète de l'autre côté. Cela signifie que l'ocytocine arrivée par voie sanguine dans les deux seins à la fois tente de provoquer un flux même du côté non stimulé par la bouche du bébé;

- au niveau de l'utérus, l'arrivée d'ocytocine entraîne des contractions utérines, et ce d'autant plus que l'utérus est très réactif, et qu'il est rempli de caillots sanguins. Les anciennes sages-femmes le savaient bien, qui mettaient le bébé au sein pour faciliter la délivrance ou arrêter une hémorragie. L'utérus ainsi stimulé reprend plus vite sa taille et sa place. Si l'inconfort de ces contractions est vraiment pénible, il sera toujours possible de calmer la douleur, sans utiliser toutefois — restons logiques! — un antispasmodique qui contrerait l'ocytocine.

● *Au fur et à mesure que les jours passent,* que les seins se rodent, s'assouplissent et que l'utérus reprend son volume non gravide, ces signes vont évoluer.

Le deuxième sein coule de plus en plus rarement, puis plus du tout, mais les mères perçoivent mieux une sensation diffuse de tension, de chaleur interne des deux seins. «Le lait monte», disent-elles souvent. Parfois elles parlent de picotements, de fourmillements, de brûlure intérieure, beaucoup plus rarement, mais cela peut se voir, d'une douleur intense mais brève en «coup de poignard» en début de tétées. Aucun de ces signes n'est inquiétant. Tous traduisent simplement, sur une tonalité plus ou moins agréable, la mise en route de la pompe ocytocique mammaire. Ces signes d'ailleurs diminuent avec le temps. Après quelques semaines d'allaitement ne reste que la sensation très agréable de chaude tension intérieure, reconnue par les mamans comme un signal de bon fonctionnement des tétées.

Une fois revenu à son volume initial, l'utérus se contracte encore mais très doucement. Certaines mères le racontent comme des contractions douces, proches de celles du plaisir sexuel, d'autres ne les sentent plus du tout... ou ne le diront pas! D'autres encore parlent de contractions vésicales ou intestinales qui ont exactement la même signification de signal ocytocique.

Il est intéressant de noter qu'en période d'allaitement il existe de véritables «bouffées d'ocytocine», provoquant ces mêmes sensations, en dehors de toute stimulation des aréoles. Le facteur déclenchant en est une émotion relative à l'enfant : l'entendre pleurer, entendre un autre bébé pleurer, penser brutalement qu'on est en retard et qu'il a peut-être faim, peut faire inonder la robe de la mère en plein supermarché ou au milieu d'une réunion professionnelle. Petite fantaisie des premiers mois qui ne tardera pas à disparaître.

LE JAILLISSEMENT DU LAIT

Reprenons succinctement les étapes que nous venons de décrire :
- le bébé tète et stimule les récepteurs sensitifs de l'aréole ;
- le message monte au cerveau profond inconscient ;
- l'hypothalamus gère l'information en fonction du climat émotionnel sus-jacent ;

- il lève le facteur inhibiteur qu'il maintenait sur l'hypophyse ;
- l'hypophyse sécrète en un temps l'ocytocine et la prolactine ;
- ces deux hormones rejoignent le sein ;
et le lait se met à couler...

La réalité, c'est que *le lait se met à jaillir, à sortir en jets*. D'un pore, puis d'un autre, puis encore d'un autre, le lait, propulsé de l'intérieur par les pompes alvéolaires arrive à la peau sous pression. Celle-ci peut être modérée, avec un jet de quelques centimètres. Elle peut être très forte, le lait jaillissant à plus de cinquante centimètres des seins.

Savez-vous que la puissance et le débit de ce flux diffèrent profondément d'une femelle de mammifère à une autre ? L'espèce la plus rapide semble être la baleine qui déverse à son baleineau de trente à cinquante litres de lait en moins d'une minute. Presque la puissance d'une lance à incendie. Il est vrai que la baleine et son petit flottent dans l'eau, mais n'ont aucun moyen de se retenir l'un à l'autre. Pas de bras, pas de pattes. La moindre vague, le moindre courant vont les séparer. La survie du petit dépend sûrement de la puissance du flux de sa mère. À l'inverse, les lionnes prennent tout leur temps. En dehors de quelques heures de chasse par jour, elles dorment sans cesse, protégées par les mâles et les autres femelles de la tribu. Les lionceaux vont et viennent, se servent tout à loisir. Parmi les espèces qui nous sont plus proches, il y a aussi des différences importantes. La traite des vaches et des chèvres dure de dix à vingt minutes. La brebis, la truie, la lapine, la femelle hamster par contre ont un flux bref de trois ou quatre minutes. Au moment des tétées, une truie « avertit » ses cochonnets par un petit cri aigu qu'ils ont intérêt à se dépêcher de trouver une mamelle libre. Malheur au plus petit ou au plus fragile d'une portée si ses frères et sœurs le repoussent, ou s'il y a plus de petits que de mamelles...

Pour les petits humains, le flux se produit généralement dans la bouche du bébé, ce qui nous a permis... de le nier totalement. Nous l'avons tous observé pour d'autres femelles de mammifères, à la traite desquelles nous avons assisté, mais pour les femmes! Qui d'entre nous parle d'allaitement en termes de puissance, de jaillissement, de flux d'éjection? Le discours populaire auquel les jeunes mères sont confrontées ne dit-il pas l'inverse: «Tu es sûre que tu en as assez?», «Pèse-le pour savoir ce qu'il prend», «S'il pleure, c'est qu'il a faim», et autres banalités qui toutes nient allégrement la réalité?

Pour connaître ce jaillissement du lait, le signe essentiel, fondamental, c'est celui que le bébé donne à sa mère. Alors qu'il tétait en attendant la réponse hypothalamique et que rien ne venait, il reçoit brutalement des jets de lait au fond de la gorge. (Il nous faut bien réaliser que le mamelon étant situé au milieu de la bouche, un jet, même faible, arrive sur l'arrière de la langue et de la luette.) Pour avaler ce liquide qui lui arrive sous pression, le bébé va déglutir comme il sait le faire, donc en déglutition infantile, langue sortie. **Cette déglutition s'entend.** La mère ou un observateur attentif percevront nettement une sorte de «gloup», de bruit sonore répété à plusieurs reprises, puis une pause de une à deux minutes, puis nouvelle reprise, etc.

Il est ainsi possible, simplement en écoutant, de décrire l'exacte **rythmicité des flux d'éjection** des seins de femme. En moyenne, le premier flux est le plus rapide, le plus puissant, correspondant à un fort volume de lait, dure trois à quatre minutes et provoque une bonne vingtaine de déglutitions. Puis une pause de deux à trois minutes. Puis nouveau flux, un peu moins long, un peu moins puissant. Nouvelle pause un peu plus longue que la première. Troisième flux, un peu long à se déclencher, assez faible. Nouvelle pause. Le quatrième flux est lui très inconstant. En moyenne, l'ensemble de ces flux dure de quinze à vingt minutes, avec parfois selon les tétées des écarts importants.

Très vite les bébés connaissent ce rythme et y adaptent le rythme de leur langue. Dans les premiers jours, certains nouveau-nés peuvent être déroutés par les moments de pause et se rejeter en arrière en criant que plus rien ne vient. Les aider à passer ce cap en douceur, leur suggérer de reprendre leur mouvement de bouche pour relancer le flux, est la condition de réussite de l'allaitement. Quand toutes les femmes de France seront persuadées que leurs seins fonctionnent, que leur seul rôle est de rassurer leurs bébés pour qu'ils poursuivent leurs efforts, il n'y aura plus de problèmes de « mères qui manquent de lait ». Pour y parvenir, il nous faut mettre à jour et abolir toute une culture du tabou et du déni concernant les seins. Rude entreprise. Inutile de nous leurrer, ce ne sera pas simple.

• Il est possible d'observer ces flux de lait, ces jets puissants dans un certain nombre de situations — hélas habituelles en maternité ! — où l'on cherche à provoquer un écoulement de lait hors de la bouche du bébé.

Les moyens en sont multiples : téterelle, protège-mamelons en silicone, tire-lait, massage aréolaire... Ils ont pour hypothèse d'action commune de « leurrer l'hypothalamus », de lui faire croire qu'un bébé tète puisqu'il y a un étirement longitudinal de l'aréole.

Deux raisons de les utiliser me paraissent valables :

- initier et entretenir la lactation d'une maman dont le bébé, malade ou prématuré, a été transféré en service spécialisé ou se révèle momentanément incapable de réussir sa technique de tétée ;

- favoriser des écoulements fréquents et abondants pour prévenir ou traiter un engorgement.

Mais trop souvent les interventions des soignants tendent à utiliser ces techniques pour des raisons aberrantes : donner entre les tétées une meilleure forme à un mamelon dit anormal, recueillir un écoulement intempestif pour protéger un vêtement ou, pis encore, créer une « prothèse-téton » artificielle que le bébé saisirait mieux. Nous sommes là en plein « délire d'emboîtement anatomique » et non dans la physiologie de la lactation. Nous y reviendrons longuement au chapitre 6.

Un peu d'horaire, pour ne plus compter...

Bien qu'il soit ridicule dans la mise en route d'un allaitement de minuter quoi que ce soit, il est intéressant d'avoir une certaine idée de la durée des différentes étapes :
— le bébé se met à téter et reçoit les quelques grammes de liquide rétroaréolaire : quelques secondes ;
— le cerveau gère l'information : de dix secondes dans les cas rapides à *plusieurs minutes* si le climat émotionnel est agité ;
— la mère sent dans son corps l'arrivée des hormones ;
— le bébé déglutit bruyamment pour annoncer le début du flux ;
— trois à quatre flux d'éjection de quinze à vingt minutes au total, que ce soit sur un ou deux seins ;
— une période réfractaire minimale pour permettre à l'hypophyse de reconstituer son stock de prolactine. Plus rien ne coule ou presque. Il ne sert donc à rien de prolonger la tétée dans cette période, sauf pour le plaisir... On estime qu'il peut y avoir un nouveau pic hormonal quarante-cinq ou soixante minutes après le précédent. Si l'intervalle est plus long, il y aura plus de prolactine pour la tétée suivante.

Il découle de ces quelques notions un certain nombre d'aspects pratiques utiles à connaître :
— Le temps d'une tétée ne devrait être compté qu'à partir du flux, surtout pas du début de la succion. Après un quart d'heure au sein, la lactation peut n'avoir pas démarré et le bébé n'avoir rien pris. Il peut au contraire avoir terminé un repas parfait.
— Passer d'un sein à l'autre n'est pas une garantie de plus de lait. Un seul sein peut parfaitement produire une alimentation complète et suffisante.
— L'intérêt de faire téter le bébé des deux côtés existe surtout dans les premières semaines d'un allaitement. D'une part, changer de côté réveille souvent l'enfant qui avait tendance à s'endormir et le pousse à recommencer sa stimulation des mamelons. D'autre part, les seins congestionnés par les chahuts

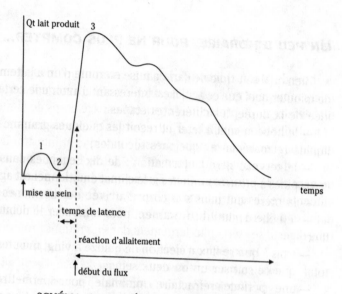

Qt lait produit   3

1
2

mise au sein

temps de latence

réaction d'allaitement

début du flux

temps

SCHÉMA DE LA RÉACTION D'ALLAITEMENT

hormonaux sont plus confortables et fabriquent plus de lait s'ils sont souvent l'objet d'un flux.

— Pour allaiter des jumeaux, il vaudrait mieux les nourrir ensemble, ou à un intervalle minimal d'une heure. L'un après l'autre, cela ne marche en théorie que dans la durée du flux, soit les vingt minutes après le début actif de l'écoulement. Si le premier tète vingt-cinq minutes, le second, juste après, se retrouve en période réfractaire.

L'ACTION BÉNÉFIQUE DE LA LACTATION SUR L'ORGANISME MATERNEL

Les modifications hormonales de la lactation interviennent sur tout l'équilibre glandulaire de la mère. De nombreuses interactions endocriniennens vont toutes dans le même sens : protéger le corps de la mère, augmenter son énergie, économiser sa fatigue pour la rendre plus disponible à l'enfant.

■ *Allaitement et tube digestif*

Lors de la construction de la glande mammaire, dans les premiers mois de la grossesse, les taux élevés d'hormone lactogène placentaire et de prolactine favorisent dans le corps de la mère la multiplication cellulaire d'autres organes que les seins. C'est en particulier le cas du tube digestif : estomac et intestin. Leur surface d'absorption augmente de 30 à 50 %. Le foie également devient plus performant. Cela signifie que, avec la même ration alimentaire, les nutriments digérés et absorbés sont plus abondants et passent plus vite. Inutile de manger plus en allaitant, le tube digestif se « sert » plus largement dans les rations proposées.

Pour remincir après une grossesse, même sans allaiter, mieux vaudra attendre que le tube digestif ait repris son juste volume, c'est-à-dire plusieurs mois.

Par contre l'allaitement au long cours consomme au fil du temps des réserves de graisse. Celles que le corps avait constituées spécialement pour l'enfant, et les autres plus anciennes, indélogeables. Un allaitement de plusieurs mois sans augmenter ou très peu la ration calorique est la meilleure manière de redevenir toute fine, toute mince, sans régime et sans effort.

■ *Allaitement et utérus*

Nous l'avons vu, l'ocytocine sécrétée à chaque tétée entraîne des contractions de l'utérus. Elle favorise ainsi un arrêt rapide des saignements et une bonne involution de l'utérus. Donc chez les femmes qui allaitent, celui-ci reprend plus vite son volume et sa place d'avant la grossesse et les mères retrouvent un ventre plat : sur le plan esthétique, c'est important.

■ *Allaitement et fécondité*

La lactation s'accompagne d'une absence de règles pendant plusieurs mois, mais avec de fortes variations individuelles : deux à trois mois pour certaines, entre six et douze pour d'autres. Sans allaitement, le retour de couches survient généralement vers le cinquantième jour. En cas d'allaitement très court, le retour de couche survient vite, dans les quinze jours qui suivent le blocage de lactation.

Mais absence de règles ne signifie pas infécondité. La protection apportée par l'allaitement n'est pas à cent pour cent. Une ovulation peut se produire avant tout retour de couches. De nombreux chercheurs se sont penchés depuis quelques années sur l'effet contraceptif de l'allaitement. Dans les pays en voie de développement, cette protection, même imparfaite, même transitoire reste le facteur essentiel de l'espacement des naissances.

Les découvertes récentes montrent que l'effet contraceptif est directement lié **au taux sanguin circulant de prolactine, lui-même corrélé au nombre et à la fréquence des tétées quotidiennes.** Plus le bébé tète, plus la prolactine est élevée, moins il y a d'ovulation. Or la prolactine, pendant un allaitement, peut évoluer de différentes façons :

- Les flux sont faibles et rares : le taux sanguin de prolactine peut baisser dès la fin du premier mois, et la lactation se tarit d'elle-même.

- Les flux sont réguliers, de bonne qualité mais l'enfant petit à petit diminue son nombre de tétées ou se met à dormir des nuits complètes : la prolactine se met à baisser lentement pour reprendre son taux d'avant la grossesse. Si cette diminution se produit au-delà de deux-trois mois, la lactation continue normalement, mais la maman reprend une fécondité normale et des cycles ovariens. Une contraception s'impose pour celle qui ne désire pas une nouvelle grossesse rapide.

- Les flux sont très nombreux, très fréquents, prolongés, l'enfant dort avec sa mère et tète la nuit plusieurs fois. Il n'y a jamais d'intervalle de plus de six heures entre deux tétées. Cette situation, rare chez nous, est très banale dans la plupart des pays où les mères portent sans cesse leur enfant. Dans ce cas, le taux sanguin de prolactine reste très élevé, empêchant toute activité ovarienne. L'effet contraceptif peut être considéré comme efficace pendant six mois, à la condition bien sûr que la maman n'ait pas eu de retour de couches...

■ *Allaitement et économie d'énergie*

L'allaitement maternel est pour une jeune femme le meilleur moyen de se « simplifier la vie ». Pas de biberons à laver ni à stériliser, ni lait ni eau minérale à transporter dans des cabas chargés. Aucune dépense. Rien à préparer pour partir en voyage. Inutile de se lever la nuit et d'aller en grelottant réchauffer un biberon pour le donner... Si le bébé dort contre elle, elle peut le nourrir sans se réveiller. Tous ces arguments peuvent paraître simplistes. Ils changent pourtant la vie d'une mère dans les premiers mois après une naissance. Pourquoi le nier ? Dans les races animales les mammifères sont les plus évolués. C'est une adaptation maximale au monde extérieur que d'avoir la nourriture d'un petit toujours prête, directement à portée de main. Cela évite tant de pas et de recherches inutiles.

L'allaitement maternel a un autre rôle, peu souvent signalé. L'absence prolongée de règles « économise » des pertes sanguines, donc des pertes de fer. Dans les pays où le niveau de santé et de nutrition des femmes reste faible et où l'anémie chronique est constante, ce rôle antianémique est très réel. Les discours alarmistes de certains médecins qui ordonnent un sevrage en cas d'anémie maternelle sont un contresens. Savez-vous que depuis les problèmes posés par la transfusion sanguine et la crainte du sida, on traite les anémies des prématurés et des nouveau-nés allaités en donnant du fer... à la mère ! Elle remonte ses propres stocks, apporte dans son lait à son bébé non seulement le fer dont il a besoin mais les enzymes de son absorption intestinale. C'est un « plus » considérable...

Pour parler en termes énergétiques, les glandes mammaires sont de fantastiques « usines de transformation et d'enrichissement du matériau». Une vache, qui ne mange que de l'herbe, donc essentiellement des fibres, des sels minéraux et quelques sucres, arrive à fabriquer son propre poids de protéines en un an, un litre de graisse par jour, sans nécessiter aucune installation, ni branchement électrique ! Une femme nourrie de féculents, de légumes, de quelques protéines, donc de façon peu onéreuse, fournit à son enfant un aliment d'une qualité nutritive exceptionnelle, exactement adapté en qualité et en quantité à ses besoins avec les enzymes nécessaires à sa digestion et à son assimilation, ce qui lui permet d'être totalement utilisé. Réaliser une telle synthèse en laboratoire (à supposer que cela puisse se faire, et nous en sommes encore très loin) coûterait une fortune ! Les seins d'une femme le font tout simplement, gratuitement, sans aucun préjudice pour sa santé, si elle est correctement nourrie. À l'échelon des famines mondiales, cet argument a une portée sociologique et économique considérable.

Le corps d'une mère est programmé pour fabriquer à l'usage de son petit ce qu'il y a de meilleur au monde pour lui. La nature a ses raisons en adaptant de façon si précise les réactions d'un corps de femme aux besoins de son petit. Pourquoi si souvent perturber cet équilibre dans notre civilisation ?

■ *Allaitement et équilibre*

Il est un domaine plus récent de la recherche, c'est ce que la lactation apporte à la mère comme équilibre hormonal global. Chaque flux d'éjection, chaque largage d'ocytocine s'accompagne d'une poussée d'autres hormones posthypophysaires : vasopressine et ACTH pour remonter sa tension artérielle et équilibrer ses métabolismes cortico-dépendants, hormones de croissance pour favoriser la multiplication cellulaire et la cicatrisation, TSH pour stimuler la thyroïde, cholécystokinine pour favoriser son équilibre digestif... Ces phénomènes, et bien d'autres encore à découvrir sans doute, sont un nouveau paramètre de choix. L'allaitement, ce n'est pas seulement pour que le bébé aille bien ou pour le plaisir réciproque de la mère et du bébé, ce peut être aussi pour que la mère aille bien...

CHAPITRE **3**

LE LAIT DU PETIT D'HOMME
ou la biologie du lien

La supériorité et, pour certains enfants,
l'inéluctable nécessité de l'allaitement naturel
nous ont été démontrées par l'observation. Mais
la chimie et la biologie nous en révèlent la
raison en nous montrant que la constitution du
lait de femme en fait une combinaison
spécifique pour l'espèce humaine.

A.B. Marfan, *Traité de l'allaitement*,
Masson, 1930 (4ᵉ éd.)

Sa peau était rosâtre et si douce que tous les hommes
rêvaient de la frôler ne fût-ce que du revers des doigts...
Les femmes en ce temps-là dévoilaient leur poitrine
sans le moindre soupçon d'indécence, et Lamia laissait
paraître une face entière de chaque sein. Sur ces collines-là
j'aurais voulu poser ma tête chaque nuit...
Amin Maalouf, *Le Rocher de Tanios*, Grasset

Dans toutes les civilisations antiques, agricoles et pastorales, le lait a toujours été le symbole de la richesse et du bien-être. La « Terre promise » est dans de multiples chants « le pays où coulent le lait et le miel »... Miel, lait, seules nourritures qui ne se tarissaient pas d'emblée en temps de sécheresse ou de famine.

Le lait maternel est l'une des formes de cette richesse, le signe de la bénédiction des dieux... « Elle pleure, la femme aux seins desséchés...! » dit un cantique hindou.

Dans l'histoire de l'humanité, donner le sein a toujours été considéré comme l'unique manière de nourrir les bébés... Les rares tentatives pour trouver un autre type d'alimentation se sont soldées par une mortalité infantile tellement effrayante que le lait de femme a vite repris sa juste place.

Dans l'Égypte ancienne, les enfants tétaient jusqu'à l'âge de trois ans ; dans l'Israël de la Bible, jusqu'à deux ans. Le Coran est catégorique : « Les mères allaiteront leurs enfants pendant deux années. » À Sparte, au IVe siècle avant J.-C., une loi obligeait les femmes à nourrir leurs enfants au sein. En Inde, on croyait qu'un adulte vivrait d'autant plus vieux qu'il aurait été allaité longtemps dans son enfance. En Finlande, on alla jusqu'à punir les femmes qui ne nourrissaient pas elles-mêmes leurs enfants si ceux-ci mouraient avant l'âge de six mois.

Au début de ce siècle, les mères chinoises et japonaises allaitaient leurs enfants jusqu'à cinq ou six ans. Rappelez-vous le sevrage douloureux de Pú Yi, lié au départ imposé de sa nourrice, dans le film *Le Dernier Empereur*.

Les Esquimaux battaient tous les records, leurs enfants tétant jusqu'à... la puberté ! Ces chiffres paraissent exorbitants dans notre mentalité d'Européens modernes, mais ils traduisent pourtant une merveilleuse adaptation au milieu. Songez que l'alimentation esquimaude était à 100 % à base de poisson et de viande de renne (donc protéines et graisses seulement), sans légumes, ni fruits, ni céréales. Or la construction cérébrale des premières années de vie nécessite un large apport de sucres. Les mères, spontanément, donnent aux petits le complément indispensable.

LA FABRICATION DU LAIT

Le lait est un produit complexe, produit par les cellules glandulaires que nous avons décrites au chapitre 1.

Chaque cellule représente une usine à part entière, fabriquant tous les constituants du lait. Toutes les cellules se ressemblent, dans toutes les espèces. Il ne semble exister chez aucun mammifère de cellules ou de régions mammaires spécialisées en caséine, ou en lactose...

Comme dans toute usine, il est possible de décrire :
- le bureau du patron, c'est le noyau ;
- des chaînes de montage, c'est le reticulum endoplasmique ;
- des ouvriers, nommés ribosomes ;
- un secteur de conditionnement nommé appareil de Golgi ;
- une installation électrique : les mitochondries ;
- des chefs d'atelier, l'ARN messager ;
- un sens de fonctionnement : les matières premières sont déchargées à la base ; le produit fini livré à l'autre extrémité.

énergie

conditionnement

chaînes
de montage

VAISSEAUX SANGUINS
ET LYMPHATIQUES

Lorsque la cellule est prête à fonctionner, elle se polarise. Le noyau s'installe dans la région basale, près des vaisseaux sanguins et lymphatiques. Autour du noyau s'organisent les chaînes du reticulum endoplasmique. Les ribosomes, ouvriers de ce montage, s'alignent le long des chaînes. L'énergie de la cellule vient de la combustion du glucose, capté dans le sang maternel et brûlé par les mitochondries. L'appareil de Golgi sert à transformer et à conditionner pour leur éjection extracellulaire les composés produits.

Pendant l'allaitement, les cellules glandulaires sont reliées les unes aux autres par des jonctions étanches. Cela signifie que tous les composants du lait traversent la cellule, sont contrôlés par elle, assurant une composition imposée par le noyau, donc par le code génétique.

Au moment des tétées, la prolactine, arrivant par voie sanguine, se fixe sur la membrane basale, dans des «récepteurs à prolactine», véritables serrures dont l'hormone est la clé. Averti

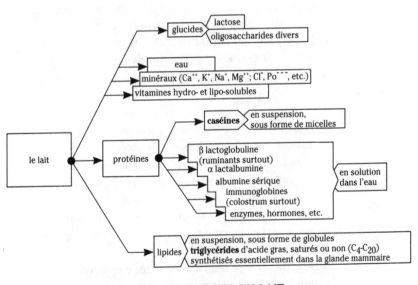

LES COMPOSANTS DU LAIT
*Seuls les triglycérides et les caséines
sont fabriqués spécifiquement dans le sein;
les autres sont filtrés.*

de cette arrivée par un ARN messager, le noyau donne l'ordre à la cellule de fabriquer.

Cette fabrication va comporter deux grands mécanismes :

— une intense *filtration active* : de l'eau, des petites protéines, des acides gras à chaîne longue, des sels minéraux, des vitamines, des cellules de défense contre les infections traversent en quelques instants les cellules et se retrouvent dans le lait dont ils forment près de 90 % du volume. Ces produits, captés directement dans le sang maternel, arrivent donc non transformés à l'enfant. Leur qualité, leur quantité sont fonction de ce que la mère transporte dans son sang. La qualité des graisses et l'absence de polluants dans son alimentation sont de haute importance pour donner au bébé un lait irréprochable. Cette filtration est très intense, se faisant contre des pressions de gradient osmotique ou mécanique, par le biais de pompes actives dans la paroi ;

— exactement dans le même temps que cette filtration, les chaînes de montage intracellulaire assemblent les constituants spécifiques du lait, ceux qui n'existent ni dans l'alimentation de la mère, ni dans son sang. Cette *fabrication active* concerne trois éléments : le sucre du lait ou lactose, les protéines du lait appelées caséines, les graisses du lait. Au niveau des «chaînes de montage» ces produits sont plus ou moins complexes à fabriquer.

● *Le lactose* est une molécule constituée à partir de deux molécules de glucose dont l'une est transformée en galactose puis les deux sont assemblées.

Une formule chimique aussi simple ne nécessite l'intervention que de deux enzymes : l'une pour inverser le glucose en galactose, l'autre pour réaliser le branchement. Tout cela ne prend que quelques fractions de seconde. Le lait est d'emblée sucré. Le lactose quitte la cellule, lié à l'eau de filtration.

● *Les caséines* sont des molécules très complexes, réalisées par l'assemblage, dans un ordre rigoureux, de milliers d'acides aminés. Il y a vingt acides aminés

galactose   glucose

GLUCOSE + GALACTOSE = LACTOSE

différents, huit absolument indispensables, et douze que le corps peut fabriquer à partir des précédents. Vous pouvez les imaginer comme vingt lettres d'alphabet, avec lesquelles s'écrit un long collier de mots et de phrases donnant un message précis, dans un ordre rigoureux. Le lait de chaque espèce de mammifères contient les vingt acides aminés, mais en proportion variable, sur des colliers plus ou moins longs, et dans un assemblage radicalement différent. Le « langage » est différent, tant dans la structure des « phrases », leur longueur, les lettres utilisées, que dans la longueur du texte.

La fabrication des caséines nécessite de multiples enzymes : pour sélectionner les acides aminés, pour transformer certains d'entre eux en leurs proches homologues non trouvés dans le « stock » apporté, pour les aligner dans le bon ordre, puis pour les assembler les uns aux autres. La recette est très précise, le message en un « langage » déterminé, imposé par l'ADN du noyau. Tout cela prend du temps. On pourrait dire, tout en restant volontairement caricatural, que les protéines n'arrivent que dans un deuxième temps au cours de la tétée car elles sont plus longues à fabriquer.

● *La fabrication des lipides* est, elle aussi, complexe.

Capter dans le sang des acides gras, longues chaînes de
carbone saturées d'ions hydrogène, les allonger, les
désaturer (enlever des hydrogènes sur certains sites
définis), transformer un ou deux radicaux. Puis grouper
ces acides gras en trois bandes parallèles, les attacher à
une molécule de glycérol (triglycérides), ou les grouper
par deux et les attacher à une molécule d'acide
phosphorique (phospholipides), ou les nouer en trapèze
(cholestérol)... tout cela prend du temps et nécessite là
encore de nombreuses enzymes. De plus, pour se
retrouver dans le lait, les lipides doivent être «emballés»,
livrés dans un «sac» de matière vivante. Cet emballage
est le fait de deux structures : l'appareil de Golgi et la
membrane cellulaire elle-même. Les lipides fabriqués
sont captés par l'appareil de Golgi qui les entoure d'une
première «couche» et les amène au pôle apical de la

Les triglycérides

$$
\text{Acide glycuronique}
\begin{cases}
\text{Acide gras..........} \\
\text{Acide gras.............} \\
\text{Acide gras......}
\end{cases}
$$

Les phospholipides

$$
\text{Acide phosphorique}
\begin{cases}
\text{Acide gras...........} \\
\text{Acide gras..........}
\end{cases}
$$

Le cholestérol

.... ⬡ .... O
OH

PRINCIPAUX LIPIDES

cellule. Là, la membrane cellulaire elle-même les capte, s'enroule autour d'eux, formant une vésicule qui se détachera de la cellule et deviendra fraction constituante du «globule graisseux». Tout ce travail de conditionnement peut être considéré comme très long, les lipides ne se concentrant dans le lait qu'en fin de tétée, dans la dernière partie du flux.

Cette caricature des processus de fabrication a pour intérêt d'illustrer l'évolution de la composition du lait au cours d'une même tétée : d'abord la boisson, eau et sels minéraux, avec en «sirop» les petites protéines maternelles sucrantes, anti-infectieuses et enzymatiques, et le lactose. Puis les caséines et enfin les graisses apportant, en plus d'une excellente ration éner-gétique, les matériaux de construction nécessaires à la croissance et à l'évolution.

Entre les tétées, les chaînes de montage sont arrêtées, mais il peut persister une minime «filtration passive». Un peu d'eau, de sucres, de sels minéraux traversent les cellules et glissent jusqu'au niveau de l'aréole. Ce pré-lait, aqueux, peu nourrissant, véritable tisane et non aliment, est le liquide (dix à vingt gram-mes, rappelez-vous) que trouve le bébé quand il commence à téter et qui le motive à continuer. Un bébé qui tète mal et ne provoque pas de flux ne boit que cette tisane. Une maman qui a complété toutes les tétées pendant des semaines avec des com-pléments dont le volume augmente régulièrement n'a peut-être jamais rien produit d'autre! Pas d'éléments de construction, seu-lement la boisson et les anticorps.

Pendant des dizaines d'années, les médecins ont prescrit des analyses de lait aux mères angoissées. Elles produisaient au tire-lait quelques grammes, les apportaient au laboratoire et celui-ci répondait invariablement : «Lait riche en eau et en sels miné-raux, un peu de lactose. Extrême pauvreté en protéines et en graisses.» Vous comprenez maintenant pourquoi! Entre 1940 et 1970, au moins deux générations de femmes en France ont subi cette monumentale duperie. Il en reste, dans les mentalités populaires et les discours alarmistes des grand-mères, parfois aussi dans le comportement de certains médecins, l'idée qu'il peut exister des laits non nourrissants, des raisons de sevrer un bébé pour le faire mieux démarrer, ou pis encore des familles où « c'est comme ça, le lait n'est pas bon ! ». Quel contresens !

Autre aspect pratique, changer le bébé de sein au milieu d'un flux, c'est lui faire reprendre un peu de tisane au milieu de son repas. Il n'en a pas besoin, mais ce n'est pas très grave. Si les seins de la mère sont très gonflés, il peut bien lui rendre ce service. Un flux sur un sein peut apporter tous les éléments nutritionnels. À mère et enfant de décider si ce sera un ou deux...

LE LAIT, SPÉCIFICITÉ DE L'ESPÈCE

La composition du lait est directement imposée, nous l'avons vu, par les gènes du noyau des cellules. Les produits construits dans les chaînes de montage portent le même nom dans les différents laits, mais les recettes diffèrent radicalement. Il n'y a que le nom qui soit identique...

Espèce	Pds de nais. doublé en j.	Graisse (g/l)	Protéine (g/l)	Lactose (g/l)	Sels minér. (g/l)
Homme	180	38	9	70	2
Cheval	60	19	25	62	5
Vache	47	37	34	48	7
Renne	30	169	115	28	—
Chèvre	19	45	29	41	8
Mouton	10	74	55	48	10
Rat	6	150	120	30	20

COMPOSITION ÉLÉMENTAIRE DU LAIT
DE DIFFÉRENTS MAMMIFÈRES
(d'après Hambraeus)

• Le lait du petit veau, avec ses 35 g/l de protéines, sa relative pauvreté en lactose, ses 40 g/l de graisses saturées est l'aliment d'un petit qui, à deux ans, fait 300 kg avec 350 g de cerveau.

• Le lait du rat, hyperconcentré en protéines (120 g/l) et en graisses (150 g/l), permet au raton de doubler son poids de naissance en six jours.

• Le lait de baleine permet à son petit de prendre, tenez-vous bien, 100 kg par jour! Les graisses insaturées permettent un harmonieux développement cérébral.

• Le lait de renne, le plus riche de tous en graisses (169 g/l) et très riches en protéines, permet au petit, né dans les régions polaires, de se couvrir en quelques jours d'un épais manteau graisseux pour lutter contre le froid.

• Le lait de louve, à 90 g/l de protéines, soit dix fois plus que le lait de femme, est un produit hautement toxique pour un bébé humain. Si Remus et Romulus avaient tété réellement du lait de louve, ils seraient morts en quelques jours d'hyperammoniémie et d'insuffisance rénale. Rome n'aurait pas existé. D'ailleurs Tite-Live avait déjà des doutes et pensait qu'ils avaient tété une certaine Laurentia, femme généreuse et farouche, surnommé «la Louve» par les bergers de l'endroit...

• Le lait de lionne de mer est dépourvu de lactose. C'est le seul lait de tous les mammifères qui n'en contienne pas. Mais le petit flotte dans l'eau et construit son cerveau, trouve son énergie dans les importantes réserves en galactose du plancton qu'il ingère dès sa naissance...

• Le lait du petit d'homme est conçu pour que le bébé double son poids de naissance en quatre à cinq mois, pèse une douzaine de kilos à deux ans, mais ait à cet âge, en proportion, le plus gros cerveau, près de 1 200 g (soit une croissance cérébrale de 2 g par jour pendant deux ans, ce qui est énorme). Celui qui en est biologiquement le plus proche est celui de son presque homologue, le lait de guenon-gorille!

Ces quelques exemples prouvent bien que les laits sont spécifiques d'une espèce et **ne sont pas échangeables**. Malgré la jolie chanson de Georges Brassens, le chaton de Margot n'aurait pas survécu longtemps avec du lait de femme...

L'analyse biochimique précise est encore plus spectaculaire. Les caséines sont spécifiques aux espèces : ni la composition, ni le poids moléculaire, ni le nombre et le pourcentage d'acides aminés ne sont semblables.

Pourquoi la bêta-lactoglobuline, protéine du lactosérum, est-elle très abondante chez les ruminants, présente chez la truie, la jument, l'ânesse, la chienne, le dauphin, le lamantin et le kangourou, mais absente chez les rongeurs et les primates ? Elle est la principale cause d'allergie aux protéines du lait de vache pour les bébés humains.

Pourquoi tous les laits contiennent-ils de l'alpha-lactalbumine, sauf celui de l'otarie de Californie ? Parce qu'elle ne fabrique pas de lactose ?

En allant encore plus profond dans l'analyse, on découvre que d'une espèce à l'autre toutes les protéines sont différentes, les caséines comme les protéines du lactosérum. Formules chimiques profondément variables, propriétés physiques différentes, pourcentages différents d'acides aminés... Ces différences se retrouvent, tout aussi fondamentales, pour les graisses. Seul le lactose est le même partout, mais en quantités variables.

● Un expert mondial a démontré il y a une dizaine d'années que «le fait de nourrir les bébés humains avec du lait de vache était la plus grande expérience biologique *incontrôlée* jamais tentée» :

- elle se produit à l'échelon de la planète ou presque ;
- il n'y a pas de groupe témoin strict ;
- elle dure déjà depuis deux ou trois générations ;
- il n'y a pas eu d'expérimentations animales préalables pour étudier les conséquences.

Que deviendrait l'espèce lapin si tous les lapereaux étaient nourris au lait de chèvre ou l'espèce mouton si les agneaux tétaient tous du lait de rat ? Mystère.

Les conséquences à long terme sur plusieurs siècles nous échappent complètement. Les humains seront-ils plus costauds, plus fragiles, plus bêtes, plus intelligents, plus grands, plus vieux, plus calmes, plus irascibles, plus herbivores, plus carnivores, profondément modifiés ou strictement identiques? Nul ne peut entrevoir ne serait-ce qu'une ébauche de réponse. En terme d'évolution, c'est une sacrée interrogation.

LE COLOSTRUM, LAIT DE L'ADAPTATION

Revenons au petit humain et au lait qui est le sien. Dans les premiers jours qui suivent la naissance, son alimentation n'a rien de commun avec celle qui suivra. Elle a deux intérêts majeurs : *apporter à l'enfant, en quelques grammes, tous les éléments dont il a besoin, et lui éviter tout travail inutile*, toute perte énergétique.

À la naissance, le bébé, tout en poursuivant sa croissance au rythme utérin des dernières semaines, va subir trois transformations brutales : il perd un certain pourcentage d'eau du corps, au risque de se refroidir ; il vit dans l'air et rencontre une foule de microbes (son œuf utérin était stérile) ; enfin, plus lentement, il doit mettre en place ses fonctions de nutrition et d'épuration autonome.

Le colostrum est un « concentré salé de protéines ». Le lactose, les graisses, les caséines ne sont qu'à la moitié de leur taux ultérieur, comme si les chaînes de montage, en rodage, ne fonctionnaient qu'à moitié. En revanche, le colostrum est deux fois plus salé que le lait ultérieur, et **dix fois plus riche en protéines**, soit près de 100 g/l. Il faut savoir quelles sont ces protéines :

— des immunoglobulines de défense contre les infections, près de 90 g/l, faisant du premier lait un « médicament » sans concurrent ;

— des quantités d'enzymes pour assimiler les graisses ou les caséines alors que les métabolismes du foie « dorment » encore ;

— d'autres enzymes pour absorber le fer, le calcium, les vitamines... ;

— beaucoup d'acides aminés libres, donc du matériau de construction «prédigéré», prêt à l'emploi;

— des hormones, comme l'EGF (*epidermal growth factor*) qui favorise la croissance de la muqueuse de l'estomac et de l'intestin du bébé;

— des petits peptides, regroupés sous le nom de gynolactose, qui ont, en plus de leur pouvoir glucidique énergétique, des propriétés enzymatiques.

Il s'agit donc d'un concentré d'éléments majeurs.

Mais ce n'est pas tout. Les petites protéines ont, entre autres propriétés, celle de se **lier à l'eau**. 100 g/l de protéines liées, cela forme une «gélatine», un produit visqueux, épais, orangé, dont l'eau ne s'échappe pas. En d'autres termes, c'est un aliment qui apporte de l'eau à l'organisme, mais ne fait pas uriner... Pour un bébé qui cherche à ne pas se déshydrater trop vite, c'est irremplaçable.

VARIATIONS DES CONSTITUANTS AU COURS DE
LA MATURATION DU LAIT DE FEMME
(Valeurs exprimées pour 100 ml)

À chaque tétée, le colostrum évolue. Les chaînes de montage cellulaires deviennent plus performantes et fabriquent à plein rendement les constituants nutritionnels. L'intestin du bébé, son foie tournent à plein régime et se chargent de tout le travail «préparatoire» pour les réduire en matériau de construction. Cette évolution est progressive, sur une vingtaine de jours, le lait s'adaptant jour après jour aux capacités d'autonomie alimentaire du tout-petit. L'industrie fabriquant les laits artificiels pour bébés ne peut même pas envisager de faire quoi que ce soit pour se rapprocher du colostrum.

LE MATÉRIAU DE CONSTRUCTION COMPLET DU TISSU HUMAIN

Ce qui dans les mentalités populaires a probablement desservi le lait humain, c'est son **aspect**. Très liquide, aqueux, transparent, presque bleuté, il ressemble à certaines heures de la journée plus à de l'eau trouble qu'à un produit crémeux. Quels jeunes parents non avertis oseraient soutenir devant une telle vision qu'il est excellent et que le bébé n'a besoin de rien d'autre, surtout si ce bébé a la mauvaise idée de pleurer souvent? Notre regard est complètement faussé par l'image beaucoup plus commune du lait de vache jaune, assez épais et crémeux. Pourtant, la réalité du lait de femme normal, passés les premiers jours, c'est cette couleur bleutée transparente, et cet aspect aqueux. Encore une image à reconstruire.

Il serait fastidieux et pour beaucoup d'entre nous totalement inintéressant d'énumérer la longue liste des constituants de lait de femme. Comparer les compositions de ce lait avec celui des vaches à partir duquel sont formulées les poudres artificielles modernes pour biberon n'a de sens qu'*a contrario*, pour tenter d'illustrer à quel point nous sommes loin de savoir créer un lait proche du lait maternel. Quelques exemples concrets permettent d'aborder l'importance des problèmes rencontrés.

Chiffres droits : lait humain.
Chiffres en italique : lait de vache.

Protides
9 à 12 g/l
36 g/l

Protéines
≃ 10 g/l
35 g/l

Acides aminés
libres
1,85 g/l
0,53 g/l

Enzymes
Lysozyme 0,5 g/l
etc.

Caséine
4 g/l
29 g/l
β caséine 64 %
α caséine 9 %
κ caséine 20 à 27 %

Protéines du lactosérum
6 g/l *6 g/l*
α lactalbumine 3,59 g/l *1,5 g/l*
lactotransferrine 1 à 2 g/l *0,2 g/l*
immunoglobulines 1 à 2 g/l *0,5 g/l*
sérum albumine 0,2 g/l *?*
β lactoglobuline 0 *3,7 g/l*

COMPOSITIONS COMPARÉES
LAIT HUMAIN - LAIT DE VACHE

● *Premier exemple : les laits «diététiques adaptés premier âge» des années 1970.* Les études biochimiques comparatives entre les différents laits avaient beaucoup avancé, et les chercheurs ont tenté de produire à partir du lait de vache des laits proches du lait humain qu'ils ont appelés (dénomination interdite depuis car fallacieuse) laits maternisés ou humanisés. Il leur fallait :
- diminuer la quantité de protéines de 35 g/l (lait de vache) à 9 g/l (lait de femme). En coupant le lait de moitié, on amenait les protéines au chiffre considéré comme «raisonnable» de 15 à 20 g/l suivant les marques. Le taux était volontairement plus élevé, puisque l'on savait que la proportion d'acides aminés n'était pas la même, que les enzymes d'utilisation n'étaient pas toutes présentes, et qu'il y aurait donc plus de «déchets» (donc plus de travail d'épuration du foie et du rein);

- resucrer ce produit coupé pour ramener ce lait à 70 g/l. Le choix a été fait de sucrer uniquement en lactose ;

- éliminer une partie des graisses animales, donc écrémer partiellement le lait de vache, puis rajouter quelques huiles végétales insaturées.

On avait donc ainsi reconstitué quantitativement les trois grandes catégories nutritionnelles dans le lait humain.

Mais le taux de protéines obtenu sans transformation à partir du lait de vache comportait — comme dans le lait de vache — 80 % de grosses caséines. Les troubles intestinaux des bébés étaient très importants : ballonnements, constipation... Il a donc été décidé de modifier ce pourcentage de caséine en apportant, à la place d'une part d'entre elles, des protéines du «petit-lait» (lactosérum). Selon les marques, il a donc été fabriqué des laits avec 50 % de caséine/50 % de protéines du lactosérum, ou 60/40, ou 40/60. Le raisonnement théorique semblait judicieux. Les troubles digestifs des bébés ont disparu, mais on s'est retrouvé devant trois difficultés inattendues :

- Le lactose à 70 g/l entraînait des selles acides multiples, irritant les fesses. Il a fallu revenir en arrière et apporter une fraction d'autres sucres plus «constipants».

- Malgré les 15 à 20 g/l de protéines de leur lait, les bébés avaient toujours faim. Les doses prises étaient beaucoup plus importantes que celles prescrites par les médecins. Les bébés, très dodus, n'étaient jamais satisfaits. Ces laits déplaisaient donc aux mères et aux soignants.

- Complication beaucoup plus grave : augmenter les protéines du lactosérum, c'est augmenter la bêta-lactoglobuline, protéine extrêmement **allergisante** pour les petits humains. Beaucoup de bébés présentaient une anémie par hémorragies digestives microscopiques. En vingt ans les pédiatres ont vu se multiplier les intolérances aux protéines du lait, tant les formes graves des premiers mois que les allergies secondaires à une allergie alimentaire. Ce problème-là n'est actuellement pas résolu.

● *Second exemple :* les tentatives pour se rapprocher *qualitativement* des éléments du lait humain, et non plus en quantité. Pour faciliter la compréhension, je vais résumer ces recherches sur deux constituants du lait, alors que le problème se pose pour plusieurs dizaines.

Il y a eu des laits enrichis en taurine, acide aminé qui semble tenir une large part dans certains tissus du cerveau et du foie, et dont le lait de vache est pauvre. Nul ne peut dire si le bébé peut l'utiliser quand elle est apportée en supplément.

Il y a eu plus récemment des laits enrichis en acide linoléique. Dans notre corps, plus un tissu est souple, résistant, performant dans les échanges ioniques, plus les chaînes d'acides gras qui composent les membranes cellulaires sont constituées d'éléments longs et insaturés. Long, c'est-à-dire plus de dix-huit atomes de carbone, insaturé, cela veut dire possédant — sur des sites spécifiques — une ou plusieurs doubles liaisons. Les graisses animales du lait de vache comportent presque exclusivement de l'acide stéarique, chaîne à dix-huit atomes de carbone saturé (sans double liaison).

Les membranes cellulaires du cerveau humain et de la rétine sont constituées à près de 70 % à partir de DHA, chaîne à vingt-deux atomes de carbone et six insaturations, le plus souple et le plus long des acides gras connus. L'adulte humain, s'il mange des graisses végétales ou de poisson, riches en acide linoléique et linolénique (précurseurs indispensables dans notre alimentation des chaînes d'acides gras les plus longues et les plus insaturées) peut fabriquer du DHA, et quelques autres dérivés tout aussi importants dans les différents métabolismes du corps. Les laits artificiels pour bébés ont donc été enrichis en graisses végétales dans un premier temps, en acide linoléique ensuite. Ce que l'on ignorait, c'est que **le nouveau-né ne possède pas l'équipement enzymatique** pour réaliser les transformations de ces différents produits. Il ne peut pas opérer l'allongement et la désaturation de l'acide linoléique et linolénique. Il ne peut rien en faire. Ce dont il a besoin dans les premières semaines de vie, c'est de DHA tout prêt, et des enzymes pour transformer les autres acides gras apportés par son alimentation. Les recherches pour approcher de tout cela sont encore embryonnaires. Il y a fort à parier qu'existeront sur le marché dans quelques années des laits enrichis en DHA, et autres métabolites des acides gras essentiels. Ce n'est pas encore le cas.

Il n'y a, de DHA, dans aucun lait animal. Le lait de guenon-gorille contient les deux précurseurs essentiels. Celui des mammifères marins aussi. Le lait des mammifères herbivores (donc celui de nos substituts pour les bébés) est presque totalement constitué d'acides gras courts et saturés...

Ces exemples illustrent fort bien à quel point les laits de substitution pour nouveau-nés ne sont encore que des laits de vache «mal transformés». Les recherches continuent. Le produit industriel *adapté* à la construction du corps et du cerveau humain n'existe pas.

Par contre, **le produit naturel adapté existe**. C'est le lait humain. Tout naturellement, gratuitement, le bébé allaité reçoit tout ce dont il a besoin.

C'est le matériau de construction le meilleur qui soit

Il apporte :
— tous les acides aminés nécessaires ;

REPRÉSENTATION SCHÉMATIQUE DES DIVERSES FAMILLES D'ACIDES GRAS ET DE LEUR VOIE MÉTABOLIQUE

Les flèches horizontales marquent des réactions de désaturation
Les flèches verticales marquent des réactions d'élongation
Les XX marquent les réactions impossibles chez l'adulte et le nouveau-né
Les X marquent les réactions possibles pour l'adulte et impossibles pour le nouveau-né

Les acides linoléique et linolénique sont dits essentiels, car l'organisme ne peut les fabriquer; ils doivent être apportés par l'alimentation. C'est à partir d'eux que se forment les chaînes longues à vingt ou vingt-deux atomes de carbone, portant plusieurs insaturations (doubles liaisons) dont la première est située selon les familles lipidiques soit sur le carbone 3 soit sur le carbone 6.

Chez le nouveau-né dont les systèmes enzymatiques sont très incomplets, les produits longs et très insaturés ne peuvent être fabriqués à partir des précurseurs. Ils doivent donc aussi être apportés par l'alimentation.

TAUX D'ACIDES AMINÉS LIBRES DES LAITS DE FEMME ET DE VACHE, ÉVALUÉS PAR LE DOSAGE DE L'AZOTE NON PROTÉIQUE
(d'après Block et Bolling)

Lait de vache	5,3 %
Lait de femme	18,5 %
Colostrum humain	22,3 %

COMPOSITION EN ACIDES AMINÉS (g/l)
DU LAIT HUMAIN PARFAIT ET DU LAIT DE VACHE (d'après Fomon)

	Lait de femme	Lait de vache
Acides aminés essentiels		
Histidine	0,22	0,95
Isoleucine	0,68	2,28
Leucine	1,0	3,50
Lysine	0,73	2,77
Méthionine	0,25	0,88
Phénylalanine	0,48	1,72
Thréonine	0,50	1,65
Tryptophane	0,18	0,49
Valine	0,70	2,45
Acides aminés non essentiels		
Arginine	0,45	1,29
Alanine	0,35	0,75
Ac. aspartique	1,16	1,66
Cystéine	0,22	0,32
Ac. glutamique	2,30	6,80
Glycocolle	0	0,11
Proline	0,80	2,50
Sérine	0,69	1,60
Tyrosine	0,61	1,79

Tableaux cités par G. Fontaine

COMPOSITION EN SELS MINÉRAUX ET OLIGO-ÉLÉMENTS
DES LAITS DE FEMME ET DE VACHE
d'après Committee on nutrition — composition of milks Fomon

Teneur par litre	Lait de femme	Lait de vache
Cl (mg)	300-500	1 100-1 300
Na (mg)	100-200	350-500
K (mg)	400-500	1 300-1 500
Mg (mg)	40	120
Ca (mg)	330	1 250
P (mg)	150	960
Ca/P	2,2	1,3
S (mg)	140	300
Cu (μg)	400	300
I (μg)	30	47*
Zn (mg)	3-5	3-5
Mn (μg)	7-15	20-40
Se (μg)	13-50	5-50
Fe (mg)	0,5	0,5

* Extrêmes : 10 à 200 μg/l

— le juste taux de protéines;
— des graisses à acides gras longs et insaturés;
— du lactose mais aussi des oligosaccharides;
— tous les sels minéraux et oligo-éléments en juste proportion;
— la plupart des vitamines à doses biologiquement suffisantes.

Il contient toute l'eau de boisson nécessaire pour les premiers mois

Un bébé allaité n'a besoin d'aucun supplément en eau, même dans les pays les plus chauds de la planète. Plusieurs études concordantes ont prouvé que la croissance physique et cérébrale était optimale, le risque infectieux minimal lorsque le bébé ne reçoit strictement rien d'autre que du lait humain pendant quatre à six mois. Même l'eau de boisson est inutile... quels que soient le climat ou la saison.

Il est riche en énergie (680 à 690 kcal par litre)

Contrairement à ce que croient la plupart des mères, il n'y en a pas plus dans les laits de substitution du commerce ou dans le lait de vache coupé, où l'on arrive exactement au même chiffre. Mais le lait humain a un «plus» certain : l'apport de l'équipement enzymatique (voir ci-dessous) économise au bébé un important travail métabolique au niveau de son foie, de son intestin et de ses reins. *Apport équivalent, moindre consommation d'énergie, la balance est donc meilleure avec le lait humain* qu'avec tout autre lait. C'est une aberration nutritionnelle que de sevrer un bébé pour lui faire espacer ses repas ou espérer le faire dormir les nuits. Au-delà des tout premiers jours, s'il réclame trop souvent par rapport au souhait de la mère, la solution est dans la négociation mère-enfant d'un autre rythme, et non dans l'apport alimentaire...

Il apporte des éléments d'assimilation et de transformation des différents nutriments

Alors que l'équipement enzymatique du bébé est immature, très incomplet, le lait de sa mère va lui apporter des éléments uniques, irremplaçables : hormones, enzymes, etc., toutes prêtes à fonctionner. Visiblement chaque élément joue plusieurs rôles différents et les interactions sont complexes : facteur nutritionnel direct, facteur d'assimilation et facteurs anti-infectieux se coordonnent. Les plus importants sont :

— la lactotransferrine qui permet l'assimilation du fer et a donc un rôle antianémique ;

> ● Le lait humain contient du fer, pas en grande quantité, mais qui peut être complètement absorbé. Les laits de substitution apportent du fer, mais pas la lactotransferrine : le fer reste, pour une grande part, dans l'intestin, et part dans les selles qui deviennent verdâtres et gluantes. Que vaut-il mieux ?

— l'alphalactalbumine, jouant un rôle dans la glande mammaire sur la synthèse du lactose. Nous ne savons pas si les doses élevées qui passent dans le lait jouent un rôle direct ensuite chez le bébé ;

— des facteurs comme l'hormone de croissance qui a une action trophique sur les muqueuses gastrique et intestinale du petit ;

— des facteurs de transport d'ions minéraux, calcium, phosphore..., à travers la muqueuse intestinale ;

— des facteurs lipidiques (acides gras à chaînes courtes ou moyennes) servant à l'absorption des vitamines A, D, E, K ;

— des hormones ou précurseurs d'hormones ;

et bien d'autres à découvrir...

Le lait humain prévient les allergies alimentaires

Plus un bébé est petit, plus son intestin est perméable aux protéines étrangères apportées par son alimentation. La muqueuse est fragile, très fine. Des particules peuvent la traverser. Pour un enfant né à terme, on estime généralement que l'intestin n'est une barrière antiallergique efficace qu'*au-delà de cent jours*, soit près de trois mois et demi. Les jours qui suivent une diarrhée sévère avec érosion de la muqueuse posent également un problème sérieux de fragilité de la barrière. Dans le cas d'un bébé de moins de trois mois et au décours d'une infection intestinale, l'alimentation ne devrait apporter que des nutriments non allergisants, non antigéniques. Donc soit des protéines entièrement dégradées en acides aminés, molécules simples, sans risque, soit des protéines partiellement dégradées mais en fragments que l'organisme reconnaîtra comme « conformes » à ses propres constituants.

Le lait de femme répond à ces deux critères.

• Les laits de substitution généralement proposés aux nouveau-nés ne respectent pas cette règle. Les antigènes, susceptibles de déclencher une allergie, peuvent avoir plusieurs origines :

- Pour un bébé humain, les caséines d'une autre espèce (vache, chèvre...) sont une *langue étrangère* à déchiffrer. Il lui manquera un certain nombre d'« outils de lecture », enzymes qui permettent de séparer les acides aminés les uns des autres pour pouvoir ensuite les réutiliser dans sa propre construction. Au moment de la digestion dans l'intestin du bébé, certains fragments resteront non scindés, trop longs, mal fragmentés. Ils sont inutilisables pour construire, irritent l'intestin et, s'ils passent dans le sang, peuvent se révéler allergisants si le système immunitaire du bébé les reconnaît comme « étrangers ».

- La bêta-lactoglobuline est une petite protéine abondante dans le lactosérum de vache. Chez le nouveau-né, elle passe facilement la barrière intestinale. Nous avons vu p. 102-107 qu'elle avait été responsable de l'augmentation considérable des allergies aux laits de vache depuis vingt ans, du fait de la modification du rapport caséine/protéines du lactosérum des laits premier âge.

- D'autres protéines du lait de vache (vingt-cinq au total dans les dernières publications !) peuvent entraîner des réactions.

- Dans de rares cas peuvent s'observer des allergies à d'autres composants du lait, par exemple le lactose, mais

114

pour des raisons différentes : soit disparition d'une
enzyme nécessaire à la dégradation du lactose — c'est
ce que l'on voit dans certaines régions de la planète,
l'Afrique en particulier, où, à partir de deux ou trois ans,
les individus n'ont plus cette enzyme, et deviennent tous
intolérants au lait ; soit secondaire au premier
mécanisme d'intolérance.

Dans tous les cas le mécanisme est analogue : ces
petites particules traversent la muqueuse intestinale du
bébé et se retrouvent dans le sang. Le système immunitaire
les repère comme « non conformes » aux normes génétiques
de l'individu, « antigéniques » donc à détruire. Il met alors
en place des anticorps qui réagiront à une nouvelle
pénétration. Les signes cliniques peuvent avoir tous les
niveaux de gravité : selles molles chroniques sans
retentissement sur l'état général, courbe de poids traînante,
anémie par pertes microscopiques de sang dans les selles,
vomissements graves avec malaises, diarrhée massive, et
parfois mort brutale par choc anaphylactique... Des signes
à distance peuvent également témoigner d'une allergie aux
protéines du lait : eczéma, rhinites et otites chroniques,
encombrement bronchique, asthme, irritabilité, troubles
du sommeil. Enfin deux études récentes tendent à montrer
que certains diabètes insulino-dépendants apparus dans
l'enfance (chez des sujets porteurs d'antigène HLA classe II)
seraient directement liés à une allergie à la sérum
albumine bovine.

Les accidents dus à ces allergies sont loin d'être rares.
On estime qu'à l'heure actuelle *un enfant sur cinq* présente
des signes d'allergie, et que l'intolérance aux protéines du
lait de vache tue chaque année en France entre cinquante
et soixante-dix nourrissons. C'est un chiffre énorme.
Dans certains pays d'Europe, il existe une importante
mobilisation des pouvoirs publics pour sensibiliser la
population à ces problèmes. Jusqu'à maintenant les médecins
et décideurs français ont été remarquablement... discrets !

Une seule manière d'éviter les problèmes dus aux laits de substitution : nourrir les bébés de moins de quatre mois au lait maternel exclusivement, sans aucun complément ni jus de fruits, pour passer sans risque la période de perméabilité intestinale. Au-delà, la diversification alimentaire se fera lentement : légumes et fruits cuits jusqu'à six mois, céréales et aliments lactés après six mois, puis, dans l'ordre, viande vers sept-huit mois, poisson et œuf.

Ce retard de diversification alimentaire par rapport aux préceptes de puériculture des années 1950 a été adopté en consensus par de nombreux pédiatres européens. Il est temps de comprendre le sens de ces prescriptions pour améliorer de façon notable la santé de nos petits.

• Il existe depuis 1985 sur le marché des laits de substitution, des laits dits HA, ce qui veut dire hypoallergéniques ou hypoantigéniques. Ce sont bien sûr des laits de vache, mais ayant subi une série de traitements physicochimiques dégradant les protéines en petits fragments plus faciles à attaquer par les enzymes du bébé. Mais est-ce suffisant ? En théorie, cette fragmentation est intéressante mais il est encore trop tôt pour juger d'une réelle protection contre les allergies. Seules des enquêtes longitudinales approfondies sur une quinzaine d'années pourront juger de cet effet. À ma connaissance, ces enquêtes n'existent pas ou sont embryonnaires.

• Il existe par ailleurs sur le marché un certain nombre de laits dits de «régime» pour diarrhées, vendus librement en pharmacie, et souvent conseillés. En réalité, ce sont des laits pauvres en lactose, donc qui ralentissent le transit. Moins de selles, cela rassure la mère... Mais ils possèdent toutes les protéines allergisantes des laits de vache. En cas de diarrhée vraie, leur usage est dangereux...

Pour résumer ce paragraphe, il convient en pratique :
- d'estimer les risques allergiques : prématurité, un ou deux parents allergiques, suites d'une infection intestinale, un autre enfant atteint dans la fratrie, autres antécédents familiaux...
- dans les cas sévères, lait maternel exclusif ou *vrai* lait de régime, à protéines totalement hydrolysées ;
- en cas de risque modéré, lait HA s'il n'y a pas d'allaitement ou en complément éventuel.

Là encore le lait maternel a fait la preuve de son incomparable qualité.

Le lait humain apporte une large défense anti-infectieuse

Dans tout ce que nous venons de décrire, la supériorité du lait humain pour nourrir sans risque le petit d'homme est une évidence. Mais il s'agit bien de lait humain, c'est-à-dire que le lait de n'importe quelle femme apporte les mêmes propriétés, les mêmes avantages à n'importe quel bébé du même âge que le sien.

Il existe une adaptation encore plus personnelle, encore plus intime, qui fait du lait d'une mère un aliment spécifique pour *son* enfant, ce sont les éléments de défense contre les infections. La mère va en effet transmettre des facteurs de défense contre tous les germes qui constituent son propre environnement, donc celui du bébé s'il vit contre elle. Avant la naissance, tous les bébés reçoivent largement à travers le placenta des IgG, mécanismes de défense contre tous les germes que la mère a rencontrés dans son existence et contre lesquels elle s'est immunisée. Anticorps qui apportent pour un temps à l'enfant l'« histoire du germe chez sa mère et la conduite à tenir s'il se présente à nouveau ».

— Le bébé allaité va recevoir d'autres éléments : des *éléments de défense immédiate, les IgAs* (immunoglobuline sécrétoire de type A). Ces anticorps apportés par le lait tapissent la muqueuse digestive (peut-être aussi la trachée et les bronches) la rendant littéralement «imperméable» aux microbes, et modulant dans l'intestin de l'enfant une flore microbienne équilibrée, bien contrôlée. Chaque jour, à chaque tétée, la mère envoie à son bébé par le lait les messages sur son environnement microbien, et des «munitions». Comme si elle lui disait : «j'ai rencontré des *Escherichia coli*, voici les anticorps que je t'ai préparés; tiens j'ai bu un peu d'entérocoques, voilà de quoi te protéger...» Cette peinture d'anticorps, renouvelée plusieurs fois par jour, tout au long du tube digestif, rend presque impossibles les maladies à porte d'entrée digestive, en particulier les diarrhées graves. Dans toutes les régions où le niveau sanitaire est bas, les différences considérables des taux de diarrhée entre les bébés allaités et ceux qui sont nourris au biberon (entre dix et vingt fois plus) s'expliquent ainsi. En permanence, la mère adapte le système de protection de son petit aux germes qu'elle

MORTALITÉ ET MORBIDITÉ SUIVANT LE MODE D'ALLAITEMENT
(d'après Robinson)

Alimentation	Nombre de nourrissons	Mortalité Nombre de décès sur 1 000 nourrissons	Morbidité Nombre de cas sur 1 000 nourrissons
Allaitement au sein	971	10,2	233,4
Allaitement mixte	1 441	25,7	464,2
Allaitement artificiel	854	57,3	573,7
Total	3 266	29,3	421,3

rencontre. Il en découle une remarquable protection du bébé, pour peu qu'il soit essentiellement porté par elle, manipulé par elle, gardé contre elle, à l'abri des microbes d'autres personnes contre lesquels il n'aurait aucune défense. Les bébéskangourous de Bogota, minuscules prématurés qui survivent et grandissent contre leur mère, alors qu'ils mouraient tous en couveuse, relèvent eux aussi de ce merveilleux mécanisme.

Le premier colostrum est extrêmement riche en IgAs, près de 90 g/l, ce qui en fait, autant qu'un aliment, l'unique « concentré buvable de gammaglobulines » connu au monde. Ensuite la concentration diminue. Mais puisque le bébé boit jour après jour des volumes de lait plus importants, la quantité d'IgAs qu'il ingère reste constamment élevée.

● Savez-vous que dans les élevages de porcs, les petits qui ne boivent pas le colostrum meurent presque tous de la « diarrhée du porcelet », et que dans les élevages de vache laitière l'agriculteur trait la vache après le vêlage et donne le colostrum au petit, pour le protéger des germes de l'étable et des prairies, alors même que ce veau sera nourri de farines et substituts pendant que le lait de sa mère part à la crémerie.

Ces pratiques ancestrales ont donc gardé toute leur actualité quand les conditions bactériologiques d'élevage sont un risque et que les intérêts économiques sont en jeu. On ne sait faire mieux. Comment expliquer que dans des continents entiers, depuis des siècles, le colostrum humain ait été jeté, donné aux cochons ou aux poules, quand il ne servait pas à quelque rituel magique ou religieux, pendant que les petits mouraient en grand nombre. Nos bébés seraient-ils les moins protégés de tous les petits des mammifères?

— En plus des IgAs, le lait contient de nombreux facteurs antibactériens non spécifiques, qui peuvent arrêter ou détruire les bactéries et les virus, et moduler un équilibre bactérien harmonieux. Ce sont *le lyzozyme, la lactotransferrine, l'interféron, les interleukines, certaines fractions du complément...*

● Le lyzozyme est le plus abondant : 0,5 à 2 mg/ml soit 3 000 à 12 000 fois le taux du lait de vache. Il a la propriété de détruire les bactéries, de faciliter l'action des immunoglobulines et de la lactotransferrine. Dans l'intestin du bébé il interviendrait dans un système de régulation de l'équilibre entre les espèces (pathogènes ou non) de bactéries.

• La transferrine est une protéine présente dans toutes les sécrétions : lait, larmes, salive, sperme, liquide séminal, mucus cervicovaginal, et dans les granulations de certains leucocytes. Comme vous l'avez vu p. 113, elle a la propriété de fixer le fer et de lui faire traverser la muqueuse intestinale. Or la croissance des bactéries nécessite la présence de fer *libre*. La fixation du fer par la lactotransferrine est donc bactériostatique. Sans fer libre, les bactéries ne peuvent plus ni croître, ni se multiplier. De nombreux auteurs pensent qu'il n'est pas bon de donner du fer aux nourrissons qui n'ont pas d'anémie vraie. Si l'on sature la lactotransferrine, les bactéries trouveront du fer libre et pourront mieux se multiplier. L'enfant allaité qui reçoit beaucoup de lactotransferrine est là encore mieux protégé... et moins anémique.

• Le complément est un ensemble de protéines activables en cascade, par au moins deux voies immunologiques différentes. Il détruit les bactéries par cytolyse, et déclenche et renforce l'inflammation, donc l'apport massif de polynucléaires phagocytants.

Toutes les fractions citées ci-dessus ont fait la preuve de leur remarquable efficacité dans la défense anti-infectieuse des prématurés, dans le traitement de certaines maladies néonatales gravissimes comme l'entérocolite ulcéro-nécrosante. Ils sont utilisés de plus en plus dans le traitement de certains cancers ou maladies auto-immunes. Leur intérêt est tel qu'un des axes de la recherche médicale actuelle tente d'obtenir, à partir du lait, des fractions concentrées pures de ces éléments (comme on a obtenu à partir du sang des gammaglobulines ou des fractions antihémophiliques), pour sauver des vies humaines. Là encore les bébés allaités en bénéficient tout naturellement, tout gratuitement, sans que personne en prenne conscience.

— La défense anti-infectieuse des bébés allaités ne s'arrête pas là. La digestion du lait humain crée un complexe chimique, très particulier, mélange de lactose en excès, de peptides et de cuivre dus à la dégradation des caséines, d'un taux très bas de phosphore... Ce « bouillon de lait » favorise dans le tube digestif un *milieu acide* qui empêche la fermentation, la multiplication de bactéries pathogènes, et au contraire stimule la croissance de certains saprophytes, en particulier le *Lactobacillus bifidus*. Les selles liquides, fréquentes, émises en jet, irritant parfois la peau des nouveau-nés, ne sont que le témoin de cette excellente protection.

Il a été démontré qu'à cinq jours les bébés nourris exclusivement au sein présentent une flore intestinale constituée de moins d'espèces de germes, des germes anaérobies stables, avec dominance du genre bifidobactérium. Les bébés de cinq jours nourris au lait artificiel présentent une flore anaérobie plus fluctuante, très hétérogène, composée de genres bactériens divers, souvent plus pathogènes. Les études ont également montré que l'apport d'un seul biberon de lait de substitution dans les premiers jours de vie rend la flore des bébés allaités semblable à celle des bébés au biberon, et cela pour une dizaine de jours. Pour que cette protection existe, mieux vaut donc ne pas mélanger.

— Dernière caractéristique anti-infectieuse du lait humain. Quand il tète, le bébé reçoit de sa mère des cellules vivantes de défense. *Des lymphocytes, des macrophages* traversent les cellules glandulaires du sein pour se retrouver vivants et actifs dans le lait. Ils sont près d'un million par millilitre dans le colostrum. Compte tenu de l'augmentation de volume de la sécrétion tout au long de la lactation, le bébé en reçoit chaque jour en bon nombre. Les lymphocytes (10 à 20 %) ont la capacité de fabriquer les IgAs et sans doute aussi l'interféron. Les macrophages (80 à 90 %) ont la capacité de phagocyter (avaler) des levures et des bactéries et de les tuer. Ils synthétisent par ailleurs des facteurs biologiques de défense : fractions du complément (C3-C4-C5), le lyzozyme, la lactotransferrine et peut-être des facteurs de croissance du *Lactobacillus bifidus*.

Il est bien évident que tous ces éléments de défense contribuent très largement *in situ* à la protection de la glande mammaire contre les infections. Dans le lait ils ne sont au complet que dans le lait humain *frais*, donné directement par la mère à son bébé. Le moindre intermédiaire, le recueil dans un flacon en verre, le passage derrière une paroi de silicone arrête les cellules et une bonne part des anticorps. Toutes les méthodes de conservation du lait les altèrent. La pasteurisation et autres méthodes de décontamination les détruisent en grande partie.

Le lait est un aliment vivant, contenant des cellules vivantes. Il convient de le traiter comme tel. Le manipuler le moins possible, réchauffer sans excéder 50°, ce qui détruirait un certain nombre de protéines, éviter le micro-ondes qui détruit le lyzozyme, diminue les IgA et altère les noyaux des lymphocytes.

■ *Les risques du lait humain, et ses inconnues*

Le lait maternel peut-il être dangereux pour un enfant ? C'est une question souvent posée qui soulève des polémiques passionnées entre opposants et partisans de l'allaitement au sein.

En effet il existe quelques risques, tout à fait exceptionnels, correspondant à une pathologie de la mère ou de l'enfant facilement identifiable. Ce qu'il ne faut pas perdre de vue, d'emblée, c'est le caractère extrêmement rare de cette pathologie. Beaucoup de femmes ont la crainte viscérale d'avoir un «mauvais lait», n'arrivent pas à croire que leur corps peut fournir à leur enfant ce merveilleux aliment. Cette crainte est un problème psychologique complexe, un problème de société. Il faut retrouver la confiance profonde et la *capacité* des femmes à être de «bonnes mères» fabriquant du «bon lait».

Bon nombre de médecins préconisent des arrêts d'allaitement à la moindre poussée de fièvre de la mère, pour la prise d'un médicament en réalité anodin, pour un minime symptôme de l'enfant. Dans bien des cas, ce n'est pas justifié. Connaître les risques réels est indispensable à une prescription médicale correcte. Je vais donc tenter d'en faire une synthèse détaillée.

Schématiquement, on peut classer ces dangers du lait maternel en cinq catégories : — les dangers nutritionnels, — les dangers métaboliques, — les dangers immunologiques, — les dangers toxiques, — les dangers infectieux.

Les dangers nutritionnels

Nous savons maintenant que le lait humain est toujours bon, de composition satisfaisante pour nourrir un ou plusieurs enfants, à la condition... qu'il soit fabriqué !

La recette est très précise, il n'y a pas de lait insuffisant ou excessif. En achetant un litre de lait à l'épicerie, personne ne se demande si l'élevage d'où il provient a des vaches plus performantes qu'ailleurs. La question ne devrait jamais non plus se poser pour le lait des mères. Il est toujours bon, et le bébé adapte la quantité qu'il boit à la ration calorique trouvée. Tous les commentaires négatifs ou alarmistes sont à traiter par le mépris !

Une seule insuffisance est actuellement reconnue par tous les pédiatres : celle de l'apport de *vitamine K1 en période néonatale*. Cette vitamine est à un taux faible dans le lait (15 mg/l) inférieur aux besoins du bébé, même si la mère en prend de grandes quantités. La plus grande part de cette vitamine est fabriquée dans l'intestin du bébé par des bactéries de son tube digestif. Or le milieu intestinal créé par la digestion du lait humain ne favorise pas la colonisation de bactéries très productrices. Les bébés au sein peuvent donc en manquer.

La vitamine K1 donnée en gouttes la première semaine de vie, puis une fois par semaine pendant les premiers mois d'allaitement n'a aucune toxicité connue. Elle prévient par contre certaines hémorragies rares mais graves du nouveau-né : hémorragies digestives des huit premiers jours, hémorragie cérébrale gravissime de la fin du premier mois. Dans la balance risque de la maladie/risque du traitement, donner de la vitamine K1 est un geste positif.

Le deuxième point sur lequel s'interrogent les chercheurs, c'est l'exceptionnelle *richesse du lait humain en cholestérol*. Le colostrum en est très riche, le lait pendant toute sa production aussi. L'apport journalier moyen des enfants allaités est en moyenne de 15 à 20 mg/kg/jour, alors qu'il n'est que de 2 à 5 mg/kg/jour chez les enfants nourris au lait de substitution. Malgré ces différences d'apport, les taux sanguins, soit du cholestérol sérique, soit du rapport HDL/LDL ne sont modifiés que pendant les premières semaines entre les deux groupes d'enfants. Plusieurs chercheurs ont émis l'hypothèse que ces taux élevés «vaccinent» les bébés contre l'apport ultérieur de cholestérol, en mettant en place dès le plus jeune âge des mécanismes de dégradation et d'utilisation. Les bébés nourris au lait de substitution, pauvre en cholestérol et riches en acides gras polyinsaturés, ne pourraient bénéficier de cette protection. Quels seront les effets à long terme sur le métabolisme dans l'un et l'autre groupe? Nul ne sait répondre.

Les dangers métaboliques

Une seule maladie métabolique du bébé est une contre-indication formelle à l'allaitement maternel, c'est la *galactosémie congénitale*. Il s'agit d'une affection tellement rare (environ vingt familles en France) que je pourrais presque ne pas en parler. Pourtant elle existe. C'est une maladie familiale, héréditaire, transmise à l'enfant à partir d'anomalies génétiques de ses deux parents. L'enfant ne possède pas une des enzymes nécessaires à l'utilisation du galactose dans l'organisme, donc tout apport de lactose dans du lait de n'importe quelle origine entraîne des désordres métaboliques sévères, rapidement irréversibles.

Un seul moyen pour sauver ces enfants : une alimentation absolument sans lait (ni lait de mère, ni lait de vache, ni lait d'aucun mammifère) pendant plusieurs années. Je le répète : c'est une maladie exceptionnelle, et les familles à risques sont identifiées...

Certains médecins considèrent comme un des dangers du lait maternel une forme de «jaunisse» du nouveau-né appelée l'*ictère au lait de femme*. De quoi s'agit-il ?

Dans les premiers jours de vie, la plupart des nouveau-nés ont un ictère transitoire, lié à deux caractéristiques de cette période :

- Ils détruisent près de 20 % de leurs globules rouges, surplus qui n'avait de sens que pour lutter contre le manque d'oxygène lors de l'accouchement. Un des produits de cette dégradation est la bilirubine, pigment jaune qui s'accumule dans le sang.

- Normalement ce pigment est épuré par le foie, en présence d'une enzyme appelée glycuronyltransferrase. La bilirubine est «liée» à une molécule d'acide glycuronique, puis éliminée dans la bile. Dans les premiers jours après la naissance, ce processus normal est un peu lent à s'établir, le foie tarde à se mettre en route, et le pigment stagne un peu dans le sang. Cet ictère, appelé ictère physiologique, dure généralement de deux à quatre jours. Ce n'est pas une maladie, tout juste une jolie coloration de l'enfant, sans danger.

Dans quelques cas, le lait maternel contient une substance (que les chercheurs n'ont pas identifiée de façon formelle, peut-être est-ce un mécanisme complexe) qui freine de façon prolongée l'activité hépatique de la glycuronyltransferrase. Pendant plusieurs semaines les bébés restent superbement «orangés».

Passé le cap des premiers jours où tout ictère du nouveau-né est surveillé, les taux sanguins de bilirubine n'atteignent jamais un niveau pouvant poser problème. Même si l'ictère dure six ou dix semaines, il n'y a aucune toxicité ni pour le cerveau, ni pour le foie, ni pour aucun autre organe. Le bébé est jaune... et c'est tout.

Il est très facile de faire le diagnostic entre cet ictère au lait de mère, et un ictère grave prolongé des premières semaines. Ni l'état de l'enfant, ni les signes biologiques ne peuvent laisser le moindre doute. Arrêter l'allaitement pendant quelques jours ou faire chauffer le lait de la mère à 55° pendant quinze minutes pour détruire la substance inhibitrice ne sert à rien, sauf à rassurer le médecin qui avait pourtant d'autres éléments à sa portée... L'interrogatoire donnant la notion d'antécédents identiques dans la famille de la mère ou pour ses autres enfants est un très bon élément de probabilité.

Toutes les études scientifiques sont formelles. Le pronostic est toujours excellent, la santé de ces bébés parfaite. Il n'y a donc aucune raison de chercher à les faire «déjaunir» à tout prix, en les privant du lait de leur mère, le meilleur pour eux. De toute façon, l'activité de la glycuronyltransferrase augmentera spontanément au fil du temps et l'ictère disparaîtra de lui-même. Répétons-le, ces bébés peuvent rester au sein.

Les dangers immunologiques

Ils sont très hypothétiques. La question ne se pose que dans l'incompatibilité sanguine sévère entre la mère et son enfant (maladie rhésus), maladie elle-même devenue exceptionnelle depuis l'application systématique de la prévention. Il est vrai que les anticorps maternels provoquant chez le bébé hémolyse et anémie passent dans le lait, mais que deviennent-ils dans l'intestin? Peuvent-ils passer dans le sang et aggraver les signes, ou sont-ils totalement dégradés en acides aminés et absorbés comme nutriment de base? Aucune étude ne permet une conclusion formelle.

Les dangers toxiques

Ils sont de mieux en mieux connus et les études fréquentes.

Il y a d'abord les risques de *médicaments pris par la mère*. Certains peuvent présenter une véritable toxicité ou un risque allergique pour le bébé. Plusieurs ouvrages publiés récemment donnent de façon détaillée la pharmacocinétique du médicament, la durée de passage dans le sang et la conduite à tenir. Le meilleur de ces livres est à mon sens celui publié en 1992 par le Centre antipoison de Bruxelles, intitulé *Médicaments et Allaitement*. Toute personne ayant à conseiller des mères allaitantes devrait avoir sous la main l'un de ces documents.

Interdits	Déconseillés	Anodins
Amphétamines	Hormones	Adrénaline
Anticoagulants	thyroïdiennes	Aspirine
Atropine	Cortisone	(usage limité)
Antimétabolites	Œstroprogestatifs	Insuline
Iodures	(pilules)	Chlorothiazide
Bromures	Diurétiques	Antihistaminiques
Narcotiques :	et laxatifs	Antibiotiques
morphine	Réserpine	(sauf ceux de la
Valium	Diphénylhydantoïne	colonne 1)
Équanil	Barbituriques	
Largactil (etc.)	Alcaloïde de l'ergot	
Lithium	de seigle	
Produits radioactifs		
Antibiotiques :		
sulfamides		
streptomycine		
kanamycine		
chloramphénicol		
tetracycline		
Negram		
Diurétiques		
thiazidiques		
Hexachlorophène		
Dihydrotachystérol		
Antithyroïdiens		
Métionidazole		

● Quelques règles simples permettent cependant de se repérer :

- Toutes les substances qui peuvent être prescrites directement au bébé n'ont pas plus de toxicité quand elles arrivent dans le lait.

- Les médicaments passent dans le lait en fonction du taux sanguin au moment de la tétée. Si on connaît la durée de passage dans le sang, il est aisé de choisir les heures de prise par rapport aux heures de tétées.

- Chaque fois que c'est possible, il faut choisir de faire téter le bébé *avant* la prise de médicament.

- Les médicaments nécessitant un arrêt total et définitif de l'allaitement sont assez rares, et la plupart peuvent être remplacés par un analogue moins toxique pour le bébé.

Au total, lorsque la mère reçoit un traitement médical, la vigilance s'impose. L'automédication est rigoureusement contre-indiquée, mais les raisons d'arrêter l'allaitement sont exceptionnelles.

Beaucoup plus fréquents sont les risques provoqués par certains toxiques pris par la mère : *l'alcool, les excitants, le tabac, la plupart des drogues* passent dans le lait et peuvent provoquer chez le bébé excitation ou somnolence. Le lait d'une femme qui fume de dix à vingt cigarettes par jour contient 0,4 à 0,5 mg/l de nicotine, pouvant entraîner des arrêts respiratoires chez certains nourrissons. C'est grave.

Dans notre société moderne, le risque de *polluants* alimentaires ou atmosphériques dans l'environnement de la mère, pouvant passer dans le lait, n'est pas négligeable. Les études sont nombreuses et prouvent que ce passage a bien lieu. Des taux élevés au-dessus du seuil toxique de DDT, d'hexachlorobenzène, de méthylmercure ont été relevés dans certaines régions. Le lait des mammifères de ces régions est lui aussi très sérieusement contaminé. C'est un problème de santé publique grave, qui dépasse largement les questions d'allaitement maternel. À quoi servirait de sevrer un bébé dont le lait de mère a montré un taux élevé d'un des toxiques si la suite de son alimentation doit lui apporter autant ou plus de ces différents polluants ? Les laits artificiels ne peuvent en être exempts puisque toutes les régions du globe sont actuellement contaminées et qu'il n'existe pas à ma connaissance d'élevage bovin biologique libre de toute exposition à ces produits, où seraient recueillis les laits à l'origine des poudres lactées infantiles.

Il semble plus judicieux pour diminuer les risques de prescrire dès la grossesse (si ce n'était pas déjà une habitude de vie familiale) une alimentation saine, la plus dépourvue possible de polluants alimentaires, sans trop de laitages et viandes qui en sont grands pourvoyeurs. Attention aussi aux travaux dans la maison, aux engrais et insecticides du voisinage, à certains produits de nettoyage et autres «chimies» de notre environnement. Dans certains cas, un jeûne avant de commencer une grossesse pour évacuer les polluants stockés dans les graisses corporelles peut être une bonne solution.

Au-delà reste le problème politique des choix de rentabilité malgré les risques...

Les risques infectieux

Ils sont de deux types : les infections du sein et la transmission de virus pathogènes par le lait.

— *Les infections du sein*, fréquentes les deux premiers mois, sont à 99 % de banales lymphangites au cours desquelles le lait reste bactériologiquement normal et qui rentrent dans l'ordre spontanément ou après antibiothérapie. Seuls les galactophorites et les abcès vrais du sein, où l'infection se propage massivement dans le lait, posent le problème d'un arrêt temporaire d'allaitement. Staphylocoques et streptocoques sont les germes les plus fréquents. Devant des tableaux infectieux *modérés*, il serait judicieux de se poser les bonnes questions : le risque pour le bébé est-il pire de boire un certain nombre de germes, mais de continuer à recevoir tous les éléments de défense et les antibiotiques pris par sa mère ou sera-t-il mieux protégé avec un lait artificiel stérile alors qu'il a sûrement déjà des germes pathogènes présents dans son intestin et qu'il ne recevra plus aucun élément de défense... Si les médecins se posaient la question en ces termes, l'allaitement serait souvent poursuivi.

— Déjà discrètement posée par les médecins sur le virus de l'hépatite depuis une dizaine d'années, la question de la *transmission virale par le lait* est arrivée au grand jour médiatique avec le problème du sida. Nous sommes confrontés à de nouvelles et sérieuses interrogations. La recherche est encore balbutiante, bousculée à la moindre découverte par les enjeux économiques. Les réactions sont très passionnelles depuis les dramatiques événements liés à la transfusion de sang contaminé. Il est encore beaucoup trop tôt pour avoir une idée globale de ce qui se passe vraiment, mais on peut tenter de faire le point.

Ce que l'on sait :

- Les virus sont intralymphocytaires.

- Les lymphocytes passent dans le lait.

- Plusieurs virus peuvent poser problème : ceux de l'hépatite B et probablement C, le HTLV découvert au Japon en 1981 et son homologue HTLC 2 plus récent ; les HIV 1 et HIV 2 responsables actuellement connus du sida ; il y a fort à craindre que cette liste ne s'allonge considérablement dans les prochaines années.

- Les laits pasteurisés ne contiennent plus de virus vivants.

Ce que l'on ne sait pas :

- Que deviennent les lymphocytes dans l'intestin du bébé ? Sont-ils détruits et éliminés dans les selles ou peuvent-ils pénétrer dans le sang ?

- Même si les lymphocytes sont détruits dans l'intestin, certaines particules virales peuvent-elles rester contaminantes, et si oui par quelles voies ?

- Existe-t-il, comme plusieurs publications récentes semblent le montrer, des facteurs de défense dans le lait humain inhibant le virus et protégeant le bébé ?

Depuis 1986, une circulaire ministérielle interdit formellement le don de lait *frais* d'une mère au bébé d'une autre. Il n'est donc plus question dans les maternités de conserver le lait des femmes ayant des flux (pour traiter un engorgement) et de le donner en complément à un bébé qui ne sait pas encore provoquer une lactation suffisante chez sa mère. Tout le lait recueilli doit être confié à un lactarium, ou jeté.

Une circulaire, en date du 24 novembre 1992, impose en

outre dorénavant des règles strictes pour tout don du lait : au moment du premier don, les mères devront subir un dépistage obligatoire pour HIV 2, HIV 2, HTLV 1, HTLV 2, HBs et HCV à la recherche d'une séropositivité, même si les tests effectués pendant la grossesse étaient négatifs. Ces dépistages seront effectués ensuite tous les trois mois, pendant toute la durée du don. Le lait fourni par la mère ne pourra être utilisé ni regroupé dans le pool de lait de lactarium, tant que les résultats de ces différents tests ne seront pas revenus négatifs. En cas de sérologie positive, les dons devront être détruits.

Ces tests, fort onéreux, doivent être gratuits pour les femmes. La prise en charge se fera soit par les maternités où les mères ont accouché, soit par le service financier des lactariums.

Ces prescriptions sont valables même lorsqu'une mère donne son lait pour son propre bébé... et même si ce bébé a tété plusieurs jours directement avant d'être transféré en service de néonatalogie.

Toutes ces directives montrent à l'évidence le souci absolu du législateur de ne prendre aucun risque, aussi minime soit-il, de transmission par le lait. Elles sont partiellement en contradiction avec la certitude scientifique qu'un lait correctement pasteurisé ne peut plus être contaminant.

Il reste deux problèmes majeurs : les lactariums auront-ils les moyens financiers pour absorber ce surcoût ? Comment réagiront les mères à l'idée que leur don, geste de solidarité et d'entraide, geste de grande protection pour leur propre bébé malade, pourrait avoir des implications aussi négatives ? Les années à venir seront déterminantes.

Les réactions à ce risque de transmission virale sont très différentes dans les pays où le niveau sanitaire des populations est très bas. Lorsqu'un enfant sur trois fait une diarrhée grave dans la première année, qu'un sur dix en meurt, ce risque prime tous les autres. L'Organisation mondiale de la santé conseille de maintenir l'allaitement au sein, ce qui permettra la survie de milliers d'enfants, par simple diminution des diarrhées.

Seul l'avenir nous dira si l'allaitement au sein protège les bébés du sida, ou s'il augmente le risque.

Les alternatives au lait maternel

Comme ce chapitre l'a longuement démontré, aucun lait animal, aucune formule actuelle pour nourrisson ne peut logiquement être considérée comme une alternative valable. Si les bébés en bonne santé, omnivores précoces, s'adaptent généralement bien aux laits de substitution, il reste un lot non négligeable d'enfants pour lesquels le lait de femme est une nécessité vitale. Les très grands prématurés, les enfants gravement malades, après certaines allergies graves, certaines pathologies digestives sévères... Pour tous ceux-là le lait de leur mère est l'idéal. Mais s'ils ne peuvent en disposer, c'est du lait d'une autre femme qu'ils auront besoin.

Malgré les problèmes que nous venons d'évoquer, il serait nécessaire de maintenir ce merveilleux geste qu'est le don de lait à un lactarium. Si chaque femme, allaitant sereinement son enfant, prenait le temps *deux fois par semaine* de provoquer un flux pour remplir un biberon à donner au lactarium le plus proche, les besoins en lait de femme des services de soins intensifs pédiatriques seraient assurés. Deux fois par semaine pendant quelques mois, ce n'est pas fatigant, ça ne prend qu'un peu de temps... et cela sauverait des bébés.

N'hésitez pas à appeler le lactarium le plus proche de chez vous, même avant la naissance d'un bébé, pour réfléchir aux modalités de ce don.

● Liste des lactariums en 1993 :

Amiens
LACTARIUM D'AMIENS, Hôpital Nord - Pédiatrie II,
Place Victor-Paudret, 80030 Amiens.
Tél. 22 66 80 00, poste 68 288 ; direct : 22 66 82 88.
Responsable : Dr Michèle Gallet.
Puéricultrice : Béatrice Hénin.

Bordeaux
LACTARIUM DÉPARTEMENTAL, Hôpital des Enfants,
168, cours de l'Argonne, 33077 Bordeaux.
Tél. 56 79 56 79.
Président : Pr Boris Sandier.
Directrice : Michèle Froment.

Brest
LACTARIUM DE BRETAGNE OCCIDENTALE, Service Pierre
Royer, Hôpital Morvan, CHRU Brest, 29200 Brest.
Tél. 98 22 33 33, poste 2009.
Président : Dr Alix.
Directrice : Mme Le Bourhis.

Cherbourg
LACTARIUM DE CHERBOURG, CH Louis-Pasteur,
46, rue du Val-de-Saire, 50102 Cherbourg,
Tél. 33 20 70 00 (ligne directe néo-natologie).
Président : Dr Jean-Louis Bessis.
Surveillante : Monique Dufour.

Clermont-Ferrand
LACTARIUM, Hôtel-Dieu - Service biberonnerie,
avenue Vercingétorix,
63003 Clermont-Ferrand cedex.
Tél. 73 31 60 00, poste 4413.

Dijon
LACTARIUM CHRU BOCAGE, Maternité du Bocage,
21034 Dijon. Tél. 80 29 30 31, poste 13218.
Président : Dr Nivelon.
Directrice : Mady Breteau.

Grenoble
LACTARIUM RHÔNE-ALPES, Antenne de Grenoble,
Hôpital La Tronche, 38000 Grenoble.
Tél. 76 42 51 45.
Président : Pr Bernard Salle.
Directrice : Annick Fagot.

Lille
LACTARIUM RÉGIONAL, Institut Pasteur,
1, rue du Professeur-Calmette, 59019 Lille cedex.
Tél. 20 87 77 95. Fax 20 87 79 06.
Directeur médical : Dr C. Genty.
Directeur administratif : Mr Bazin.

Lyon
LACTARIUM DE LYON, 37, rue Bossuet, 69006 Lyon.
Tél. 78 24 77 46.
Président : Pr Bernard Salle.
Directrice : Annick Fagot.

Marmande
LACTARIUM Dr Raymond Fourcade, Croix-Rouge française,
avenue des Martyrs-de-la-Résistance,
47200 Marmande. Tél. 53 64 26 22.
Président : Joël Brillaud.
Médecin : Dr Kandel.
Directeur administratif : M. Franchineau.

Montpellier
LACTARIUM MONTPELLIER, Institut Bouisson-Bertrand,
rue de la Croix-Verte, La Zolad,
34100 Montpellier. Tél. 67 84 74 23.
Président : Pr Rieu.
Directrice : Simone Antoine.

Mulhouse

LACTARIUM CH MULHOUSE, Hôpital du Hasenrein,
avenue d'Altkirch, 68051 Mulhouse.
Tél. 89 64 71 52.
Président : Dr Beauvais.
Puéricultrice : Mme Schaegis.

Nantes

LACTARIUM Jacques-Grislain, CHRU de Nantes,
quai Moncousu, 44035 Nantes cedex 01.
Tél. 40 08 34 82.
Directeur : CHRU Nantes M. Costagent.
Médecin : Pr R. Mainard.
Directrice : Mme Beausse.
Urgence et consultation pédiatrique : Mme Boubacha.

Orléans

LACTARIUM, 1, rue de la Porte-Madeleine, BP 2439,
45032 Orléans cedex. Tél. 38 74 41 81.
Président : Dr Thieffry.
Puéricultrice : Mme Van Der Stuyft.

Paris

LACTARIUM DE PARIS, 26, boulevard Brune,
75014 Paris. Tél. 40 44 39 14.
Président : Dr Voyer.
Directeur : Dr Roberto Nobre.

Rouen

LACTARIUM DE ROUEN, Chemin de la Brétèque,
76230 Bois-Guillaume. Tél. 35 59 40 60.
Président : Dr Ropartz.
Médecin conseil : Dr Amar.
Directrice : Geneviève Pradeau.

Saint-Étienne

LACTARIUM Charles-Beutter, CHRU de Saint-Étienne-Nord,
Pavillon Mère-Enfant, Niveau 1,
42277 Saint-Priest-en-Jarez cedex.
Tél. 77 93 64 66.
Président : Pr A. La Selve.
Directrice : Michèle Garnier.

Strasbourg

LACTARIUM DES HOSPICES CIVILS,
23, rue de la Porte-de-l'Hôpital, 67000 Strasbourg.
Tél. 88 16 10 49.
Président : Dr Jean-Marc Levy.
Directrice : Élisabeth Blocher.

Tours

LACTARIUM CHRU DE TOURS, Hôpital Clocheville,
49, boulevard Bérenger, 37000 Tours.
Tél. 47 47 47 47.
Président : Pr J. Liaugier.
Médecin : Dr J.-C. Borderon.
Directrice : Mme Coquillaud.

CHAPITRE 4

CHOISIR L'ALLAITEMENT ET S'Y PRÉPARER

En général, on se fait une affaire d'une trop grande importance de nourrir... À force de vouloir prendre trop de précautions, on se nuit.

Mme Le Rebours, *Avis aux mères qui veulent nourrir leurs enfants*, Paris, 1767

L'ALLAITEMENT EST UN CHOIX

Pour nos aïeules lointaines, le choix de l'allaitement se posait à peine. Un nouveau-né devait recevoir du lait de femme, celui de sa mère ou celui d'une nourrice.

Mais nos aïeules connaissaient l'allaitement au sein depuis leur jeune enfance. Toutes les femmes allaitaient leur bébé ; les petites filles assistaient à ces mises au sein, participaient un jour ou l'autre aux soins d'un jeune frère, d'un cousin ou d'un enfant du voisinage. Arrivées à l'âge adulte, les nouvelles mères n'avaient qu'à reproduire les gestes et habitudes qu'elles avaient contemplés tout au long de leurs journées d'enfance. Elles retrouvaient alors spontanément, souvent sous le regard attendri de leur mère ou des autres femmes de leur entourage, comment s'installer, comment tenir leur nouveau-né, comment lui présenter le sein. Les difficultés des premiers jours se résolvaient entre femmes, il y avait toujours une vieille femme ou une matrone expérimentée pour apporter un conseil, une présence, une thérapeutique s'il en était besoin.

Actuellement, tout cela a bien changé. De nombreuses jeunes mères venant accoucher dans les maternités de France n'ont jamais vu une femme allaiter. Ni chez elles autrefois, puisque nos mères avaient découvert le biberon, et bien peu ont le souvenir de l'allaitement au sein de quelque jeune frère ou sœur. Ni dans leur entourage, car peu de femmes acceptent d'allaiter tout naturellement leur bébé en public. Ni au cinéma ni à la télévision — il n'existe presque pas d'émissions ou de films montrant un allaitement maternel réussi, montrant même un sein de femme dans un autre but qu'érotique. C'est tout un «conditionnement naturel» des petites filles qui a ainsi disparu.

De plus, les jeunes mères de notre génération sont isolées, sans la chaude présence des femmes du voisinage ou de la famille. Elles ne sauront à qui parler de leurs craintes, de leurs difficultés. Le médecin est parfois lointain. Le mari, ou le compagnon, arrive le soir après le travail, et d'ailleurs ne connaît rien, lui non plus, aux problèmes qui peuvent se poser. Les amies ignorent l'allaitement maternel. Il est difficile d'en tenter l'expérience dans une solitude, un isolement aussi importants.

Très souvent, la seule idée d'avoir à reprendre le travail au bout des quelques semaines légales du congé maternité peut paraître à une future mère une raison suffisante pour ne pas allaiter. Ces dix semaines sont alors uniquement considérées par elle comme le temps pour «se remettre» de la grossesse et de l'accouchement. Et la découverte du nouveau-né, la relation merveilleuse qui peut s'établir entre la mère et son bébé passent au second plan, éloignées, effacées par les difficultés de la vie quotidienne dans notre société.

L'évolution la plus marquante des cinquante dernières années, c'est la qualité des soins apportés aux jeunes mères et aux nouveau-nés. Les progrès de l'obstétrique moderne ont levé l'angoisse vitale attachée au seul mot d'accouchement. La naissance d'un enfant n'est plus ce risque majeur que les femmes abordaient avec les plus grandes craintes. Actuellement dans notre pays, la sécurité des mères et des nouveau-nés est assurée dans presque toutes les maternités de façon satisfaisante. Les femmes, les couples peuvent donc maintenant aborder la naissance et l'accueil de l'enfant en termes de confort, de relation privilégiée, en termes de plaisir et de choix délibéré. D'autant plus que la contraception, qui se généralise, permet aux parents de choisir librement et calmement le nombre d'enfants qu'ils élèveront et le moment de leur naissance. Plus une maternité, une paternité sont désirées, plus la qualité de la relation qui se créera avec l'enfant est un objectif prioritaire des futurs parents. Et dans ce désir d'une relation étroite et riche avec l'enfant, l'allaitement maternel retrouve tout naturellement une place exceptionnelle.

L'allaitement au sein devient vraiment un libre choix des parents dans nos pays, puisque nous savons tous qu'il est parfaitement possible de nourrir un nouveau-né dans de bonnes conditions, avec les laits artificiels disponibles sur le marché.

L'allaitement maternel n'est plus indispensable à la survie de nos enfants. Il devient un choix :
— choix de donner à un *enfant* ce qu'il y a de meilleur pour lui ;
— choix pour la *mère* de vivre dans son corps une expérience unique ;
— choix pour un *couple* de vivre le plus pleinement possible une merveilleuse relation avec le nouveau-né.

Dans cette optique, se préparer à l'allaitement suppose plusieurs éléments importants :
— la nécessité d'une information sérieuse sur les avantages de l'allaitement maternel, avantages pour la mère, avantages pour l'enfant : cette information est indispensable pour un choix totalement libre et réfléchi — c'était le but des premiers chapitres de ce livre ;
— définir le plus clairement possible ce que l'on a envie de vivre **dans son corps**, ce que le compagnon ou le mari désire et veut vivre avec sa famille, quelle sera la place des autres enfants ;
— découvrir les lieux, les personnes, les lectures qui permettront de recréer le climat émotionnel, chaud et sûr, dans lequel l'allaitement peut se dérouler sans crainte ;
— préparer la place de l'enfant à naître, sa place dans la famille, dans la maison : ce n'est pas la femme qui se prépare à allaiter, mais toute la famille ;
— préparer un peu les seins de la mère pour faciliter les premières tétées.

TROIS CONDITIONS NÉCESSAIRES ET SUFFISANTES

■ *Pour allaiter vivons un corps heureux*

Les vraies questions avant de décider un allaitement devraient être :

— Ai-je envie de vivre cela ?

— Mon corps a-t-il envie de seins pleins de lait, d'un bébé qui suce, qui tète ?

— Ai-je envie de son odeur contre moi, de sa peau contre la mienne ?

— Serai-je fière de mes seins gonflés, du lait qui coule en abondance, de mon nouveau corps de mère ?

— Pourrai-je allaiter en public ?

Pour allaiter, il faut **aimer ses seins**, les accepter tels qu'ils sont pendant la grossesse avec leur nouveau volume, les veines apparentes, l'aréole brune. Une femme à l'aise dans sa peau, heureuse d'être femme, acceptant son corps et sa nudité, peut trouver dans l'allaitement, en plus de la joie et des émotions douces liées à la présence de l'enfant, un véritable plaisir physique. L'allaitement est un acte très sensuel pour qui habite son corps de façon confiante : aimer toucher et être touchée, aimer caresser et être caressée, aimer l'idée du lait, croire à cette merveilleuse **capacité** d'un corps de créer en abondance. Accepter l'émotion devant le corps d'un tout-petit. Rêver d'échanges et de tendresse. Aimer les seins tendus, vivants, sensibles ; ne pas avoir peur de la joie et de la sensualité apportées par l'enfant.

Que sont ces discours d'hommes qui parlent d'allaitement en termes de devoir sacré, de loi de la nature ou de biochimie du lait ? Tous les arguments scientifiques, même les plus sensés, n'ont aucune portée pour qui les vivrait par devoir. L'allaitement n'est pas une corvée supplémentaire pour gagner le titre de «mère à part entière».

L'allaitement, pour les femmes qui choisissent librement de le vivre, est un merveilleux **privilège**, un des temps forts de leur corps de femme. Nul ne pourra le leur enlever.

Mais, comme il arrive que certaines femmes n'éprouvent aucun plaisir à faire l'amour, d'autres n'auront aucun plaisir à nourrir un bébé et peuvent même ressentir un certain dégoût ; honte d'être nue, peur du côté un peu animal de l'allaitement, peur d'être pompée, dévorée par l'enfant, peur et honte de l'épanouissement physique après une éducation centrée sur le mépris du corps et de l'activité sexuelle. Ces difficultés existent, il ne faut pas craindre de les reconnaître, et **ne pas se forcer** à allaiter.

C'est donc au niveau du corps, de ce que l'on veut vivre dans son corps, que le choix doit être le plus clair.

Pour allaiter avec bonheur, une femme a besoin que son compagnon l'accepte totalement et veuille réussir lui aussi l'alimentation de son bébé. Nous vivons dans une société où le sein est d'abord un organe sexuel, érotique, réservé à la beauté du corps et aux jeux amoureux. Peu d'hommes conçoivent d'emblée autre chose...

Une femme qui «crée» un enfant sera d'autant plus heureuse et épanouie que son compagnon aimera ce qu'elle devient — aimera son gros ventre de femme enceinte, aimera ses seins pleins de lait, saura redécouvrir avec elle une autre sensualité, une nouvelle sexualité.

Quelle richesse de découvrir non seulement une femme nouvelle, différente, belle de son nouveau corps, mais aussi un corps d'enfant, à protéger et à éveiller, un enfant à caresser, à bercer. Comme c'est beau, un homme capable de sensibilité, de tendresse devant un tout-petit, un homme qui n'a pas peur d'exprimer, de montrer toutes les émotions fortes qui l'assaillent : timidité, désir, pudeur, fierté, reconnaissance de l'inconnu devant la naissance ou l'allaitement auxquels il participe totalement.

Contrairement à ce qui se dit généralement, le père a sa place — et une immense place — dans l'allaitement d'un enfant. Il n'est pas exclu, il n'a pas à être jaloux. L'enfant ne lui vole rien, ne lui enlève aucun plaisir. Au contraire, l'enfant est la source de nouvelles joies que le père va découvrir. Seul un compagnon encore infantile ou indifférent peut ne pas le comprendre !

■ *Pour bien allaiter, choisir ses « conseillers »*

Tant que l'allaitement était vécu par les femmes pendant de longs mois, une nouvelle mère pouvait le concevoir comme une évidence : gestes connus, accueil tendre et efficace de la famille. Actuellement, ce n'est plus si simple. La médicalisation de la naissance a faussé la spontanéité des premiers jours (nous le verrons au chapitre suivant). Les mères se retrouvent seules ensuite. Chaque femme, individuellement, parfois en se battant contre son entourage, devra redécouvrir les gestes de son corps, l'appel de son bébé.

À qui se confier en cas de difficultés, à qui raconter les émotions douces, qui appeler en cas de détresse :

— le compagnon, bien sûr, s'il sait être attentif et présent, conscient des difficultés ou de la fatigue que sa femme peut traverser, s'il a envie de réussir avec elle cet allaitement ;

— les femmes de la famille ou les amies ne sont pas toutes de bon conseil : il faudrait ne faire confiance qu'à celles qui ont vécu des allaitements et qui en parlent avec bonheur. Si elles ont réussi à bien allaiter, elles savent aider en cas de difficultés ;

— les groupes de femmes qui parlent d'allaitement.

- *Solidarilait* est un réseau d'entraide et de solidarité autour de l'allaitement maternel. Il a été créé au Lactarium de Paris par le Dr Véronique Barrois. Il est composé de mères ayant allaité leurs enfants et de pédiatres. Une ligne téléphonique directe permet de demander conseil en cas d'urgence ou de panique. Dans de nombreuses villes de France, ces groupes de jeunes femmes se réunissent chaque mois, ou organisent des permanences hebdomadaires pour accueillir des jeunes parents et leur bébé.

- *La Leche League*, organisation d'origine nord-américaine, est un réseau de mères ayant allaité un ou plusieurs enfants pendant au moins un an et qui acceptent de se former, de s'instruire sur l'allaitement pour créer des groupes de réflexion et aider d'autres jeunes mères.

- Il existe enfin dans de nombreuses villes des *groupes indépendants* de ces deux grands réseaux, plus informels, nés de la volonté de quelques personnes.

Tous ces groupes ont organisé depuis 1986 un échange commun d'informations, sous la forme d'un «courrier inter-associations». Chaque réseau connaît donc les adresses de tous les groupes existant en France. Pour les contacter, vous trouverez les adresses p. 221.

■ *Pour bien allaiter, choisir ses lectures*

La nutrition est un sujet à la mode. Depuis peu, livres et magazines féminins multiplient les articles sur l'alimentation de l'enfant et sur l'allaitement maternel. On trouve de tout, du bon et du moins bon. À priori, j'aurais envie de dire qu'une femme qui désire allaiter ferait mieux de ne *rien* lire avant, se contenter de regarder son bébé et d'écouter son corps. Mais une telle attitude n'est possible que pour une femme confiante, connaissant l'allaitement depuis son enfance.

En réalité, la majorité des futurs parents a besoin d'une information, d'une ré-assurance. Mais il faut apprendre à choisir :

— éviter les livres de recettes : on trouve de plus en plus de livres simplistes : faites comme ceci, comme cela et ça marche...! Ce n'est pas vrai, l'allaitement est un temps de la vie, avec des passages difficiles et des moments merveilleux. On ne peut pas le mener à bien avec des recettes;

— se méfier des théories psychologiques ou psychiatriques alarmistes répandues par la littérature actuelle.

À ma connaissance, aucun psychiatre n'a contesté le bienfait de l'allaitement au sein, la nécessité du contact étroit entre la mère et son enfant, la qualité et la quiétude de l'intimité qui s'établit entre eux. En revanche, beaucoup ont prétendu — et c'est faux — que l'allaitement artificiel aboutit à des catastrophes psychologiques, ou que le sevrage occasionne un traumatisme responsable de futurs problèmes. On peut tout démontrer pour peu que l'on ne manipule que les mots négatifs : castration, frustration, carence... et non les mots du bonheur. Pour peu que l'on méprise la vie au profit des phrases... et que l'on n'ait pas peur de prêter à rire!

Ce qu'un père ou une mère découvre au fond de son corps, dans son désir d'enfant, et son plaisir de la rencontre, vaut mille fois la plus somptueuse des théories.

FAUX PROBLÈMES ET RACONTARS VRAIES CONTRE-INDICATIONS

Dans le domaine de l'allaitement, comme dans bien d'autres, la tradition populaire (et médicale!) transmet une incroyable série d'histoires et de théories plus ou moins farfelues, faussant toute information claire sur l'allaitement.

Essayons de revoir une à une ces différentes notions.

■ L'allaitement fatigue : faux

L'allaitement maternel a pris dans notre civilisation une allure tellement redoutable que certaines femmes pensent qu'il faut être une force de la nature pour pouvoir y faire face. **C'est faux**.

C'est toute la maternité qui fatigue. Les derniers mois de la grossesse sont lourds à porter. La naissance est un moment d'effort gigantesque, tant sur le plan physique que psychologique. Les premières semaines avec un nouveau-né sont parfois bien difficiles : nuits écourtées, angoisses, longues heures de soins au bébé. En même temps le corps subit de profondes modifications hormonales auxquelles il doit s'habituer, cela aussi fatigue.

Dans ce contexte, l'allaitement, nous l'avons vu au chapitre 2 (cf. p. 89-90), permet toute une série d'économies d'énergie. Contrairement à ce que tout le monde répète, un enfant allaité dans de bonnes conditions ne pleure pas plus la nuit qu'un enfant au lait artificiel. Et le «travail physiologique» de fabrication du lait demande bien moins d'énergie que celui de laver, stériliser et préparer des biberons.

Plus important : la lactation s'inscrit dans le processus naturel des suites de couches. Les modifications hormonales s'effectuent «en douceur», sans rupture brutale, donc dans les conditions optimales. En revanche, le blocage de la lactation pour une femme qui ne désire pas allaiter casse brutalement le cycle d'évolution normale et peut être ressenti durement : nausées, œdèmes transitoires, fatigabilité.

De toute façon, la donnée essentielle à ne pas oublier, c'est que la maternité représente un authentique travail pour le corps féminin. Il n'est pas possible de retrouver, allaitant ou non, un corps et un tonus d'avant la grossesse dans les jours qui suivent une naissance. Il faudra souvent de longs mois (entre trois et six en moyenne) pour que la mère se retrouve aussi solide qu'auparavant. Et l'allaitement est un des facteurs *positifs* de remise en forme rapide.

■ *L'allaitement abîme les seins : faux*

Pendant la grossesse, les seins augmentent de volume puisque la glande mammaire se développe (cf. p. 47). Si la mère prend beaucoup de poids pendant cette période, le tissu graisseux peut également augmenter, ce qui accentue le gonflement des seins. Si la variation de volume est très importante, il se peut qu'après l'accouchement les seins soient affaissés et un peu moins fermes. Mais c'est le risque de toute maternité, indépendant du choix de l'allaitement.

En réalité, le risque esthétique pour les seins, pendant l'allaitement, est essentiellement lié aux variations de volume rapides, brutales. Il faut éviter, bien sûr, les engorgements mammaires, mais aussi les arrêts brusques de lactation, les bandages serrés des seins. Si l'allaitement est bien conduit, le risque esthétique est très faible et sûrement moins important qu'en cas de blocage de la lactation à la naissance.

■ *Petite poitrine, peu de lait : faux*

Nous l'avons vu (p. 37-38), la glande mammaire a sensiblement le même volume chez toutes les femmes. C'est la proportion de tissu conjonctivo-graisseux de soutien qui change, expliquant les différences de taille des seins d'une femme à l'autre. La capacité de fabriquer du lait n'est donc pas du tout l'apanage des grosses poitrines. Certaines jeunes femmes aux seins très petits allaitent magnifiquement leurs bébés.

■ *Ma mère n'a pas eu de lait. Je n'en aurai pas : faux*

Il n'y a pas de familles de bonnes nourrices et de familles de « femmes sans lait ». La lactation n'obéit pas directement à un code génétique (cf. p. 36). Ce qui est certain, c'est qu'une femme qui, pendant toute son enfance, a été impressionnée par des histoires d'échecs d'allaitement, de manque de lait de sa mère, aura plus de difficultés pour faire confiance à son corps, à ses seins. Mais, si elle désire profondément allaiter, si elle est à l'aise dans son corps, elle y arrivera sans problème.

■ *Une femme très jeune ne peut pas avoir beaucoup de lait : faux*

La glande mammaire est prête dès la puberté, dès les premières règles (cf. p. 49). Une très jeune fille peut donc avoir une lactation normale.

Au contraire, le tissu glandulaire diminue avec l'âge et les femmes qui tentent un premier allaitement au-delà de quarante ans ont parfois un peu plus de mal à établir une lactation abondante. Cela ne veut pas dire qu'elles ne doivent pas essayer. Les variations individuelles sont très grandes et l'allaitement complet, parfaitement possible pour la plupart d'entre elles, ne pose aucun problème.

■ *Dans ma famille les femmes ont du lait trop clair : faux*

Il n'y a jamais de mauvais lait, de lait trop clair, insuffisant pour l'enfant (cf. p. 105). Quand l'enfant ne grossit pas, c'est qu'il ne prend pas assez de lait et non parce que le lait n'est pas bon.

Il n'y a *aucune exception* à cette donnée.

■ *Une femme qui allaite ne peut pas faire l'amour : faux*

Cette théorie est une survivance de la médecine moraliste du Moyen Âge. La sexualité étant considérée comme l'impureté absolue, toute femme enceinte ou allaitant devait en être protégée.

En réalité, rien n'empêche une sexualité normale (cf. p. 31-32). Les seins sont peut-être un peu gonflés et sensibles. Le lait coule souvent, mais pour un couple amoureux, ces éléments nouveaux, loin d'être une gêne, peuvent devenir source de bonheur.

■ *Une femme qui allaite reste grosse : faux*

Nous avons vu (p. 30-31) que l'allaitement favorise une rapide involution de l'utérus grâce aux contractions utérines provoquées par l'ocytocine sécrétée lors de chaque tétée. C'est un facteur essentiel pour retrouver une taille fine et un ventre plat.

Par ailleurs, une femme qui nourrit son bébé et qui ne mange pas «pour quatre» consomme une bonne partie de ses réserves énergétiques pour fabriquer du lait. Si son alimentation est équilibrée, elle n'a aucune raison de prendre du poids. Au contraire, la plupart des femmes, même un peu sujettes à l'obésité, verront avec bonheur leur poids diminuer petit à petit au long des semaines d'allaitement.

L'image populaire de la nourrice énorme, au gros ventre accueillant et aux seins gigantesques est un mythe. Image fantastique mais fausse. Les femmes les plus fluettes et minces peuvent avoir du lait en abondance, et pendant de longs mois, sans autres modifications qu'une poitrine un peu gonflée, des hanches un peu plus rondes, un corps épanoui qui les rend, sans aucun poids supplémentaire, bien désirables...

■ *Le biberon, ça va plus vite*

C'est partiellement vrai (cf. p. 58-62). La tétine coule toute seule. Le bébé n'a pas beaucoup d'efforts à faire et ingurgite souvent sa ration en quelques minutes. Mais, si l'on compte tout le temps que la mère passe à préparer les biberons, les laver, les faire bouillir, aller au supermarché chercher les lourdes bouteilles d'eau et les boîtes de lait alors, là, le rapport est inversé. Il faut plus de temps pour nourrir un bébé au biberon. C'est facile à chronométrer.

D'un autre côté, une tétée au sein, même un peu longue, représente le temps des repas, mais aussi un temps d'échange, de bonheur mutuel, de satisfaction émotionnelle intense. Tous les temps d'amour consacrés à un bébé ne sont pas du temps perdu. Ne vaut-il pas mieux allonger ces moments de tendresse que d'utiliser une partie de la journée à frotter des biberons au-dessus d'un évier ?

■ *Les bébés nourris au sein sont plus intelligents : faux*

Aucune étude statistique sérieuse à long terme ne l'a jamais démontré (cf. p. 102-103). On l'entend, on peut le lire partout mais, en fait, c'est probablement impossible à analyser sur une génération.

La seule chose certaine, c'est qu'un bébé sera d'autant plus éveillé, apte à s'adapter à la vie, qu'il aura été beaucoup cajolé, stimulé. Le biberon ou le sein ne sont pas directement en cause.

■ *Le sevrage est un moment extrêmement dangereux : faux*

Tout changement brutal dans la vie d'un bébé peut être ressenti comme pénible et insécurisant : déménagement, modification de rythme de travail d'un des deux parents, problèmes de couple, changement de mode de garde, etc.

Si les parents, lors de ces périodes difficiles, sont très présents à l'enfant, tendres et rassurants : si, dans la mesure du possible, les changements sont progressifs, le bébé apprend doucement les retrouvailles en même temps que la séparation, apprend que le bonheur revient après la peine. C'est l'une de nos sécurités fondamentales...

Le sevrage n'est que l'un de ces changements, une étape de la vie. Nous le verrons dans le dernier chapitre : il est facile de concilier changement de lait, introduction de nouveaux aliments et certitude d'amour, et cela, quel que soit le moment choisi pour le sevrage.

Il serait probablement possible de multiplier les théories alarmistes sur l'allaitement. Je pense que c'est inutile. Si l'on a bien compris ce qu'est le lait maternel et la physiologie du lien mère-enfant, ces objections tombent d'elles-mêmes.

■ *Mais existe-t-il de vraies contre-indications à l'allaitement maternel ?*

Pour l'enfant l'allaitement maternel est non seulement bénéfique, mais merveilleusement adapté.

Il n'y a que deux exceptions (cf. p. 124-125) :

— la galactosémie congénitale, maladie, nous l'avons vu, tout à fait rarissime où l'allaitement est rigoureusement impossible ;

— les anomalies congénitales des lèvres et du palais (bec-de-lièvre). Le bébé ne pourra pas téter correctement et risquera de s'étouffer. Si la mère désire lui donner son lait, elle va devoir le tirer au biberon et le lui donner dans un biberon avec une tétine spéciale. Ce n'est pas impossible, mais il faut un certain courage pour accepter une telle astreinte, en attendant la première correction chirurgicale qui permettra une succion correcte.

Ni l'ictère au lait de femme, ni l'incompatibilité rhésus (les anticorps du lait maternel sont détruits dans le tube digestif de l'enfant) ne sont des contre-indications réelles.

Pour la mère, la situation est beaucoup moins nette. Il n'y a presque plus jamais de maladies infectieuses graves de la mère : diphtérie, tuberculose... nécessitant l'éloignement total de l'enfant.

Certaines maladies de la mère ne sont guère compatibles avec les effets métaboliques de l'allaitement. C'est le cas de certaines maladies rénales ou cardiaques graves, de désordres endocriniens, en particulier d'un diabète sévère déséquilibré, et de certaines atteintes neurologiques, cancéreuses, sanguines, etc. Dans ces cas, si la mère désire vraiment allaiter, la discussion de son choix doit porter sur deux éléments :

— L'effort physique représenté par l'allaitement peut-il être supporté par la mère ? Ne risque-t-il pas d'aggraver l'évolution de sa maladie ? Ne vaut-il pas mieux un allaitement artificiel avec beaucoup d'amour ?

— Les traitements médicamenteux pris par la mère, du fait de cette affection, présentent-ils un danger pour l'enfant ?

Ces cas de grande pathologie maternelle, rares et d'ailleurs bien connus de la mère et de son entourage médical, sont des cas particuliers, impossibles à généraliser ici.

Un des problèmes majeurs de ces dernières années est celui posé par une éventuelle contamination du sida par le lait (cf. p. 130-132). En 1994, nous sommes encore très loin de connaître tous les paramètres scientifiques de ce risque. Par ailleurs, les dramatiques événements récents de la transfusion sanguine ont enlevé à ce débat une large part d'objectivité. À cette date que pouvons-nous dire de façon claire ?

— Les VIH, rétrovirus actuellement connus du sida, sont intralymphocytaires, parasitent les lymphocytes du sang de la mère.

— Des lymphocytes maternels passent dans le lait.

— Personne ne peut dire ce qu'ils deviennent dans l'intestin du bébé : sont-ils détruits et éliminés directement dans les selles, existe-t-il un risque de passage sanguin ?

— Le don de lait *frais*, non pasteurisé, d'une femme au bébé d'une autre femme est interdit.

— La pasteurisation subie par les laits humains dans les lactariums élimine totalement les virus, que ce soit celui de l'hépatite ou le VIH, ou d'autres.

— Toutes les femmes désirant donner leur lait au lactarium doivent subir une série de tests sérologiques de ces différentes affections, avant que leur don ne soit accepté (cf. p. 133 sq.). Cette mesure a été étendue, dans un certain nombre de lieux, aux mères qui donnent leur lait pour leur propre bébé, transféré en néonatologie.

En pratique, les réactions des médecins sont profondément modulées dans les différentes régions de la planète par l'estimation du «plus grand risque» couru par le bébé.

Dans nos régions très favorisées, il n'est pas question de faire prendre au bébé un risque de contamination, si minime soit-il. Il est donc absolument déconseillé aux mères séropositives d'allaiter leur enfant. Par contre, dans certains pays où le niveau de santé des populations reste précaire, le risque de mortalité infectieuse des enfants non allaités est immense, pouvant aller jusqu'à 30 % de diarrhées mortelles au cours de la première année. Dans ce cas, protéger le maximum d'enfants, c'est maintenir l'allaitement au sein, même si quelques mères doivent se révéler séropositives. Ces deux attitudes sont en ce moment celles préconisées par l'Organisation mondiale de la santé, et acceptées par la majorité des médecins. Les années qui viennent permettront sans doute de mieux cerner ce problème et les meilleures conduites à tenir.

Quant aux anomalies des bouts de seins (mamelons plats ou creux), elles ont longtemps été considérées comme des contre-indications vraies. Il n'en est rien, comme nous l'avons vu dans le chapitre 1.

La seule véritable contre-indication réelle et fréquente, c'est le **non-désir** de la mère : celle qui se sent dégoûtée, écœurée par l'allaitement ; celle qui a très peur d'un surcroît de travail ; celle qui pense que cela ne sera pas conciliable avec ses autres activités ; celle qui est gênée dans sa pudeur pendant l'allaitement ; celle dont le mari exige les seins de sa femme «pour lui tout seul» ; celle qui, même sans aucune explication, n'a pas envie d'essayer, etc.

Toutes ces raisons sont parfaitement valables. Une femme qui dit : « Je n'en ai pas envie, et c'est tout », a mille fois raison. La décision d'allaiter lui appartient, et à elle seule. Son non-désir est une contre-indication absolue en soi.

Quelle que soit leur raison de ne pas allaiter, toutes ces femmes doivent bénéficier d'un blocage efficace et rapide de la lactation pour être totalement libres dans leur corps. Quels sont les moyens actuels ?

L'ALTERNATIVE : LES MÉTHODES DE BLOCAGE DE LA LACTATION

J'ai longuement décrit dans le premier chapitre le double mécanisme de la montée laiteuse : mécanisme hormonal (montée du taux de prolactine) et mécanisme réflexe (succion du mamelon, stimuli sensoriels dus à la douce présence de l'enfant, à son contact, à ses cris...).

Quand une femme ne veut pas allaiter, la première évidence est de ne pas mettre l'enfant au sein, d'éviter toute la mise en route du processus de la lactation liée à la succion du mamelon.

Mais cela ne suffit pas, car la congestion mammaire va apparaître quelques jours plus tard. Il existe divers moyens de l'empêcher.

■ Les méthodes traditionnelles

Elles sont bien connues. Leur efficacité est **nulle** ou presque. Mais les traditions sont solides, elles restent partout en usage. Il faut les connaître pour pouvoir les *refuser* en toute lucidité.

- *Les déséquilibres liquidiens* : ils ont tous le même but : faire éliminer brutalement l'eau de l'organisme, en espérant ainsi tarir le lait. Autrefois, on utilisait la restriction hydrique (« Il faut que vous ayez soif, madame ») et les purges répétées. Ces moyens étaient désagréables.

Depuis les années soixante, ils ont été remplacés par les diurétiques, peut-être plus agréables à prendre, mais dangereux : risques d'hypotension, de déséquilibre électrolytique sanguin, d'où migraines, malaises intenses, fatigue prolongée. De plus, ils n'arrêtent pas la fabrication du lait ou à peine, et au prix de graves perturbations physiques de la mère.

- *Les anti-inflammatoires* : ils n'ont aucune action sur la lactation. Ils peuvent diminuer les troubles d'un blocage échoué : début d'engorgement, douleur, mais pas bloquer directement la fabrication. Autrefois, ces anti-inflammatoires comprenaient principalement les cataplasmes chauds (farine de lin ou, mieux, antiphlogistine) et l'aspirine. Depuis quelques années ont été commercialisés de multiples produits de synthèse en comprimés, en suppositoires, ou injectables. Il n'est pas possible d'en dresser la liste ici. Ils sont de toute façon pratiquement inutiles pour arrêter une lactation.

- *Le bandage des seins* : le bandage serré des seins a la réputation d'arrêter la sécrétion lactée. Non seulement c'est faux, mais cela fait mal. La glande mammaire comprimée est douloureuse. De plus, cette compression brutale écrase les tissus, pouvant laisser des séquelles esthétiques indésirables. C'est donc un procédé à éviter à tout prix.

■ *Les grands moyens*

Si ces techniques apparemment simples sont inefficaces, comment empêche-t-on une montée laiteuse? Il y a deux grands moyens : les charges hormonales et les inhibiteurs de la prolactine.

Les antiprolactines

La bromoergocriptine est actuellement la technique la plus simple et la plus efficace pour l'arrêt de la lactation, de l'accouchement au retour de couches. C'est un produit qui agit directement au niveau de l'hypophyse et de l'hypothalamus pour inhiber la sécrétion de prolactine. Sous ce traitement, le taux de prolactine baisse très vite. S'ensuit une conséquence logique : la baisse du taux de prolactine raccourcit la phase d'infécondité physiologique. Le taux d'hormones sexuelles (LH) remonte précocement et favorise le retour très rapide (quarante jours au lieu de soixante) des cycles ovulatoires. Sous bromoergocriptine, il faudra donc prévoir une contraception presque immédiate après l'accouchement (le nom commercial de ce produit est le Parlodel).

Le schéma thérapeutique est le suivant :

— commencer le plus tôt possible après la naissance ;

— donner deux à trois comprimés par jour pendant quinze à vingt et un jours, en augmentant progressivement les doses, et en les fractionnant en quatre prises par vingt-quatre heures.

La tolérance de l'organisme est habituellement correcte, même si les deux ou trois premiers jours sont marqués par des malaises intenses : hypotensions, vertiges, troubles visuels... Ces malaises témoignent d'une véritable « sidération » de l'hypophyse par ce médicament, entraînant à distance des réactions d'insuffisance surrénale ou thyroïdienne transitoire.

Mais ce produit, agissant directement sur le subtil équilibre des neuromédiateurs cérébraux, n'est pas anodin. Il est strictement contre-indiqué en cas d'antécédents psychiatriques, car il peut être à l'origine d'une nouvelle décompensation de maladie mentale. Certains chercheurs commencent également à poser des questions sur l'action à long terme de ce type de traitement sur l'équilibre hypophysaire. Il est trop tôt pour en avoir une évaluation claire.

Les charges hormonales

Tout apport brutal d'hormones sexuelles déséquilibre le mécanisme très précis de la lactation et entraîne, le plus souvent, le blocage. On peut utiliser à peu près n'importe quelle hormone (œstrogènes, androgènes — hormones mâles —, ou un mélange des deux). Le résultat est habituellement bon à condition de commencer le traitement dès le jour de l'accouchement et de prescrire des doses suffisantes. Au cours de ces charges hormonales se produit souvent entre le troisième et le quatrième jour, une congestion des seins dont le seul traitement efficace est l'injection d'extraits de post-hypophyse.

• Deux éléments à préciser :

- Ces traitements ne sont utiles que pendant les tout premiers jours après l'accouchement. Ils sont en revanche totalement inefficaces sur une montée laiteuse bien installée (et donc pour un sevrage).

- Il n'est jamais anodin pour l'organisme de subir de tels chocs hormonaux. Les inconvénients secondaires sont fréquents : nausées, malaises, hypertension, risque de phlébite, saignements utérins à la fin du traitement. Mieux vaut donc les éviter également.

Les œstrogènes ont un double mode d'action : à fortes doses, ils inhibent la prolactine, mais à doses faibles, ils agissent mécaniquement, directement au niveau du tissu de soutien périalvéolaire de la glande mammaire où ils créent une sorte de compression interne. Il est possible de les utiliser par voie locale, en application sur le sein. Cette voie d'administration est intéressante car elle évite en grande partie les complications classiques des œstrogènes. Mais si le taux de prolactine est élevé, la montée laiteuse risque de se reproduire à l'arrêt du traitement. Ces formes devraient donc être réservées aux arrêts tardifs de l'allaitement dans la phase d'automatisme mammaire.

L'indication actuelle de ce type de traitement est essentiellement l'impossibilité d'utilisation du Parlodel. Donc le blocage de lactation chez une femme ayant présenté une dépression sévère ou tout autre maladie psychiatrique.

Pour terminer ce chapitre, je voudrais revenir sur un point essentiel. Non seulement le choix d'allaiter existe, mais il est indispensable que la jeune mère le fasse en toute liberté. Il ne servirait à rien de se forcer, de tenter d'allaiter à contrecœur pour faire plaisir au médecin ou à l'entourage. La plus petite hésitation doit être exprimée et prise en compte.

Seuls les allaitements librement choisis et profondément voulus peuvent être réussis.

COMMENT SE PRÉPARE-T-ON À ALLAITER ?

L'allaitement maternel pouvant être considéré comme l'acte le plus simple et le plus naturel du monde, il peut sembler étonnant de parler de préparation. Il y a pourtant plusieurs données à prévoir :

— Se préparer à l'allaitement, c'est d'abord préparer la venue du bébé au sein de la famille. Choisir le rythme de vie familiale, l'installation qui favoriseront au mieux la tranquille relation qui se créera jour après jour entre la mère et son enfant, leur mutuel apprentissage.

— Se préparer à allaiter, c'est aussi préparer son corps. Peut-être stimuler les bouts de seins, les mamelons, mais, surtout, apprendre à se détendre, à se reposer, à être à l'aise dans sa peau.

■ Préparer la venue du bébé au sein de la famille

Je ne donnerai pas de recettes, de détails pratiques. Je ne crois pas aux conseils théoriques du type : «Faites-vous offrir par vos amis une machine à laver plutôt que trente-trois robes en dentelles premier âge» (!). Les magazines féminins fourmillent d'articles de ce genre. En réalité, chaque famille est différente, il ne peut y avoir de recettes valables pour toutes.

Il est, bien sûr, nécessaire de prévoir une grande partie de l'organisation matérielle : chambre, berceau, baignoire, etc., pour pouvoir être plus disponible et paisible après la naissance.

Mais la vraie question importante pour toute la famille est : qu'allons-nous vivre avec le nouveau bébé? Quelle place allons-nous lui faire dans notre rythme de vie, dans nos loisirs? Quels sont les moyens pour que sa mère puisse le nourrir librement, joyeusement, avec le minimum de contraintes matérielles? Comment préparer les enfants déjà nés à l'allaitement du bébé pour qu'ils puissent y participer sans crainte, ne pas être jaloux, mais au contraire, redécouvrir comment leurs parents, leur mère, ont su les aimer et les nourrir eux aussi? Quel rôle le père a-t-il envie de jouer auprès de ce tout-petit? Quel temps de caresse, de tendresse, d'émerveillement devant sa femme et son enfant pourra-t-il vivre?

Ce sont là les vraies questions, plus importantes que celles concernant les rideaux sur le berceau ou le nouveau congélateur. On l'oublie trop souvent : un nouveau-né partage toute la vie de ses parents : rythmes de vie, santé, sensualité, équilibre affectif. C'est là qu'il faut lui faire sa place.

■ Préparer ses seins

Il est difficile d'affirmer que la préparation des seins est indispensable. La majorité des femmes allaitent sans problème, sans avoir prévu aucun soin particulier.

La seule nécessité est une hygiène correcte : douches ou bains fréquents, mais sans trop savonner les mamelons en fin de grossesse pour ne pas dessécher la peau et décaper la lubrification physiologique.

Il est peut-être utile en fin de grossesse d'ouvrir les canaux lactifères en favorisant chaque jour (par pression douce sur l'aréole) l'écoulement d'un peu de colostrum. Pour certains spécialistes, ce serait un bon moyen de prévenir congestion mammaire et engorgements.

La préparation des mamelons aux efforts de traction, d'étirement de la succion est aussi souvent utile, surtout quand les bouts de seins sont aplatis, peu saillants, quand la mère a une peau très fine, peu pigmentée, très sensible.

Dans son livre sur les accouchements (1867), Cazaud écrivait : « La succion directe et souvent renouvelée est sûrement le meilleur moyen, car la gouttière formée par la langue maintient au mamelon sa longueur et celui-ci, humecté par la salive, devient plus souple et plus fragile à allonger. On peut en confier le soin au mari, à une femme de chambre intelligente. À défaut d'une personne assez complaisante, on peut se servir d'un chien nouveau-né de grosse espèce auquel on enveloppe les pattes ! »...

Ces prescriptions sont évidemment excessives... Étirer chaque jour le mamelon en le graissant un peu pour favoriser son élasticité (avec de la lanoline pure ou de l'huile d'amandes douces, par exemple) est sûrement tout aussi efficace... et tellement plus facile à mettre en pratique !

Les femmes de la Leche League conseillent aux mères ayant des mamelons totalement creux de porter les derniers mois de la grossesse des « boucliers », sorte de moules en plastique appuyant sur l'aréole du sein et faisant saillir le mamelon. Je pense que les indications réelles en sont très rares... Si une femme a vraiment des mamelons creux, c'est-à-dire qui se rétractent lorsque l'on prend l'aréole entre le pouce et l'index, elle peut obtenir le même résultat en découpant un petit trou à la pointe de l'un de ses soutiens-gorge, afin de laisser sortir juste le bout du mamelon.

Toutes ces méthodes mécaniques me paraissent d'un intérêt

très limité. La forme des mamelons au repos n'a, je le répète, aucune importance. Dans la réussite de l'allaitement, c'est sa réactivité à la stimulation provoquée par le bébé qui fera l'élément important. Il vaudrait donc mieux concevoir un «entraînement», une mise en route pendant la grossesse de ce qui sera le «démarreur». *Étirements doux, bien dans l'axe, sur l'aréole, caresses, palpation profonde régulière, réactivité aux jeux amoureux, tout un «approfondissement de connaissances» sur nos sensations du corps trop souvent occultées.*

■ Apprendre à aimer son corps

Dans l'allaitement, la mère n'offre pas seulement à son enfant le bout de son sein, mais tout son corps, dans un échange total, sans réticence. Un corps à corps de chaleur et de tendresse. Les bons sentiments et la tendresse ne suffisent pas. La douce tiédeur du nouveau-né favorise cette approche, mais ne crée pas toujours de miracle.

Vouloir allaiter, c'est apprendre à offrir son corps, à le rendre disponible, en un mot à l'aimer suffisamment pour qu'il devienne aimable pour les autres, à commencer, bien sûr, par le bébé.

Tous les moyens sont bons : nager, courir, se promener dans le vent, jouir du soleil, prendre le temps de flâner, de rêver, caresser d'autres enfants, et puis, bien sûr, faire l'amour. Pourquoi ne pas oser le dire ?

Au cours de la préparation à la naissance, la mère se familiarisera avec certaines techniques de relaxation. C'est très utile, à condition de ne pas en faire des «recettes pour bien accoucher», mais un apprentissage qui servira tout au long des jours et des années. De plus, cet apprentissage donne au père de l'enfant une occasion de préparer aussi l'après-naissance. Pour lui non plus la bonne volonté ne suffit pas. Il aura besoin de tendresse, de calme à partager, à offrir.

Se rendre disponible, tout à l'écoute des plaisirs nouveaux qui l'attendent, accepter la nouveauté rayonnante de sa compagne, cela s'apprend ! C'est le moment ou jamais.

CRITÈRES DE CHOIX D'UNE MATERNITÉ

La réussite d'un allaitement est directement liée à la qualité de la mise en route, donc de l'accompagnement des premiers jours. Il existe à ce niveau d'importantes disparités d'une maternité à l'autre... et celles de France, malgré l'évolution spectaculaire de certaines équipes, sont loin d'être performantes.

L'OMS, en 1991, a lancé sur toute la planète une vaste campagne de promotion de l'allaitement maternel, pour inciter les professionnels de santé à optimiser et coordonner leurs pratiques. Cette campagne s'appelle : «Initiative Hôpitaux Amis des Bébés».

Les critères de qualité, réunis en dix conditions, sont ceux que nous sommes en droit d'exiger de tout service de maternité, pour y démarrer, dans les meilleures conditions possibles, un allaitement harmonieux.

Dix conditions pour le succès de l'allaitement maternel

Tous les établissements qui assurent des prestations de maternité et des soins aux nouveau-nés devraient :

1. Adopter une politique d'allaitement maternel formulée par écrit et systématiquement portée à la connaissance de tous les personnels soignants.

2. Donner à tous les personnels soignants les compétences nécessaires pour mettre en œuvre cette politique.

3. Informer toutes les femmes enceintes des avantages de l'allaitement au sein et de sa pratique.

4. Aider les mères à commencer d'allaiter leur enfant dans la demi-heure qui suit la naissance.

5. Indiquer aux mères comment pratiquer l'allaitement au sein et comment entretenir la lactation, même si elles se trouvent séparées de leur nourrisson.

6. Ne donner aux nouveau-nés aucun aliment ni aucune boisson autre que le lait maternel, sauf indication médicale.

7. Laisser l'enfant avec sa mère vingt-quatre heures par jour.

8. Encourager l'allaitement au sein à la demande de l'enfant.

9. Ne donner aux enfants nourris au sein aucune tétine artificielle, ni sucette.

10. Encourager la constitution d'associations de soutien à l'allaitement maternel et leur adresser les mères dès leur sortie de l'hopital ou de la clinique.

Ces dix conditions — dont vous comprenez après lecture des chapitres précédents la parfaite cohérence — peuvent servir de trame aux questions que vous poserez pour choisir le lieu de naissance de votre enfant. Une naissance est un moment unique, irremplaçable. Donnez-vous les moyens d'un choix rigoureux, vous permettant de vivre au mieux ce que vous avez décidé.

Échanges
ou
la relation mutuelle de plaisir entre la mère et son enfant

MARIE :

Quel imbécile a dit que le bébé humain est le plus laid de tous les petits animaux qui naissent sur cette terre ?... La vie humaine qui éclot est d'une grande beauté et mon bébé est le plus beau parmi les beaux ; je ne peux pas m'empêcher de l'embrasser, c'est mon instinct cannibale. Je veux lui dire qu'il n'a pas à s'inquiéter, que l'amour de sa maman le protège. Je l'aime...

Monsieur le nourrisson a une petite fringale, oh ! ce n'est que ça, maman va te donner le sein, on va s'installer... Attends... Je ne suis pas très experte encore, excuse-moi. Oh ! qu'elle est bête cette maman ! Être maman et ne même pas savoir donner le sein ! Attends... Voilà, voilà, nous y sommes. Aïe ! Goulu ! Non, mais regardez-moi cette petite gueule de téteur. Mais c'est un vrai petit poupon glouton téteur, ça ! Qu'il est marrant, oh ! mon petit gosse ! Tète va, tète bien, tète avec conviction, ta bouche en cœur, sur mon sein, les yeux fermés avec extase, tes deux corolles de cils noirs harmonieusement courbés, ta coiffure impeccable...

Marie Laborde, *Bébé d'amour* (Stock), p. 101 et 121

UNE MÈRE :

Il ne me quittait pas des yeux. J'étais l'objet de son désir. Pour moi, c'était merveilleux d'être regardée comme cela !

Le Lait, le lien, film de P. Desgraupes
Cinémathèque Nestlé

Toutes les sensations mélangées, brassées viennent former un univers intérieur singulièrement riche et complexe. Et cet univers possède sa logique propre qui n'a que peu, sinon rien, à voir avec les lois rationnelles qui gouvernent le monde extérieur et qui ne s'imposeront que plus tard et progressivement à l'enfant.

En effet, pour le nourrisson, le monde extérieur c'est la personne qui s'occupe de lui et qui l'aime. Et puisque le monde extérieur n'est pas perçu comme tel, cette personne elle-même est très probablement perçue comme une partie de son propre corps, comme une sorte de prolongement de soi-même, tantôt bien disposée : ce sont les moments où le nourrisson est nourri, caressé, lavé, choyé ; tantôt hostile : ce sont les moments où le nourrisson a faim, s'est sali, attend.

Pour les lèvres qui tètent, le sein c'est soi-même, et le visage maternel, c'est encore soi-même. Il y a là une fusion dans le plaisir, et la mère elle-même se trouve prise, happée dans cette relation personnelle.

Gérard Mendel, *Quand plus rien ne va de soi*
(R. Laffont)

La qualité de l'allaitement semble d'autant plus satisfaisante, la quantité de lait d'autant plus grande que le confort affectif de la mère est plus grand... Tout se passe comme si un climat émotionnel favorable avait pour corollaire naturel l'allaitement maternel...

Michel Odent

CHAPITRE **5**

LA PREMIÈRE TÉTÉE

Tu viens de naître
Ma douce
Et déjà
Dans ton nid de soif
Tu suces la vie
À poings fermés
Et déjà
Tu te dénoues
Et tu jouis...

Sex Pol, n° 37-38, mai 1980

POURQUOI UNE TÉTÉE PRÉCOCE ?

■ *Les petits animaux*

Avez-vous déjà vu naître des bébés chats ? C'est un spectacle fascinant et inoubliable. Après quelques heures de dilatation, l'expulsion se fait lentement, calmement. Visiblement les contractions sont intenses, répétées, et la chatte ferme les yeux, concentre toute son énergie pour aider son petit à sortir. Entre les contractions elle s'étire, bâille, se lèche un peu, demande quelques caresses, apprécie de longs mouvements légers sur son ventre. À chaque nouvelle contraction, on la voit suspendre sa respiration, forcer sa puissance, son attention pour pousser, diriger son accouchement. Et, enfin, le petit apparaît, tout mouillé, les poils et les yeux collés, immobile, ne criant pas. Souvent encore enveloppé de sa membrane amniotique.

Immédiatement sa mère se retourne, déchire le cordon ombilical, ouvre la poche des eaux et se met à le lécher passionnément, frénétiquement. Après quelques vigoureux coups de langue, le chaton commence à déplier ses pattes, à émettre quelques petits sons. La mère poursuit son énergique léchage, et petit à petit la respiration du bébé devient plus ample, son cri plus vigoureux ; il se met à remuer, à bâiller. La mère le pousse avec sa langue, le tourne et le retourne en tous sens. Elle le lave, le sèche, le brosse, le secoue avec une grande efficacité, mais aussi une très grande douceur. Enfin, notre chaton de trois ou quatre minutes se retrouve sur ses pattes, tout beau, tout propre, et commence à ramper.

À ce moment-là, sa mère s'en désintéresse. Elle commence à se lécher. Elle tire le cordon ombilical et dévore le placenta ; puis elle se nettoie soigneusement, nettoie le drap sur lequel était posé le chaton. Elle ne s'occupe que d'elle-même. Et comme il y a presque toujours plusieurs petits dans la portée, elle recommence exactement les mêmes gestes d'expulsion et de léchage pour le petit suivant.

Pendant ce temps, notre chaton nouveau-né tente de bouger un peu. Cahin-caha, sur des pattes vacillantes, il rampe vers sa mère, vers sa chaleur, vers son odeur. Tout seul, il se débrouille pour traîner son gros ventre, sa grosse tête aux yeux clos dans une direction qu'il connaît, qu'il ressent. Il ne se trompe jamais, il va *vers* sa mère. Dès qu'il arrive à la rejoindre, il appuie sa tête doucement sur les poils chauds et doux, y enfonce son nez, son museau et commence à chercher fébrilement. S'il a de la chance, il trouvera tout de suite une des tétines. Il ouvre alors la bouche et se met à téter goulûment, béatement. On entend très bien sa bouche qui suce, et les premières déglutitions. S'il a moins de chance, il peut se retrouver dans le cou de sa mère et il lui faudra chercher longtemps tout seul le ventre chaud aux mamelles apparentes. La chatte ne l'aide pas, ne bouge pas pour lui présenter le sein. Il faut qu'il trouve, et qu'il trouve tout seul. Quand enfin, après de longs efforts, il happe le mamelon, la chatte le flatte, le félicite d'un petit coup de langue et d'un ronronnement content. Et pendant qu'il tète, elle lui «parle» doucement. On entend son ronron à peu près incessant, des miaulements doux.

> ● Savez-vous qu'une chatte qui ne lèche pas son petit à la naissance le laisse mourir ? Il ne se mettra pas à respirer tout seul. Savez-vous qu'une chatte dont le chaton n'a pas crié ne le cherche pas, sait qu'il ne pouvait pas vivre, et n'aura pas de lait s'il est unique dans la portée ?

● Savez-vous que pour tous les mammifères ce premier contact entre la mère et son petit, contact prolongé de caresses, de léchage pour amener le nouveau-né jusqu'à la mamelle, est indispensable à la survie du petit ? La jument lèche son poulain jusqu'à ce qu'il se tienne sur ses pattes et arrive à téter. La vache guide son bébé à grands coups de langue jusqu'à ce qu'il trouve le pis. La guenon prend son petit dans ses bras dès qu'il est né pour qu'il se mette à téter.

● Savez-vous que ces différentes femelles ont toujours assez de lait pour nourrir leurs petits ? Elles en auront parfois davantage, si on le tire manuellement par exemple. Mais il y en a toujours en quantité suffisante pour le ou les petits, dès cette première tétée.

● Savez-vous que même une vache, apparemment si lente à comprendre, peut «retenir son lait», laisser ses mamelles s'engorger si on essaye de la traire à la main ou à la machine en éloignant son petit ? Son lait est pour son veau, elle le sait et veut le lui réserver. Les éleveurs le savent bien, eux aussi, qui préfèrent éviter tout contact entre la vache et son nouveau-né pour être plus sûrs de bien récupérer le lait dans les semaines qui suivront...

● Savez-vous que les agneaux bien léchés et guidés par leur mère pour leur première tétée ont une bien plus grande énergie pour trouver les mamelles et reprennent leur poids de naissance plus tôt que les agneaux non léchés ?

● Savez-vous que les rats bien léchés à la naissance se défendent mieux que les autres contre les infections car ils présentent un taux d'anticorps sériques plus élevé que les rats n'ayant pas été léchés ?

● Savez-vous que ce léchage précoce (le léchage d'amour dont parle Ashley Montagu) ne sert pas seulement à guider le petit vers la nourriture ? Il sert aussi à stimuler, à mettre en route les principales fonctions vitales : la respiration, le système digestif, et le système urinaire. Les petits mal ou non léchés, s'ils arrivent à survivre, mettront plusieurs jours à trouver l'énergie et la force que les petits bien léchés ont dès les premières minutes.

Savez-vous encore que ce contact physique étroit, cette stimulation cutanée entre la mère et son petit est indispensable aussi pour la mère ? De nombreux chercheurs l'ont démontré : si on enlève un chevreau ou un agneau, ne serait-ce que quelques heures, avant que sa mère ait eu le temps de le lécher, celle-ci ne peut ensuite le reconnaître. Elle montre un total désintérêt pour ce petit qu'on lui ramène, et prouve par son comportement qu'elle ne peut rien pour lui. De même pour de nombreux oiseaux. Le réflexe de couver chez les poules disparaît rapidement lorsqu'on empêche tout contact physique entre la poule couveuse et ses petits, même si elle les voit tout près dans une cage mitoyenne par exemple. Et, à la génération suivante, une poulette qui n'a pas été couvée par sa mère, qui a survécu sous chauffage artificiel, ne sait plus couver, plus du tout, et laisse ses œufs à l'abandon. On peut dire que le contact physique étroit immédiatement après la naissance est le principal régulateur de l'instinct maternel, même chez les mammifères les plus évolués.

■ *Le petit d'homme*

Le petit d'homme, à sa naissance, a fondamentalement les mêmes besoins que n'importe quel mammifère. Chaleur, caresses, odeur de la mère, envie de téter sans tarder. Pourtant, paradoxalement, on a sélectionné pour lui les phases d'un accueil oh ! combien moins agréable.

— Pour le tenir au chaud, on a préparé une lampe à infrarouge, puis des vêtements de laine plus ou moins confortables, et un berceau à couvertures multiples souvent lourdes et trop serrées.

— Les sages-femmes d'autrefois connaissaient bien l'importance de la stimulation cutanée pour l'aider à démarrer sa respiration : souffler sur son ventre, lui tapoter les fesses. Actuellement on le pose à plat dos sur la table et, si sa respiration n'est pas immédiate, on démarre brutalement une aspiration et une oxygénation pas toujours douces... Comme s'il n'était pas possible de rendre compatibles sécurité totale et tendresse.

— Depuis plusieurs siècles, on sépare le nouveau-né de sa mère et souvent on le laisse sans manger pendant vingt-quatre à quarante-huit heures. Pourquoi une telle attente ? Toutes les théories sur la nécessité du jeûne néo-natal sont peu fondées. Ainsi :

● *Il est dangereux de le faire téter parce qu'il est encore tout encombré de liquide amniotique et il risque de s'étouffer.* **Faux.** Les voies aériennes sont dégagées à la naissance. L'estomac est vide. Si l'enfant s'encombre un peu dans les jours qui suivent, il suffit de réaspirer un peu les glaires qui le gênent. Inutile de le faire jeûner.

● *Pendant le premier jour, le lait est impur et risque de rendre l'enfant malade.* **Faux.** Ce mythe n'est que la survivance des vieilles règles judéo-chrétiennes et de la médecine d'Hippocrate disant qu'une femme qui saigne est impure... Au XVIIIᵉ siècle, sous ce prétexte monstrueux, on empêchait les femmes d'allaiter leur bébé pendant 15 à 20 jours... et on faisait sucer le lait par des bébés chiens, l'idiot du village, une servante dévouée... ou à défaut le médecin «que son art met à l'abri de tout érotisme...!». Et les bébés mouraient d'infections faute du précieux colostrum ! Il est grand temps de rejeter tout cet obscurantisme.

● *Au début, il vaut mieux lui donner de l'eau sucrée qui est plus facile à digérer.* **Faux.** Le nouveau-né a besoin, absolument besoin, du colostrum de sa mère, autant pour mettre en route son transit intestinal, donc évacuer son méconium, que pour adapter son métabolisme à la vie à l'air libre ou se protéger contre les infections.

L'eau sucrée est dangereuse, l'inverse de ce que la
nature a prévu pour le nouveau-né.

● *Il est dangereux de le faire téter à la naissance parce
que, s'il a une malformation, en particulier
œsophagienne, on ne pourra pas faire le diagnostic et il
risque de s'étouffer.* **Faux.** Le diagnostic peut être fait
dès les premières minutes en vérifiant systématiquement
la perméabilité de l'œsophage pour tous les nouveau-nés.
Si ce geste n'est pas fait, le premier repas sera aussi
dangereux à deux jours qu'à la naissance. Mais quelques
grammes de colostrum, vrai jus d'anticorps, sont mille
fois moins dangereux qu'une grande quantité de lait de
vache, aussi transformé soit-il...

● *Le nouveau-né a besoin de se reposer. Il est fatigué et
ne sait pas téter.* **Faux.** C'est pendant les deux premières
heures de sa vie qu'un nouveau-né sait le mieux téter.
Nous l'avons vu. S'il ne peut être mis au sein pendant les
premières heures, les mises au sein ultérieures au bout
de 12 à 24 heures sont beaucoup plus difficiles.

— Encore une aberration pour l'accueil d'un nouveau-né, qui
a besoin de reconnaître sa mère, de se blottir dans sa chaleur,
dans son odeur : sous prétexte d'éviter des infections, on l'éloigne dans un berceau. On le laisse dans des pièces aux très fortes
odeurs de désinfectant et de médicament. Et plus grave : quand,
enfin, on l'approche de sa mère pour une première tétée, le
mamelon a été soigneusement décapé, nettoyé avec des produits
à odeur très forte (encore trop souvent avec de l'alcool — pur
ou glycériné !). Comment ce petit d'homme peut-il comprendre,
reconnaître le mamelon, l'odeur de sa mère, et savoir que c'est
là qu'il peut se mettre à téter ? Où sont les odeurs de peau, de
lait qui guideraient infailliblement son instinct ?

Pour accueillir les petits d'hommes, il nous faut, dans une sécurité totale, réapprendre le respect.

Regards

Voir naître un bébé de moi a été l'événement le plus extraordinaire de toute ma vie ! Ensuite, on me l'a mis dans les bras, mais seulement pour deux minutes, et on l'a emmené à la crèche... J'avai envie de dorloter mon bébé, de me pelotonner contre lui, et on m'a laissée ravie, folle de bonheur, mais en larmes et frustrée de ne pouvoir faire tout de suite connaissance de mon propre enfant. Je sais bien qu'ils agissent ainsi pour votre bien et votre repos, mais deux minutes, après neuf mois d'attente, c'est absurde.

(*Naissance*, p. 135, C. Milinaire)

Et puis ce fut ce délice inoubliable, infini. Caresses exquises des petits bras chauds, ourlés, des minuscules doigts humides... Il se passait à certains moments quelque chose d'extraordinaire, je le voyais lever une main d'aveugle, ouvrir et fermer les doigts, détendre soudain ses petites jambes repliées dans une sorte de spasme agacé et voilà que je reconnaissais sans méprise possible ces mouvements que j'avais éprouvés en moi et que je voyais maintenant hors de moi. Mais qui bougeait, qui continuait à bouger ainsi ? Où bougeait-il ? Son corps ne venait pas de commencer d'être, il poursuivait sa longue histoire, où commencée, où perpétuée ? Je lui disais : d'où viens-tu ? où es-tu ?... (...) D'un quelque part en moi, mal localisable, mais profond, très intérieur, je sentais monter le lait jusqu'au bout des seins en afflux tièdes qui me déchiraient d'une longue et douce morsure. Il me fallait, je voulais, je quémandais ce que semblait demander la bouche minuscule, mais forte, vorace. Je prenais le bébé dans mes mains amoureuses, je le guidais vers mon sein gonflé, et ses lèvres, sa langue, suçaient, tiraient, inventaient de moi un plaisir émerveillé...

(*Paroles de femmes*, p. 98 et 100, Annie Leclerc)

NAISSANCE ET PREMIÈRE TÉTÉE

Nous avons longuement démontré dans les chapitres précédents la continuité totale qui existe entre le bébé fœtal puis nouveau-né, et sa mère. La naissance n'est pas une rupture, la fin ou le début d'une vie. La naissance est un *passage*, un changement de forme du même lien mère-enfant.

Lorsqu'une jeune mère, un couple, arrivent à la maternité pour la naissance d'un enfant, naissance à terme, après une grossesse normale, comment faire pour respecter au mieux l'accueil de ce bébé et le laisser découvrir le sein si sa mère a décidé de l'allaiter?

Le plus tôt possible, pendant l'accouchement, prendre le temps de dialoguer. Entre les contractions, surtout les premières heures, il est toujours possible de trouver un moment pour parler. Médecin et sages-femmes, même débordés, vont passer plusieurs fois, prendre le temps d'examiner; il ne faut pas beaucoup plus de temps pour s'informer.

Ensemble, parents et soignants vont mettre au point les modalités de l'accueil. Il faut savoir exprimer clairement ce que l'on veut vivre : recevoir l'enfant sur le ventre, avoir le temps de le caresser, de lui parler, le garder près de soi après les premiers soins urgents. Le mettre au sein dès qu'il en aura envie. Quel rôle veut et peut jouer le père dans cet accueil? Tout doit être dit. Un accouchement est unique. Il serait dommage de confier au hasard des minutes aussi importantes.

> ● Un détail utile pour une mère qui veut allaiter : avant de partir, ou en arrivant à la maternité, prendre une bonne douche tiède en savonnant le ventre et les seins. Elle est ainsi «toute belle, toute propre» pour l'arrivée du bébé et n'aura besoin d'aucune autre précaution avant la première tétée. Cette douche est possible même si la poche des eaux est rompue.

Une femme ainsi préparée, capable de définir calmement ce qu'elle veut vivre, contrôle toujours mieux son accouchement qu'une femme passive. Elle est tellement plus paisible pour laisser monter en elle les lourdes et puissantes vagues qui vont, en quelques heures, la conduire à l'enfant-né.

L'enfant vient de naître. **Prendre le temps de l'accueillir.**

L'arrivée de l'enfant, son premier cri sont des moments d'émotion intense, ineffables. Je ne veux pas le mettre en mots. Ce qui se joue pour les parents n'est pas racontable.

Mais l'enfant? Il arrive d'un autre monde, il ne sait plus où il est. Il a sans doute froid et faim. Un seul lieu peut le rassurer : le ventre de sa mère. Il le connaît, il reconnaît les sourds battements de l'aorte, tout au fond, battements qui ont rythmé toute sa vie fœtale. Il va trouver la douceur de la peau, la chaleur, l'odeur de sa mère. Et les mains douces posées sur son dos qui, timidement, le caressent, lui parlent, reprennent le lent mouvement des contractions utérines qui berçaient et câlinaient son corps depuis le longs mois. Il peut se détendre, respirer calmement, arrêter de crier. Il est arrivé « chez lui ». Parents et enfants peuvent, enfin, se découvrir, se reconnaître.

Pendant ce temps, le personnel médical vérifie que tout se passe bien et donne les soins nécessaires.

— Une seule nécessité absolue dans ces premières minutes : *s'assurer que les voies aériennes sont bien dégagées* et que le bébé respire facilement. Pour dégager son nez et se préparer à respirer il a eu naturellement plusieurs moyens : le passage étroit des voies vaginales qui a permis un véritable « essorage » mécanique de ses poumons. En naissant, souvent il éternue, excellent moyen spontané pour éliminer l'eau restant dans sa gorge ou son nez.

Si cela ne suffit pas, il faudra aspirer doucement le nez et la gorge, de préférence en le laissant sur sa mère à plat ventre la tête sur le côté. C'est tout à fait possible et très efficace. En revanche, si on le retourne pour le poser à plat dos, il risque de pleurer brutalement, ce qui draine le liquide des voies aériennes supérieures vers les bronches, donc est contraire à son élimination physiologique spontanée.

— Deuxième sécurité : *éviter qu'il ne se refroidisse*. L'enfant arrive d'un milieu à température constante : 37°. Il n'a que très peu de ressources énergétiques et ne peut donc lutter contre le froid. Si la naissance a lieu dans une pièce peu chauffée, si aucun système de couverture chaude n'a été prévu, ne prolongez pas trop ce temps de caresses. Il vaut mieux l'habiller sans tarder. Si sa température baisse trop, il aura beaucoup de mal ensuite à mettre en route ses principales fonctions. Il a besoin de chaleur. C'est très important.

— Troisième nécessité : *couper le cordon*. Quand la grossesse et l'accouchement se sont bien passés, si l'enfant est à terme, crie tout de suite, il n'y a aucune urgence à couper le cordon. On peut très bien laisser l'enfant sur le ventre de sa mère et attendre que le cordon ne batte plus, c'est-à-dire arrête sa fonction de relais entre le cœur du nouveau-né et le placenta.

Ce délai permet au cœur d'installer en quelques minutes son nouveau fonctionnement. Le circuit sanguin n'est pas le même avant et après la naissance. Une communication entre les deux oreillettes se ferme. Le sens du courant sanguin s'inverse dans le cœur droit. Toutes ces modification ne sont pas instantanées. En maintenant le cordon ombilical tant qu'il bat, on favorise une meilleure oxygénation de l'enfant pendant ces minutes d'adaptation. Dès que le placenta commence à se décoller, il n'y aura plus aucun passage de sang, ni donc d'oxygène, et on peut clamper le cordon.

> ● Certains pédiatres préfèrent une ligature précoce du cordon, craignant une plus grande fréquence des ictères néonatals (c'est-à-dire la «jaunisse» des nouveau-nés). En effet, pendant les minutes qui suivent la naissance, les battements du cordon ramènent dans le corps de l'enfant

une partie du sang qui circulait dans le placenta et les vaisseaux. Pendant les premiers jours, l'enfant va détruire une certaine quantité de globules rouges (et plus il y a de sang, plus il va détruire de globules!) pour arriver au chiffre normal d'après la naissance. Il y a moins de globules rouges sanguins dans les semaines qui suivent la naissance que dans les dernières semaines de la vie fœtale, c'est une adaptation normale.

Le foie de l'enfant va épurer le sang de ces globules rouges détruits (et du pigment qu'ils ont libéré, la bilirubine) et en stocker les éléments utiles pour les semaines à venir, en particulier le fer. Les premiers jours, le foie ne fonctionne pas encore très bien, est un peu débordé, d'où cet ictère, tout à fait physiologique et sans danger pour un enfant à terme et de poids normal.

Je pense personnellement que cet ictère ne présente dans ce cas aucun risque, sinon une bien jolie coloration du bébé pendant quelques jours. Il est facile de surveiller la montée du taux de bilirubine par sécurité, si l'ictère devient intense. En revanche, tout le fer ainsi stocké par le foie constitue une importante réserve et sert à la construction de nouveaux globules rouges pendant tous les premiers mois. Il y a moins d'anémie des nourrissons de quatre mois si l'on coupe tardivement le cordon.

— Enfin, quatrième sécurité : le médecin, ou la sage-femme, va faire *un rapide examen de l'enfant*, s'assurer que tout est normal : bons réflexes, peau normale, hanches et pieds en bonne position, respiration et battements cardiaques normaux. Tout cela ne prend que quelques instants et peut se faire en laissant le bébé sur le ventre de sa mère, et en dialoguant avec les parents pleinement concernés par le résultat des différents tests.

Si tout est bien, si l'enfant s'adapte facilement, sans détresse, à la vie extra-utérine, plus rien n'est urgent. Il sera toujours temps, une heure ou deux plus tard, de le peser, le mesurer, « l'étalonner », calculer les différents scores de maturation morphologique ou neurologique. Mieux vaut maintenant le laisser à sa mère, à ses parents. L'enfantement est un moment d'une extrême intensité, qui ne sera vécu par chaque femme que quelques rares fois dans la vie. Prenez le loisir de le vivre pleinement.

Il n'est pas facile pour le personnel de trouver le juste milieu entre les nécessités techniques qui font la sécurité, et un regard vrai sur l'événement unique et merveilleux qui se déroule. Il n'y a qu'un moyen, si tout va bien : *ralentir* les gestes techniques pour laisser place à la douceur et à l'harmonie.

En protégeant la relation immédiate entre la mère et son bébé, en maintenant la continuité de présence, de soins et d'amour entre eux, en préservant leur « corps à corps », réapparaît la vraie dimension de l'allaitement maternel. **Le nouveau-né, caressé, peau à peau contre sa mère dès les premières minutes** (et à peu près toujours dans les deux premières heures de vie) **va manifester sa faim.**

Il va soulever sa tête, la tourner, chercher avec ses lèvres, son nez. Son odorat le guide. Il cherche le mamelon. De ses mains libres, il s'appuie, cherche à ramper. Si sa mère lui parle doucement, il redouble d'ardeur dans sa recherche. Et pour mieux comprendre, se diriger, il va ouvrir les yeux, regarder intensément. Tous ses sens s'éveillent pour le conduire au sein. Le toucher, l'odorat, l'audition, la vue... pour enfin goûter ! Ce réflexe de fouissement est plus qu'un réflexe. L'enfant est très actif, capable de se déplacer, de tourner sa tête en tous sens. Il sait faire. Il va trouver le mamelon. Dès qu'il le sent sous ses lèvres, il ouvre tout grand la bouche, cherche à saisir... puis se met à téter. Calmement, vigoureusement.

Il n'est pas besoin de l'aider. Pas besoin de lui mettre le mamelon dans la bouche. Il a besoin d'être libre, de trouver tout seul. Après, il saura recommencer. Il saura téter.

● Une étude réalisée dans un centre hospitalier suédois, à Malmö, et publiée en 1987, est particulièrement passionnante. L'idée de base était de regarder ce que font les nouveau-nés, à terme, en bonne santé, si après les avoir séchés rapidement à l'instant de leur naissance, sans les déplacer du ventre de leur mère, *plus personne ne les touche, personne ne les guide, personne ne les aide.* Pour que les résultats puissent être analysés de façon détaillée, ces bébés ont été filmés pendant deux heures environ.

On observe d'abord un temps de «récupération» où les bébés restent immobiles et relativement hypotoniques sur le ventre de leur mère, parfois les yeux ouverts, parfois non. Ce temps est très variable, une ou deux minutes pour certains, trente minutes pour d'autres, plus d'une heure pour quelques-uns.

Passé ce temps, tous spontanément se mettent en route. Ils commencent par sucer leur main, téter leur doigt, comme ils le faisaient *in utero*, puis, obéissant à un appel odorant puissant, ils abandonnent leur main pour ramper activement vers les seins. Ils remontent ainsi de plusieurs dizaines de centimètres, cherchent à trouver le bon niveau, puis à se latéraliser. Sans aucune aide, ils soulèvent leur tête, se positionnent en face d'une aréole. Quand ils pensent être arrivés au but, ils ouvrent grand la bouche, sortent très visiblement leur langue... et se mettent à téter. Les échecs de ce parcours sont exceptionnels.

Ce que nous apprend cette étude, c'est l'incidence des gestes habituels sur la réussite des bébés. S'ils sont séparés de leur mère, ne serait-ce que quelques minutes pour les peser et les habiller, certains «perdent le fil», ne savent plus où aller, que faire de leur langue, de leur

main... Plus grave encore, les bébés qui ont eu une
stimulation précoce de la bouche (sonde d'aspiration,
exploration au doigt du palais) sont très souvent
complètement bloqués quand on les ramène près du
sein. Ils n'ont pas eu à se déplacer activement, ils ne
savent plus où ils en sont. Le «programme» a été
interrompu, ils ne savent le reprendre.

Toute personne ayant constaté une fois cette incroyable puissance d'un nouveau-né comprendra sans longues explications techniques *les gestes à faire ou à éviter pour préserver cette première tétée*.

— Laisser l'enfant très près de sa mère, le couvrir. Ne pas trop l'emmailloter pour qu'il puisse se déplacer. S'il fait trop froid pour le laisser complètement nu, dégager au moins les bras et les jambes pour qu'il sente les caresses et puisse se mouvoir.

— Ne pas nettoyer les seins de la mère avec un produit d'hygiène à odeur forte. Au maximum, les rincer doucement avec un peu d'eau stérile.

— Laisser le bébé chercher librement. Surtout ne jamais tenir la tête, la plaquer sur le sein. L'enfant se sentirait prisonnier, coincé, et aurait un violent mouvement de recul pour se dégager.

— Quand il a trouvé le sein, le laisser téter à sa guise, quelques secondes ou plusieurs minutes. Il serait aberrant de vouloir limiter le temps, ou la quantité de colostrum, de ce premier repas.

— Même après un accouchement tout à fait naturel, certains nouveau-nés ne semblent pas intéressés par cette première tétée. Ils préfèrent dormir ou rester calmement éveillés contre leur mère. Pourquoi pas? Il serait idiot de créer une nouvelle norme en voulant les obliger à téter, en cherchant à les stimuler. Laissons-les tranquilles. Ils se décideront tout seuls à réclamer, dans quelques minutes ou dans quelques heures... Et tout ira bien.

Avantages médicaux de cette tétée précoce

L'importance de cette première tétée, dès que l'enfant en manifeste le désir, a été longuement détaillée dans les pages précédentes. Il paraît tout de même utile de reprendre clairement ce qui en fait l'indiscutable **valeur médicale**, tant pour la mère que pour l'enfant.

Quels sont donc les arguments physiologiques et biologiques de l'importance de la mise au sein précoce?

■ Pour l'enfant

Premier argument : **l'évolution dans le temps du réflexe de succion.** Comme l'avait très bien décrit Archavsky, à la naissance et pendant les premières heures, le nouveau-né sait téter et trouve tout seul le mamelon. Après la sixième heure, ce réflexe diminue progressivement pour ne réapparaître vraiment efficace qu'après la quarante-huitième heure. Entre les deux, et surtout entre la douzième et la quarante-huitième heure, les mises au sein seront souvent beaucoup plus difficiles et donc éprouvantes pour la mère et pour l'enfant. Il y a statistiquement dix fois plus d'échecs de l'allaitement quand les premières mises au sein se passent mal! Mieux vaut profiter du meilleur moment.

Deuxième argument tout aussi important : **le nouveau-né n'a aucune réserve énergétique** rapidement utilisable. Dès la section du cordon, il va consommer une grande quantité d'énergie pour maintenir son équilibre thermique (donc sa température à 37°), et pour le fonctionnement normal de ses différents organes. Cette énergie, il la trouve dans la combustion du glucose sanguin. Mais, comme il n'a aucune réserve, ce taux de sucre dans le sang diminue rapidement. Le taux normal pour un nouveau-né est de 0,40 g/l (mesures faites par méthode enzymatique à glucosoxydase). Dès que ce taux tombe en dessous de 0,30 g/l, on parle d'hypoglycémie. Et lorsque le taux atteint 0,20 g/l, l'hypoglycémie est sévère.

Le colostrum maternel n'est pas aussi riche en lactose que le lait définitif, mais il en contient tout de même 32 g/l. En plus, il contient 23 g/l de gynolactose, sucre immédiatement utilisable par le nouveau-né. L'apport de sucres, donc d'énergie, est très bon.

Beaucoup plus important, vous l'avez vu au chapitre 3, le colostrum est un merveilleux « économiseur d'énergie ». L'eau liée aux protéines reste dans l'organisme : le bébé perd moins d'eau, donc moins de chaleur, donc moins de calories. Et puis les matériaux de construction de la matière vivante arrivent prêts à l'emploi, tout découpés, prêts à l'emploi. Il n'y a qu'une transformation intestinale ou hépatique minime avant d'incorporer ces aliments dans les cellules en construction. Là encore, cela permet toute l'économie en énergie de la digestion, de la transformation et de la reconstruction.

Ces deux mécanismes permettent de comprendre pourquoi l'hypoglycémie des bébés à terme nourris au sein est exceptionnelle, si elle existe ! À volume égal, 10 ou 20 g par exemple, il n'y a aucun risque d'hypoglycémie avec le colostrum, alors qu'il y en aurait avec les laits artificiels.

Troisième argument : **l'intestin du nouveau-né est encombré** d'un volumineux tas de sécrétions, **le méconium**. Ce sont les premières selles de l'enfant, noirâtres, épaisses, visqueuses, très difficiles à éliminer. Elles se sont formées tout au long de la vie intra-utérine à partir des sécrétions et du renouvellement des cellules de la muqueuse intestinale. Le colostrum est un excellent laxatif. Il favorise la motricité intestinale, donc l'expulsion du méconium. Du coup, le transit intestinal démarre du haut en bas du tube digestif, et l'estomac de l'enfant se vide des glaires qui pourraient encore l'encombrer, diminuant au maximum tout risque de régurgitations et d'étouffement par ces sécrétions.

Quatrième argument : **le nouveau-né** est brutalement transposé d'un milieu aqueux où il baignait totalement à un milieu aérien. La peau n'étant pas une barrière efficace, il **a tendance** à **se dessécher,** à perdre son eau. Le colostrum est très riche en protéines et en sels minéraux. Ceux-ci, ingérés pendant la tétée, après avoir servi dans le tube digestif à l'élimination du méconium, passent dans le sang et vont très efficacement retenir l'eau de l'organisme. Donc, l'enfant s'adaptera mieux à sa nouvelle vie à l'air libre et, en particulier, il perdra beaucoup moins de poids.

Cinquième argument : **l'exceptionnelle richesse du colostrum** des premières heures **en éléments de défense contre les infections** en fait toute la valeur.

Dès sa naissance l'enfant va être soumis à une véritable inondation microbienne. Dans l'air qu'il respire, sur les mains des gens qui le touchent (mais oui, même bien lavées !), sur les draps sur lesquels on le pose. Partout il va en rencontrer. Le colostrum avalé le plus tôt possible va protéger son tube digestif. Toutes les cellules immunitaires se chargent de l'élimination des différents microbes. Les immunoglobulines, et en particulier les IgA, vont réaliser une véritable barrière antimicrobienne sur la muqueuse intestinale. Certains médecins, comme le professeur Lestradet, pensent qu'un nouveau-né qui « avale un peu de travers » ce premier colostrum protège de la même façon sa muqueuse bronchique et pulmonaire par la même barrière d'immunoglobulines A. Il serait aberrant de retarder inutilement l'installation d'une protection aussi efficace. L'enfant en a besoin dès sa naissance.

Tous ces arguments illustrent bien la parfaite adaptation du colostrum, ce lait des premiers jours, aux besoins de l'enfant. Aucun lait artificiel ne se rapproche, même de loin, de ces remarquables propriétés. Le colostrum est inimitable... et inimité ! Ses propriétés sont tellement exceptionnelles que certains médecins préconisent même de faire téter, deux ou trois fois le premier jour, les enfants que leur mère ne désire pas allaiter.

■ *Pour la mère*

Dès que l'enfant trouve le sein et se met à téter, la succion du mamelon déclenche chez sa mère, par un phénomène réflexe, une importante activité hypothalamo-hypophysaire, et la mise en route de la sécrétion des deux principales hormones de la lactation :

— *la prolactine*, hormone qui fait sécréter le lait et donc va mettre en route tout le processus de la montée laiteuse. Plus l'enfant tétera et plus sa mère aura du lait. Plus l'enfant tétera *tôt*, plus sa mère aura *rapidement* du lait pour répondre à sa demande. On pourrait presque dire que c'est l'enfant qui *fabrique le lait* par sa succion. La mère a besoin que son enfant suce le sein pour mettre en route sa lactation, comme elle aura besoin qu'il tète souvent pour l'entretenir ;

— *l'ocytocine*, hormone de l'excrétion, de la «vidange». Au niveau des seins, le lait fabriqué sous la stimulation de la prolactine remplit les acini. L'ocytocine provoque la contraction de ces acini et, donc, le lait va se mettre à couler pour satisfaire l'appel de l'enfant. L'ocytocine fait contracter aussi l'utérus. Si l'enfant tète dès les premières minutes de vie, la succion va favoriser l'élimination spontanée du placenta. Les anciennes sages-femmes le savaient bien qui faisaient téter les nouveau-nés, malgré les tabous de l'époque, si la délivrance placentaire tardait ou paraissait incomplète.

Après l'expulsion du placenta, l'ocytocine renforce les contractions utérines. L'utérus se vide du sang et des débris qui l'encombrent et reprend beaucoup plus vite sa place et son volume normal. Faire téter le nouveau-né peut être un excellent moyen d'arrêter une hémorragie utérine, moyen aussi efficace et rapide que l'injection intramusculaire ou intraveineuse d'ocytocine synthétique. Les médecins ou sages-femmes le font dans tous les pays du tiers monde..., nous l'avons oublié !

Les mises au sein très précoces ont donc, grâce à l'ocytocine, un double rôle préventif réel pour la mère :

— prévention des hémorragies de la délivrance ;
— prévention des engorgements mammaires.

En contrepartie de ces multiples avantages, tout à fait incontestables, les mises au sein précoces n'ont qu'un seul inconvénient : retarder un peu l'heure du repos pour la mère (et pour le personnel soignant... !).

Pour la mère, en fait, le problème ne se pose pas. Même si l'accouchement a été un peu long et difficile, l'intensité physique et affective de ce qu'elle a vécu la laisse souvent dans une grande surexcitation. Accueillir doucement son bébé, le faire téter, prendre le temps du calme, des retrouvailles, l'aidera à apaiser cette grande émotion. Quand l'enfant heureux, repu, s'endormira, sa mère sera prête, elle aussi, à se reposer et à s'endormir.

PREMIÈRES TÉTÉES ET NAISSANCES DIFFICILES

L'accouchement naturel à terme est sûrement le prélude idéal à l'allaitement maternel. La mère et l'enfant sont en bonne santé, parfaitement réveillés, et peuvent se rencontrer dès les premiers instants.

Malheureusement, il n'en est pas toujours ainsi. Dans un certain nombre de cas, l'accouchement va nécessiter des interventions médicamenteuses, et même une anesthésie générale de la mère. Parfois une césarienne. Certains enfants vont naître prématurément. D'autres vont présenter brutalement à la naissance une malformation ou un état de détresse que rien ne laissait prévoir. Il ne saurait être question alors de prendre le moindre risque. Seule l'équipe médicale obstétrico-pédiatrique pourra juger, pour chaque cas, ce qui est possible et ce qui ne l'est pas.

Je vais essayer de définir en quelques mots les *principales situations* et ce qui peut être envisagé.

■ *Premier cas : l'enfant en détresse respiratoire ou neurologique...*

Un enfant en détresse est une urgence médicale vraie. Tant qu'il lutte pour respirer, ou tant que ses réflexes fondamentaux sont perturbés, il ne saurait être question de l'alimenter. Dans ces cas, en effet, les troubles de la déglutition sont fréquents, d'où un risque d'inhalation pulmonaire majeur. L'inhalation, c'est le passage dans les bronches et les poumons d'un liquide (liquide amniotique ou liquide de l'alimentation) qui étouffe l'enfant. Le danger est le même, quel que soit le mode d'alimentation. Un enfant qui risque de présenter des troubles de la déglutition ne doit être nourri ni au sein, ni au biberon, que ce soit d'eau ou de lait. Il faut d'abord corriger les troubles respiratoires ou neurologiques. En attendant, surveiller la glycémie, et, si elle diminue, apporter du sérum en perfusion intraveineuse. Rien d'autre ne peut être envisagé.

■ *Deuxième cas : l'enfant prématuré*

Tous les tableaux cliniques existent entre l'enfant né presque à terme, à trente-six semaines environ, pesant plus de deux kilos, et le grand prématuré de vingt-huit semaines, pesant moins d'un kilo. Ces enfants présentent trois fragilités, trois dangers, d'autant plus aigus qu'ils sont nés plus tôt :

— Ils contrôlent très mal leur température et risquent de se refroidir énormément. C'est pour cette raison qu'ils sont classiquement mis d'emblée en incubateur.

— Ils ont encore moins de réserve en sucre que les enfants à terme et peuvent présenter des hypoglycémies sévères dès les premières heures.

— Ils sont extrêmement sensibles aux infections. Ces enfants nés avant terme ont donc encore plus que les autres besoin du lait de leur mère. Pourtant ils ne savent pas bien téter, et leur alimentation posera des problèmes.

S'ils ne présentent aucun trouble associé, et en particulier pas de détresse respiratoire, je crois qu'il est bon de les laisser avec leur mère, au moins quelques instants, en prenant toutes les précautions pour qu'ils ne se refroidissent pas. S'ils arrivent à téter, ils auront d'emblée les avantages du précieux colostrum, et s'ils n'y arrivent pas, leur présence contre leur mère est tout de même utile. Une femme qui a tenu son bébé dans ses bras, qui a pu le voir, le sentir, le caresser, avant son transfert dans l'unité de soins aux prématurés, aura davantage envie de l'allaiter, sera plus motivée pour tirer son lait et, d'ailleurs, aura plus de lait. Une mère qui n'a pu qu'apercevoir une silhouette au fond d'une couveuse aura plus de difficultés.

Chaque fois que c'est possible, avant le transfert, il faut laisser l'enfant près de sa mère.

■ *Troisième cas : l'enfant hypotrophique ou le retard de croissance intra-utérin*

Ce sont les enfants qui naissent avec un poids très inférieur au poids moyen de leur âge gestationnel. Par exemple, les enfants à terme de moins de 2,5 kg. Ce ne sont pas des prématurés. Pour eux, le risque le plus important est l'hypoglycémie. Généralement, ils contrôlent bien leur température et ne sont pas plus sensibles aux infections que les enfants de poids normal du même âge gestationnel. De plus, ils savent téter comme des enfants à terme, mais se fatiguent un peu plus vite.

Ces enfants ont besoin de téter, et de téter vite. Ils n'ont vraiment aucune réserve énergétique. Pour eux, les tétées précoces et répétées sont essentielles. Il ne faut pas craindre de les mettre au sein malgré leur petit poids.

■ *Quatrième cas : les enfants endormis*

Les médicaments analgésiques ou anesthésiques donnés à la mère pendant l'accouchement traversent le placenta et peuvent entraîner chez le nouveau-né une somnolence des premières heures. Il faut le laisser dormir. Il est vrai aussi que ces drogues passent dans le lait de la mère et peuvent prolonger un peu ce temps de sommeil après les premières tétées. Je pense que ce passage dans le lait ne doit pas être une contre-indication à l'allaitement. Le bébé tétera un peu plus quand il se réveillera et c'est tout. Il n'y a ni urgence ni, au contraire, interdiction à le mettre au sein. Il suffit d'attendre calmement qu'il réclame sa première tétée, à son rythme.

■ *Cinquième cas : les enfants malformés*

Il n'est pas possible de faire ici un tableau simple des différents cas cliniques. Seuls les médecins présents autour de l'enfant peuvent décider, en fonction du type de l'anomalie, et des suites immédiates à prévoir (transfert, chirurgie, etc.) s'il est bon, ou non, de le laisser quelques instants près de ses parents. Je ne peux donner aucun avis général.

■ *Sixième cas : la mère ayant subi une césarienne*

La césarienne n'est pas du tout une contre-indication à l'allaitement, ni même à l'allaitement précoce. Tout dépend, en fait, de la cause qui a motivé cette intervention (et là, on retrouve les cas déjà cités : enfants en détresse, prématurés, enfants endormis) et de l'état de la mère.

S'il s'agit d'une césarienne pour des raisons mécaniques pures, si le nouveau-né va bien, on peut le mettre au sein dès que sa mère est réveillée. On peut même, auparavant, le placer près d'elle pour qu'il sente son odeur, sa chaleur. Je connais de nombreuses femmes qui ont allaité leur bébé moins de trois heures après une césarienne. C'est un peu inconfortable, car la cicatrice abdominale est douloureuse. Le personnel soignant aura à soutenir mère et enfant pour les aider à trouver la meilleure position. Mais c'est possible.

Le type d'incision a aussi son importance. Il est beaucoup plus facile pour la mère de garder un bébé sur son estomac si elle a subi une incision horizontale basse, ce qui est maintenant très classique. Les anciennes incisions verticales de l'ombilic au pubis ne permettent pas toujours à la mère de supporter le poids du bébé. Il est bon de les éviter pour une femme qui désire allaiter.

Si les tétées précoces sont possibles, le taux de réussite des allaitements est exactement le même que celui des accouchements naturels sans problèmes.

Dans la plupart des centres se pratiquent aujourd'hui des césariennes sous anesthésie péridurale. Dans ces cas, la mère est parfaitement réveillée et peut tenter une première mise au sein dès que la plaie abdominale est refermée. Elle peut accueillir son tout-petit «presque» comme après un accouchement normal.

■ *Septième cas : les mères ayant une pathologie de la grossesse (diabète, néphropathie...)*

Dans ces cas, les nouveau-nés sont presque toujours extrê-mement fragiles, associant prématurité, hypotrophie ou hyper-trophie pathologiques. Ils nécessitent des soins urgents spécialisés qui ne seront pas compatibles avec l'accueil tendre que j'ai décrit. Leur sécurité prime tout autre objectif.

Après toutes ces naissances difficiles, la tendance est de «pro-téger» la mère. Et, pendant plusieurs jours, on n'ose pas parler d'allaitement.

Ce n'est pas la bonne solution. Tous ces enfants à haut ris-que ont besoin de lait maternel.

Si leur mère veut allaiter, veut avoir du lait, là encore, plus elle commencera tôt à stimuler sa lactation, plus elle le fera sou-vent, plus vite elle aura la quantité de lait nécessaire pour son enfant. Une femme qui arrive à fournir rapidement et efficace-ment du lait pour son bébé transféré se sent utile, est plus pro-che de lui. Psychologiquement, c'est très important. C'est une façon de recréer un puissant lien mère-enfant.

Écoutez ce qu'a pu écrire Françoise Loux qui tirait son lait pour un bébé grand prématuré en détresse respiratoire, sous res-pirateur artificiel :

«Telle une grosse bête, au bout du compte apaisante, la machine inspire et souffle près de moi, inspire et souffle.

Le lait passe par saccades dans le biberon en verre. Il y en a un peu cette fois. Je me sens bien, ensommeillée, détendue. Je pense à toi, mon Valentin, toi aussi attaché à ta machine qui elle aussi inspire et souffle, inspire et souffle. Pour toi, la machine est vitale, tu ne peux encore t'en séparer. Pour moi, est-ce tellement différent ? J'ai besoin de «tirer le lait» à ces rythmes réguliers qui me ramènent à toi, qui me calment et mettent en moi l'espoir...

Un espoir fou m'a traversée, celui qu'en continuant à entretenir en moi le lait, j'attendrai le moment des retrouvailles, le moment où je pourrai enfin allaiter mon enfant. Espoir démentiel... Un mois... deux mois... Je n'osais en parler. C'était encore plus fou que l'espérance de vie non encore formulable. Cela s'est pourtant réalisé, à sa sortie de couveuse, au bout de deux mois et demi. Personne n'y croyait. Lui et moi, si[1] !»

1. «D'amour et de lait», *Cahiers du nouveau-né*, Stock, Paris, 1980.

CHAPITRE 6

LE SÉJOUR HOSPITALIER
ou la mise en route de l'allaitement

*Une fois le bébé né, j'ai senti en moi une sorte
de légèreté spirituelle, comme un soupir de
soulagement, une exaltation que seules créent la
naissance et la mort... Je me sentais vraiment
bien... Je m'arrêtais pour regarder Philippe. Je
formais des pensées de bienvenue pour lui :
«Porte-toi bien... Tout va bien... Hé, tu sais que
tu as un nez très mignon et que je suis heureux
que tu sois parmi nous.» Puis je me suis senti à
court d'idées et de conversation et je suis rentré
à la maison pour nourrir mes deux filles, leur
raconter qu'elles avaient un petit frère...
et m'écrouler.*

Un père, *in* C. Milinaire,
Naissance, Albin Michel, 1977

Le séjour hospitalier est une période étonnante, pas toujours aussi facile ni joyeuse que le laissent prévoir les manuels. L'enfant est né, sa mère vient de vivre un des plus violents et des plus beaux moments de son existence. Mais elle retrouve la fatigue, l'envie de dormir, un corps endolori.

Il y a le bonheur de faire connaissance avec l'enfant nouveau-né, mais aussi un vague sentiment de dépossession, de perte, de corps vidé, les « blue feelings » (sentiments bleus des Anglais) souvent très forts vers le troisième-quatrième jour, quand s'apaise la grande vague émotive de la naissance.

Il y aura la fierté de présenter l'enfant aux parents et amis. Mais aussi, les visites multiples, les soins dans les chambres, les moments de gêne ou d'envahissement... et les moments durs de solitude.

Enfin, il y a l'envie immense d'allaiter l'enfant, de réussir cette relation, mais aussi les premières difficultés, l'enfant qui tète mal, les seins un peu douloureux... parfois la gêne de nourrir devant des inconnus, la peur de mal faire...

Le personnel soignant doit jouer un triple rôle : rôle de soins, bien sûr, mais aussi rôle d'accueil et rôle d'information pour permettre d'aplanir les difficultés et préparer les semaines et les mois à venir.

Les parents qui savent ce qu'ils veulent, et pourquoi ils le veulent, clairs mais jamais agressifs, n'auront aucune peine à obtenir tranquillement les aménagements d'horaires ou de rituels qu'ils demandent. On ne pourra leur opposer ni fausses théories, ni recettes arbitraires. Cela vaut la peine de bien s'informer.

UNE NÉCESSITÉ ABSOLUE : L'ALLAITEMENT À LA DEMANDE

L'allaitement à la demande est la base d'un allaitement réussi. C'est le seul moyen de respecter totalement la physiologie de la lactation, d'éviter les difficultés et de répondre réellement aux besoins de l'enfant. Et la réponse ne sera pas extérieure, médicale ou technique. Dans l'allaitement à la demande, c'est le corps de la mère qui répond à l'enfant.

■ Les objectifs de l'allaitement à la demande

— *Aider l'enfant à trouver son rythme* de faim et de sommeil, et à s'adapter doucement à son nouveau mode actif d'alimentation. Pendant toute la vie intra-utérine, il était nourri passivement par l'intermédiaire du cordon ombilical et du placenta, et cette alimentation, à partir du sang de sa mère, était constante, permanente.

Maintenant, il va falloir qu'il se nourrisse activement, qu'il reconnaisse sa faim, qu'il tète... Bousculé par son rythme profond qui le réveille et l'endort, le réveille à nouveau, il lui faudra plusieurs semaines pour faire la différence entre être réveillé et avoir faim, s'endormir et être rassasié. Il confond les deux signaux, son entourage aussi. S'il dort paisiblement, rien ne permet d'affirmer qu'il est repu. S'il pleure longuement, il a peut-être faim, mais aussi peut-être assez mangé... C'est tout un rythme à trouver, et ce n'est pas facile.

Au début certains bébés mangent beaucoup, pleurent toutes les heures, d'autres dorment calmement. Quelques-uns, plus rares, restent éveillés de longues minutes sans rien réclamer. Question de tempérament beaucoup plus que de besoins différents. Si on les laisse trouver leur rythme librement, sans craindre au moindre appel une fringale dangereuse, au bout de quelques semaines ils ont tous le même horaire. Pourquoi vouloir les régler d'emblée?

— *Apprendre à la mère à reconnaître et à satisfaire les besoins de l'enfant.* Pour elle, l'apprentissage sera d'autant plus facile que son bébé est calme et pleure rarement. Un bébé qui se réveille souvent les premiers jours — surtout hélas les premières nuits! — laisse trop souvent croire à sa maman qu'il a très faim et que le colostrum trouvé dans les seins ne peut le satisfaire. C'est faux, mais c'est un rude passage à négocier...

Petit à petit, la maman comprend les appels de faim et ceux d'une autre origine. Elle reconnaît le rythme propre de ce bébé, bon dormeur ou tonique présence...

■ *En pratique, comment cela se passe-t-il?*

Quels sont les signes d'appel?

— Les pleurs, bien sûr; et un bon cri vigoureux témoigne souvent d'une «solide envie» de téter.

— Le réflexe de fouissement : le bébé, sans pleurer, cherche le sein, tourne sa tête, la soulève s'il est couché dans son berceau et sent avec son nez et ses lèvres le drap sur lequel il est posé ou les bras de sa mère qui le porte. Il cherche de toutes ses forces. C'est un bon signe de faim.

Comment répondre à cette demande?

Le plus simplement du monde :

— lui donner le sein quand il réclame et uniquement quand il réclame. *Ne jamais le réveiller.* C'est lui qui fixe le nombre et l'heure des tétées, pas l'horloge.

— Le laisser téter autant qu'il en a envie. Ne pas imposer une durée limite. Et, surtout, le laisser manger la quantité qu'il désire. Inutile de chercher à savoir ce qu'il prend. *N'accepter jamais les pesées avant et après les tétées.* Inutile aussi de le forcer à continuer quand il décide qu'il a assez pris.

— *Ne pas diriger ses mouvements.* Comme pour la première tétée, il vaut mieux qu'il se débrouille tout seul, la tête libre. Il doit ouvrir la bouche tout seul. Le rôle de sa mère consiste seulement à lui présenter le mamelon et à veiller à ce que son nez soit bien dégagé.

• L'application de ces bases réclame un peu de bon sens. L'allaitement à la demande n'est pas l'anarchie totale où mère et enfant se retrouvent épuisés au bout de quelques jours.

- Il est important de repérer d'emblée les quelques bébés qui auront besoin d'être stimulés, réveillés, car leur capacité d'éveil spontanée est encore trop faible. C'est le cas des bébés nés avant terme. Plus la naissance survient à distance des quarante et une semaines de gestation, et plus la capacité d'éveil du bébé est faible. Certains bébés nés à terme mais de trop petit poids, ou après une anesthésie maternelle, ou une souffrance lors de l'enfantement peuvent aussi laisser passer des signaux de faim ou téter sans vigueur. Il faudra les assister quelques jours. Pour les autres, les tout dodus bien à terme, on peut leur faire confiance !

- Un enfant qui dort calmement, bien repu, n'a jamais à être réveillé, même s'il dort cinq, six heures ou même plus. Le seul problème est de ne pas trop le laisser inverser son rythme jour-nuit : manger la nuit, dormir calmement le jour. À ce niveau, il faudra essayer de moduler doucement, un ou deux mois, un horaire jour-nuit satisfaisant pour le reste de la famille. L'erreur classique est de vouloir imposer cet horaire jour-nuit beaucoup trop tôt, dès les premiers jours de vie, à un moment où le bébé est encore rigoureusement incapable de faire la différence. Il est vrai que la plupart des nouveau-nés dorment comme des anges en fin de matinée et en début d'après-midi (après le bain, disent les mamans!), mais passent un long moment vigoureusement agités en fin de soirée et en première partie de nuit. Horaire normal de nouveau-né...

- Le nombre de tétées quotidiennes est très variable d'un enfant à l'autre, et, pour le même enfant, d'un jour à l'autre. En moyenne, les nouveau-nés se fixent sur six à sept tétées par vingt-quatre heures, parfois quatre ou huit. Au-delà de huit, la mère risque de se fatiguer. Il faut essayer de comprendre ce qui se passe : pas assez de succion ou mauvaise excrétion ou toute autre cause, physique ou psychologique, qui gêne une bonne lactation. En revanche, un certain nombre d'enfants s'organisent d'emblée sur 4 tétées par 24 heures avec une croissance tout à fait satisfaisante.

- La durée des tétées doit aussi être très souple. Pour l'enfant, il n'y aurait aucune contre-indication, aucun risque à le laisser téter des heures. Le problème vient de sa mère : degré de fatigue et état des seins. Pour éviter tout ennui (le minimum de crevasses et une mère pas trop épuisée), l'idéal est de vérifier que le bébé est chaque fois en très bonne position, de varier ces positions d'une tétée à l'autre, et surtout que la maman somnole ou dorme pendant que son bébé tète. Il n'y a aucun risque, contrairement à ce que l'on a trop raconté. Aucune mère jamais n'étouffe son bébé en dormant. Ce qui peut arriver, c'est une maman plus en forme. Notion particulièrement utile pour celles dont le bébé réclame tout le temps...

■ Le contrôle de l'alimentation et du bon développement du nouveau-né

Dans un allaitement à la demande, la réponse est toujours de **regarder l'enfant**, pas de chercher des chiffres ou des courbes de poids.

— Le signe le plus important est le comportement du nouveau-né. Un enfant qui a bien tété s'endort calmement, totalement détendu, les doigts étalés. Il est tout rose, dort paisiblement. Il va peut-être dormir cinq ou six heures d'affilée, peut-être se remettre à hurler au bout de vingt minutes ; tout dépend de sa capacité à enchaîner des cycles de sommeil.

Un bébé qui dort ainsi calmement est «comblé», «repu», mais... du plaisir qu'il a pris en tétant ! Le volume réel ingéré ou la ration énergétique qu'il y a trouvée n'entrent pour rien ou presque dans son apaisement.

— Pendant les premiers jours, on peut contrôler la qualité de la tétée et la quantité de lait dans les seins de la mère. Lorsqu'un allaitement se passe bien, le bébé tète avidement à peu près sans s'arrêter. Il déglutit régulièrement : en moyenne trois ou quatre mouvements de succion pour une déglutition. Plus le lait est abondant et plus les mouvements de déglutition sont rapprochés. Au contraire, si le bébé tète goulûment et ne déglutit que trois ou quatre fois par minute, il trouve probablement encore peu de lait (mais il faut qu'il tète si l'on veut stimuler la montée laiteuse).

Enfin, si la lactation est abondante, quand le bébé repu s'arrête de téter, il reste du lait dans les seins de sa mère, ce qui est facile à contrôler par une minime pression manuelle.

— Un autre excellent test de l'alimentation est la fréquence des selles et des urines. Plus un bébé boit de lait, plus il a de l'eau à éliminer après avoir absorbé ses tétées. En sens inverse, un bébé qui mouille peu ses couches, qui a peu de selles, économise l'eau, donc, *a priori*, en reçoit peu dans son alimentation. C'est un principe tout bête que nous avons totalement désappris.

Les pédiatres de maternité sont souvent harcelés de demandes de mères ou d'aides-puéricultrices pour des enfants diarrhéiques ou constipés. Il peut exister, bien sûr, des diarrhées infectieuses vraies du nouveau-né ; mais elles sont rares, et d'autant plus que l'enfant est au sein, donc protégé par le colostrum maternel.

Très souvent, ce que l'on croit être une diarrhée n'est que la manifestation, tout à fait normale, d'une très bonne alimentation. Les selles normales d'un enfant au sein qui trouve abondamment du lait peuvent aller de six à huit par vingt-quatre heures. Elles sont jaune d'or, d'odeur aigrelette, verdissent parfois un peu à l'air du fait de la présence de pigments biliaires.

Surtout elles sont granuleuses, assez liquides, et parfois totalement liquides. Il ne saurait être question de parler de diarrhée, même devant six à huit selles liquides par vingt-quatre heures tant que la courbe de poids du bébé est normalement ascendante.

À l'inverse, la constipation est une terreur des mères et du personnel des maternités. Autant il est essentiel de surveiller les premières selles, donc l'élimination du premier méconium dans les quarante-huit premières heures, autant par la suite les femmes devraient se libérer de cette obsession. Certains bébés au sein ont peu de selles parce qu'ils mangent juste ce qu'il faut. Ils poussent normalement, sans problème, même avec une ou deux selles par *semaine*, voire moins. Il faut absolument les laisser tranquilles. On ne devrait parler de constipation que devant des signes pathologiques vrais : selles très dures, impossibles à éliminer, abdomen ballonné, tendu, douloureux.

Il y a sûrement *beaucoup moins* de pathologie digestive des tout-petits qu'on ne le croit classiquement. En revanche, à vouloir trop surveiller, obtenir au moins une selle par jour (l'emploi des suppositoires à la glycérine et les stimulations anales du thermomètre sont à proscrire formellement), on démolit sûrement l'équilibre intestinal des tout-petits, donc leur avenir digestif.

— Dernier élément pour surveiller l'alimentation d'un bébé : *la pesée quotidienne*. Il peut paraître curieux de mettre la pesée en dernier, pourtant c'est effectivement le signe le moins important. Tout juste un excellent moyen de se rassurer.

Si l'on veut peser l'enfant, il faut le faire sur la même balance, et à peu près à la même heure chaque jour. Autrement, les erreurs sont énormes. Une courbe de poids ne peut s'interpréter que dans la durée. Sur une semaine, par exemple. Jour après jour, en fonction du moment des selles, des urines, en fonction aussi du taux d'erreur des balances, une variation de 10 à 50 g n'a aucune importance.

Un bébé peut ne pas grossir pendant trois jours, puis prendre brutalement 80 g dans une seule journée. De même, un bébé qui grossit bien peut perdre brutalement 100 g un jour puis les reprendre le lendemain. Ces variations n'ont aucune signification pathologique. Seule compte l'allure générale de la courbe au bout de cinq à six jours, donc la prise de poids *moyenne*.

• Quelle est la courbe de poids normale d'un bébé?

Dans leur adaptation à la vie aérienne, tous les bébés ou presque perdent du poids les premiers jours. Cette chute, plus ou moins brutale, traduit la perte d'eau du corps qui se «dessèche» hors de l'utérus. C'est donc normal.

Parfois cette chute se fait en un temps : courbe en V profond, parfois en deux temps : courbe en W. Parfois la perte est presque invisible, et la reprise d'une courbe ascendante dès les premiers jours.

PN

COURBES DE POIDS
DES PREMIERS JOURS

■ *L'adaptation de la lactation et des seins*

Elle est automatique, liée au rythme des tétées et à la qualité de la succion de l'enfant. Pourtant, ce n'est pas toujours très simple pendant les premiers jours, d'autant plus que la mère est fatiguée, angoissée, d'autant plus que c'est peut-être son premier enfant et qu'elle a peur de ne pas réussir son allaitement.

En pratique, quels sont les seuls signes à ne pas laisser passer pour ne prendre aucun risque ? Quels sont les « clignotants d'alarme » ?

- Premier signe important : un bébé en bonne santé doit uriner pour la première fois avant vingt-quatre à trente-six heures. Attention, les nouveau-nés urinent souvent en salle d'accouchement dans les premières minutes. Cela suffit.

- Deuxième signe : le premier méconium doit être éliminé dans les quarante-huit premières heures. Tout retard nécessite un examen pédiatrique urgent.

- Troisième signe : une perte de poids des premiers jours supérieure à 10 % doit attirer l'attention et amener à revoir la qualité de l'alimentation. Mais, sans pour cela s'affoler et présenter d'emblée des biberons de complément. À trois jours, la lactation n'est pas encore vraiment établie. Il faut la stimuler, donc faire téter le bébé souvent, et surveiller le poids les jours qui suivent.

- Quatrième signe : une chute de poids déjà profonde de 10 % les deux premiers jours et qui se prolonge en descente le troisième et le quatrième jour. L'examen du bébé, le contrôle de sa technique de bouche, la stimulation complémentaire des seins de sa mère sont souvent utiles.

- Cinquième signe : un poids de naissance non repris à quinze jours, avec courbe de poids plate, stationnaire est aussi une indication de consultation pédiatrique sans trop tarder.

- Sixième signe : une perte de poids brutale de près de 10 % du poids du corps, sur une courbe jusque-là correcte est, là encore, du ressort du pédiatre. Le plus souvent, il s'agit d'un cas bénin : l'enfant n'a pas assez bu et a eu trop chaud. Il faut s'en assurer.

Il n'y a pas d'autres signes d'alarme grave. En particulier, il n'y a pas de risques par excès. Un nouveau-né au sein qui mange très bien et a les premiers temps une courbe de poids presque verticale ne se prépare jamais une obésité catastrophique. Il est hors de question de le rationner, de limiter les tétées. Les vrais bébés obèses, ça se crée de toutes pièces, avec des farines, des laits en poudre, et en les forçant à manger. Il n'y a pas d'enfants, nourris librement au sein, qui soient obèses à la fin du deuxième mois, ni plus tard. Laissez-les manger à leur gré.

Le début de la lactation

Pendant les derniers mois de grossesse et les premiers jours, les seins sécrètent du colostrum, liquide épais, jaune orangé. Trois ou quatre jours après la naissance, le colostrum s'éclaircit progressivement et laisse la place en dix jours environ au lait « mature » définitif.

En allaitement précoce à la demande, la « montée laiteuse » n'est pas forcément apparente. Les seins gardent une fermeté et un volume proches de ceux de la fin de la grossesse. Seul le lait change peu à peu. C'est la solution idéale, quand la mère est totalement détendue.

Plus souvent, vers le troisième jour, les seins durcissent, deviennent un peu douloureux. Avec les anciennes méthodes d'allaitement, donc les retards aux premières mises au sein, on voyait, à ce stade, de véritables engorgements graves avec douleur majeure et température : la « fièvre de lait » de nos grand-mères. Actuellement, cela doit pouvoir être évité.

● Deux facteurs concourent à la création des engorgements :

- Des tétées trop espacées, minutées. Il faut laisser l'enfant téter aussi souvent qu'il le demande les premiers jours et les premières nuits. Aussi souvent que sa mère arrive à le supporter. Éviter les intervalles longs entre deux tétées. Si le bébé dort vraiment trop bien et qu'il ne semble pas astucieux de le réveiller, la maman peut provoquer des flux en se massant les aréoles...

- Surtout, et cela est trop mal connu, l'angoisse ou la peur de la mère, la petite dépression des premiers jours peuvent jouer un rôle sur l'engorgement. La sécrétion d'ocytocine, donc de l'hormone qui fait «jaillir le lait», est très directement liée à l'état psychologique de la mère. Une émotion, une angoisse mal contrôlées peuvent ainsi bloquer l'excrétion du lait. Si l'excrétion ne peut se faire, il y a engorgement. Il faudrait donc arriver à créer un environnement tel que chaque femme puisse vivre les premières journées d'allaitement dans le bonheur et une décontraction totale. Il n'y aurait sans doute plus d'engorgement.

Enfin, dernière notion importante, la montée laiteuse peut être plus tardive. C'est rare lorsque l'enfant tète dès la naissance et de façon régulière pendant les premiers jours. Cela peut arriver, en particulier pour des femmes allaitant leur premier enfant. Il peut se passer 8, 15, voire 21 jours, avant que la sécrétion de lait ne soit suffisante pour le bébé. Il ne saurait être question de parler d'hypogalactie vraie avant trois semaines d'un allaitement bien conduit. En fait, si la mère a vraiment envie d'allaiter et ne s'affole pas trop de ce retard, si l'enfant tète vigoureusement et régulièrement, la montée laiteuse finit presque toujours par se produire. Il faut être très patient... et donner à l'enfant quelques compléments (sans tétine !) pour l'aider à bien démarrer malgré ce retard. C'est très facile. Nous verrons plus loin comment.

L'adaptation des mamelons

Les mamelons représentent une zone abondamment innervée, donc *très sensible* au toucher, à la pression. Le bébé qui tète correctement prend en bouche une large surface de l'aréole et la totalité du mamelon. Les premières fois tout se passe bien. Au bout de deux ou trois jours apparaît la grande sensibilité des mamelons, témoins, rappelez-vous, de la chute brutale de la progestérone. La douleur a tendance à augmenter de tétée en tétée pendant trois ou quatre jours, puis cède peu à peu. C'est très fréquent, assez inconfortable, mais il n'y a pas grand-chose à faire localement. Si nécessaire, un antalgique (paracétamol) pris par la maman une demi-heure avant les tétées calme la douleur, et ne présente aucun risque pour le bébé. On parle souvent à tort, dans ces cas, de crevasses ou fissures, alors qu'il n'y a qu'une grande sensibilité et pas de lésions cutanées. Cette sensibilité ne dure guère plus de quelques jours. Si la mère a le courage de « tenir le coup », l'allaitement devient ensuite parfaitement indolore et confortable.

Un des gros inconvénients de cette hypersensibilité, c'est qu'elle peut jouer un rôle dans l'apparition d'un engorgement. La mère a peur de mettre l'enfant au sein parce qu'elle a peur d'avoir mal. Du coup, elle se crispe, sa sécrétion d'ocytocine fléchit et l'excrétion du lait devient plus difficile. C'est un cercle vicieux à éviter.

La préparation des seins pendant la grossesse, avec étirement fréquent des mamelons pour les habituer aux tractions, joue probablement un rôle pour diminuer cette hypersensibilité des premiers jours. Il me semble logique d'essayer.

La forme des mamelons n'a aucune importance pour la réussite d'un allaitement. Même des mamelons aplatis, voire creux, peuvent facilement être saisis par un bébé qui tète largement toute l'aréole du sein. Et le bébé forme, en quelques jours, des bouts de seins impeccables. Là encore, un peu de patience vaut bien toutes les méthodes que l'on peut avancer : téterelles, bouts de seins en verre ou en plastique. Tous ces artifices me paraissent absolument périmés. La bouche du bébé sera un bien meilleur « moule » que ceux que l'on peut inventer.

DE MEILLEURES CONDITIONS POUR RÉUSSIR UN ALLAITEMENT À LA DEMANDE

Pour promouvoir un allaitement maternel à la demande, le personnel travaillant dans les maternités joue un rôle fondamental.

Dans une civilisation où tout est à réapprendre, il faut un guide, un appui pour retrouver l'allaitement maternel. C'est le rôle de toute l'équipe de puériculture : auxiliaires de puériculture, sage-femme, puéricultrice et pédiatre. Ils ont, tous ensemble et avec des avis clairs et homogènes, à apporter deux types de soutien :

— un appui technique et un rôle d'information pour aider les mères, les couples, à s'organiser dans leur nouvelle vie avec le bébé, résoudre leurs petits problèmes au fur et à mesure qu'ils se présentent, tout en restant très vigilants dans la surveillance du nouveau-né ;

— un appui psychologique, tout aussi important et trop souvent négligé : suivre pas à pas la relation mère-enfant qui s'établit à travers l'allaitement, encourager la mère en cas de défaillance, la rassurer, sans jamais la diriger.

Un certain nombre de conditions objectives favorisent l'allaitement maternel. Ce n'est pas en répétant aux femmes que leur lait appartient à leur enfant, que l'allaitement maternel est un devoir... qu'aujourd'hui on permettra aux femmes de choisir l'allaitement maternel si elles ne sont pas motivées au départ. C'est en les mettant dans des conditions telles que leur désir d'allaiter puisse se manifester et se réaliser librement.

■ *L'enfant appartient à ses parents et doit être auprès d'eux*

Pour qu'une mère, un père se sentent bien avec un nouveau-né, pour réussir l'allaitement, la première condition fondamentale est de *laisser le bébé près de ses parents*. Qu'il soit dans la chambre de sa mère à l'hôpital, jour et nuit (sauf cas de fatigue exceptionnelle). La mère devient responsable de sa surveillance, de son bien-être. Elle apprend à le connaître, à répondre à sa demande. C'est elle qui décidera du moment des mises au sein, de leur durée.

Matériellement, cela implique qu'il n'y ait pas de chambres à lits multiples (deux mères et deux nouveau-nés dans une chambre, c'est le maximum) et que la mère ne soit pas isolée, reléguée dans sa chambre. *Les visites des parents, des amis, doivent être largement possibles.* Chaque mère devrait pouvoir recevoir librement ses autres enfants. Un enfant de quatre ou cinq ans non enrhumé, en très bonne santé et correctement vacciné est-il vraiment beaucoup plus dangereux que le grand-père qui tousse depuis des mois? Sûrement pas.

Si le bébé est dans la chambre de sa mère, celle-ci va *pouvoir assister à tous les soins* : changes, toilette, examen médical, pesées... Petit à petit, en présence d'une auxiliaire de puériculture, elle va apprendre tous les gestes nécessaires, les faire. Elle prépare ainsi le mieux possible son retour à la maison. Elle fait son apprentissage de mère. C'est extrêmement important. On ne devrait jamais laisser partir une jeune femme qui n'a jamais vu son bébé ou ne sait pas s'en occuper. Comment établir une bonne relation si elle se retrouve tout à coup seule avec un «inconnu»?

Autre détail : *la mère doit pouvoir toucher, prendre son enfant dans ses bras de façon absolument libre.* Il est inutile de maintenir les bébés dans des recoins vitrés, où leur mère ne peut entrer, et dont on ne les sort qu'à l'heure des tétées. À quoi servirait de protéger l'enfant des microbes de sa mère? Il va les rencontrer, comme ceux de toute la famille, vivre avec pendant de longues années. Les germes les plus dangereux sont ceux qui peuvent se transmettre d'une chambre à l'autre, d'un bébé à l'autre. Donc, le personnel soignant doit redoubler d'attention, se laver soigneusement les mains pour éviter toute contamination microbienne.

L'idéal, c'est une *aide très concrète quotidienne du personnel soignant*, la possibilité pour la mère de s'informer dans un dialogue vrai. Chaque jour, mère et auxiliaire de puériculture (appelée abusivement «nourrice» dans un certain nombre de maternités) devraient analyser la courbe de poids, discuter des mille et un petits problèmes qui peuvent se poser : une peau sèche, quelques selles un peu liquides, un bébé trop endormi, ou ictérique, ou qui sursaute, ou... Elles apprendraient l'une avec l'autre, et l'une par l'autre, à reconnaître le comportement de l'enfant, son rythme de faim et de sommeil, donc pourraient envisager la façon d'adapter ses besoins aux désirs et aux possibilités de la maman.

■ Un appui technique vrai pour démarrer l'allaitement

Deux implications pour l'équipe soignante :

— *Ne pas laisser la mère seule* pour les premières mises au sein. Rester avec elle ; l'accompagner pour *toutes* les mises au sein, tant qu'elle ne se sent pas absolument confiante et techniquement «au point». Il faut en moyenne quarante-huit heures à une jeune mère pour se sentir à l'aise dans l'alimentation de son nouveau-né. Pendant ces premiers jours, elle a besoin d'être soutenue, conseillée. C'est le rôle que remplissaient autrefois les grands-mères. Il est essentiel.

— *Enseigner les petits détails qui font le confort de l'allaitement :*

● *Laisser la mère reconnaître les signes de faim* de l'enfant et, donc, décider du moment de la mise au sein.

● *Veiller à l'environnement ;* la tétée doit être un moment de calme : pas trop de visites, savoir éloigner les gens porteurs d'histoires «vécues» anxiogènes qu'ils s'empressent de raconter (abcès, crevasses, manque de lait, etc.).

● *Bien installer la mère.* Les tétées représentent plus de trois heures par jour. La mère doit être confortablement installée, soit couchée sur le côté, son bébé allongé en face d'elle, soit assise, le dos bien appuyé sur un dossier ou des coussins, les genoux relevés au niveau du bassin, le bébé assis et, si possible, le coude appuyé. Une tétée en position inconfortable n'est pas un drame bien sûr, et certaines femmes peuvent avoir envie de s'installer de façon plus personnelle. La seule question est d'éviter des positions instables régulières, prolongées, qui risquent d'entraîner à la longue des contractures dorsales franchement douloureuses.

● *Bien installer l'enfant.* Un bébé bien installé a le visage face au sein de la mère, la bouche au niveau du mamelon, le corps parallèle à celui de sa mère, donc assis vertical ou allongé si elle est assise, couché le long d'elle, si elle est allongée. Dans ces conditions, le bébé n'a aucune peine, en ouvrant grand la bouche, à happer non pas le mamelon, mais toute l'aréole du sein. Ce qui permet une succion très efficace, et aussi une excellente prévention des crevasses pour la mère. C'est important.

● *Ne pas imposer des soins d'hygiène draconiens* des mamelons. L'eau propre suffit largement avant la tétée. Tous les produits antiseptiques à odeur forte sont à proscrire formellement.

Au moins pendant les premiers temps, tant que la lactation n'est pas bien établie, *faire téter l'enfant aux deux seins*. Le laisser téter complètement d'un côté, puis lui proposer un peu de lait de l'autre côté. À la tétée suivante, commencer en sens inverse.

Après la tétée, le bébé peut avoir besoin d'*éliminer l'air* qu'il a ingéré pendant la tétée. Pour cela, l'idéal est de l'installer le ventre appuyé contre l'épaule droite de sa mère (donc, un peu penché vers la gauche) et en avant. En lui tapotant doucement le dos, on obtient souvent un «petit rot» après quelques instants. Mais ce renvoi n'est, médicalement, pas indispensable. Si le bébé dort calmement, on peut toujours le recoucher à condition de le mettre sur le côté. Dans ce cas, s'il régurgite un peu, il ne risquera pas de s'étouffer.

■ *Éviter à tout prix les erreurs de technique contraires à la physiologie de la lactation*

— Première erreur. Bien sûr, nous l'avons dit et redit : *retarder les premières mises au sein et imposer des horaires* et des durées strictes pour les tétées. Encore plus grave, *peser* l'enfant avant et après les tétées pour le seul bénéfice de perturber et angoisser la maman.

— Deuxième erreur : *introduire trop tôt des biberons* de complément. L'habitude de donner des biberons d'eau sucrée ou de lait en attendant que se fasse la montée laiteuse est une absurdité... En plus, c'est une absurdité dangereuse car la tétine facile à prendre et où le lait coule tout seul risque de fausser complètement le réflexe de succion du bébé qui ne voudra plus prendre le sein.

Si, pendant les premiers jours et après une vraie tétée, l'enfant hurle de faim, ou si sa courbe de poids descend anormalement, il vaut mieux lui apporter un peu de lait à la cuillère ou à la tasse, ou au compte-gouttes, ou n'importe quel moyen autre que la tétine d'un biberon, afin de préserver au mieux la qualité de sa technique de langue. Si sa maman a pu recueillir un peu de son lait, il sera toujours donné en priorité. Il est inutile d'apporter une grande quantité de lait et de tenter par tous les moyens de rassasier l'enfant.

Les biberons de complément donnés à la légère sont le point de départ d'un engrenage tout à fait contraire à la réussite de l'allaitement. L'enfant tète trop facilement, s'habitue à mal sucer. Du coup, il tire moins bien sur les seins de sa mère. Donc la lactation diminue. Il trouve moins de lait dans les seins, ce qui lui déplaît, il se retourne alors vers la tétine, si facile à faire couler... et il ne veut plus entendre parler du mamelon. Si on essaye de le forcer, il hurle en se rejetant en arrière. J'ai vu ainsi des dizaines d'allaitements littéralement torpillés par des biberons de complément. Il faut absolument apprendre à s'en passer, et le plus longtemps possible.

— Troisième erreur : *les réponses trop techniques* à des problèmes minimes.

Les services de maternité ont multiplié au cours des années les «gadgets» censés résoudre une partie des problèmes d'apprentissage des mères et des bébés. Malgré les vertus que leur prête volontiers le personnel soignant, leur efficacité réelle est fort contestable. À court terme, effet pratique faible et psychologique désastreux. Après plusieurs jours, effet carrément négatif sur la lactation. Il est donc utile de bien les connaître pour... savoir les refuser ou ne les utiliser que sur de rares indications très précises.

● *Les coupelles d'allaitement*

Ce sont des petits récipients en forme de double demi-sphère, percés d'un orifice arrondi de 2 cm environ au centre de la sphère interne. On les place sur le mamelon, retenus par le soutien-gorge.

- but : recueillir le lait qui coule, et provoquer passivement des flux d'éjection ;

- mauvaise utilisation : croire qu'ils peuvent donner une forme plus normale au bout de sein ; les laisser en place pendant des semaines sous prétexte que le lait déborde ;

- bonnes utilisations : recueillir le lait qui coule d'un sein quand le bébé tète de l'autre côté, pour le conserver au congélateur, ou le donner à un lactarium ; faire couler les seins, même entre les tétées, pour prévenir un engorgement.

● *Les protège-mamelons en silicone*

Ce sont des sortes de « chapeaux », perforés qui se plaquent sur le bout de sein.

- but : faire écran entre le bout de sein et la bouche du bébé ;

- mauvaise utilisation : croire qu'ils facilitent la prise du bout de sein par le bébé — en fait celui-ci saisit parfois le silicone, mais l'aréole derrière n'est pas stimulée et le mamelon ne se met pas en érection. — Quant à la bonne odeur d'aréole pour motiver le bébé, elle est totalement masquée. Leur utilisation pendant des semaines est une aberration ;

- bonne utilisation : exceptionnelle ! Lors d'une ou deux tétées, faire écran pour diminuer la douleur d'une crevasse lorsque ni le changement de position du bébé, ni les antalgiques donnés à la mère ne semblent suffire.

● *Les tire-lait*

Il en existe de multiples modèles.

- leur but, malgré le nom qu'ils portent, est de provoquer des flux d'éjection et non de «tirer», pomper passivement le lait;

- mauvaise utilisation : chercher à tirer, aspirer puissamment sur le bout de sein, au risque d'entraîner douleurs et déchirures cutanées qui bloqueraient toute éjection;

- bonne utilisation : appliquer sur le sein de façon assez étanche (éventuellement en l'humidifiant) puis chercher l'allongement minimal de l'aréole et le rythme idéal pour «leurrer l'hypothalamus» et provoquer des flux;

- indications bien précises : initier et entretenir une lactation lorsque le bébé ne peut s'en charger (prématuré, enfant transféré, exceptionnellement enfant trop endormi ou incompétent); provoquer volontairement un flux entre deux tétées pour recueillir du lait à offrir au lactarium le plus proche. Il s'agit là d'un geste d'entraide, tout aussi important que le don du sang ou le don d'organes pour sauver des vies humaines. Les prématurés et certains bébés très malades en ont absolument besoin.

— La surveillance quotidienne des seins pendant les premiers jours d'un allaitement est indispensable pour prévenir et dépister à temps les petites complications de démarrage. Il ne s'agit pas seulement de demander rapidement du pied du lit à la jeune mère si tout va bien. L'examen précis des seins est important : surveillance de l'apparition d'une tension mammaire douloureuse, état des mamelons. Si l'on intervient à temps, au premier signe douloureux, tout rentre dans l'ordre très vite.

● *La prévention des crevasses* est simple. J'en ai déjà cité un certain nombre de données :

- ne pas décaper le mamelon avec des produits antiseptiques forts;

- se laver les mains avant chaque tétée ;

- faire téter l'enfant en très bonne position pour qu'il saisisse bien toute l'aréole du sein. Ainsi, les forces de traction s'exercent régulièrement sur une large surface, et le bout du mamelon risque moins de se fissurer ;

- après la tétée, sécher très soigneusement le mamelon avec une compresse propre. L'idéal serait de laisser les seins à l'air, et même si possible au soleil. Le soleil est un merveilleux cicatrisant. Toutes les femmes qui vivent nues au soleil n'ont presque jamais de crevasses. Un autre moyen de bien sécher le mamelon, à défaut de soleil, est l'air chaud soufflé (par un sèche-cheveux par exemple). Le mamelon sèche en profondeur, et macère donc très peu (mais attention : trop dessécher fragilise) ;

- éviter le frottement du mamelon sur un soutien-gorge dur, en fibres synthétiques, ou sur des vêtements râpeux. Éventuellement, les premiers temps, intercaler entre le soutien-gorge et le sein une compresse douce... qui sera changée dès que le sein coule un peu, afin que les mamelons restent toujours au sec.

• Mais si les crevasses apparaissent quand même, quel va être le *traitement* ? C'est d'abord et avant tout de modifier radicalement la position du bébé pour que les zones d'étirement de l'aréole se trouvent inversées. Si la maman a très mal, après avoir calmé la douleur avec des antalgiques, provoquer des flux par massage manuel de l'aréole. Celui-ci s'effectue en arrière de la zone fissurée et doit donc être rigoureusement indolore. Le tire-lait sera évité car beaucoup plus traumatisant. *Enduire la crevasse avec le lait récolté est le meilleur geste qui soit : ce lait est stérile, bourré d'éléments de défense contre les infections, et d'hormones de multiplication cellulaire et de cicatrisation. Que rêver de mieux ?*

On peut aussi, pour limiter la douleur et hâter la cicatrisation, utiliser un certain nombre de pommades cicatrisantes. Les meilleures sont peut-être celles à base de vitamines A et E qui, par ailleurs, ne présentent aucune toxicité pour le bébé. Chaque maternité, chaque médecin a ses habitudes. Pourquoi ne pas s'y référer?

● L'engorgement douloureux des seins est très fréquent au moment des premières montées laiteuses, donc pendant les cinq ou six premiers jours après l'accouchement. Il est essentiel et facile de l'éviter aussi bien pour garantir une bonne lactation que pour préserver l'avenir esthétique des seins des jeunes femmes. En effet, ce sont les variations brutales de volume des seins avec tension exagérée qui sont à l'origine des vergetures et lésions du tissu sous-cutané qui laisseront des cicatrices indélébiles.

Une femme qui allaite doit avoir des seins comme pendant sa grossesse, un peu gonflés, mais ni très tendus, ni durs, ni douloureux, et cela à aucun moment de la mise en route de sa lactation.

Comment faire? Là encore, j'en ai déjà parlé :

- *mises au sein fréquentes*, régulières, pendant les premiers jours, et mère paisible, détendue, font les neuf dixièmes de la prévention. Les tétées de nuit sont indispensables, surtout les deuxième et troisième nuits, au moment de la chute de la progestérone. En effet, la prolactine est sécrétée dans la première partie de la nuit, pendant les phases de sommeil lent profond, et ses taux élevés favorisent l'engorgement. Faire téter le bébé, ou provoquer des flux au moment des taux élevés, c'est limiter la congestion vasculaire ;

- *provoquer manuellement des flux* quand les seins deviennent tendus, aussi souvent que nécessaire pour obtenir un assouplissement et une indolorisation totale. Ce geste très simple, mais encore en 1993 inconnu de la plupart des services de maternité a été décrit récemment par une élève sage-femme de l'école de Poissy. Il consiste à saisir l'aréole entre les doigts, loin en arrière à la limite de la zone pigmentée, puis doucement, lentement, calmement, effectuer des mouvements progressifs d'étirement et de pression, simulant ce que fait le bébé avec sa bouche. Les doigts ne doivent toucher que l'aréole, jamais appuyer sur le mamelon, ce qui bloquerait l'écoulement. Appuyer plus en arrière sur le sein ne devrait plus jamais se voir. Effectué dans un climat de détente et d'intimité, ce geste est remarquablement efficace. Il est indolore, plutôt agréable même. La maman qui voit son lait gicler en abondance a sous les yeux une merveilleuse démonstration de ce que savent produire ses seins, et la preuve que son bébé ne manquera jamais de rien[1].

Lorsque cette tétée manuelle est un peu difficile, un excellent moyen de la favoriser est de l'exécuter sous une douche chaude. La pression douce exercée par le jet et la chaleur de l'eau ont une action immédiate et prolongée permettant de vider les seins sans douleur et totalement. Ces douches peuvent être renouvelées sans aucun danger aussi souvent que nécessaire dans la journée.

Je veux préciser, de plus, que ces douches ne sont pas contre-indiquées en cas de suture périnéale (épisiotomie ou périnéotomie) dont elles ne gênent en rien la cicatrisation. Il serait souhaitable que toutes les maternités de France possèdent l'équipement sanitaire permettant ces douches régulières, d'ailleurs utiles à l'hygiène élémentaire des femmes hospitalisées!

- *favoriser une détente complète de la maman.* Le Dr Lammi, pédiatre finlandais, préconise des séances lentes et calmes de relaxation. La mère est étendue, son bébé dans les bras. Elle le berce, le sent. On lui conseille

1. Un film pédagogique remarquable illustrant cette technique a été tourné à l'école de sages-femmes de Poissy, Ile-de-France (tél. 39 79 51 11). Il s'intitule : «Le massage aréolaire... comme une tétée manuelle».

ensuite d'imaginer ce qui se passe dans son corps, l'activité de l'hypophyse avec la sécrétion des deux hormones, prolactine et ocytocine. Le thérapeute raconte l'action de la prolactine, les acini qui se remplissent de lait, puis l'action de l'ocytocine qui fait contracter les acini, et donc couler le lait. Avec des mots doux, très progressifs, lentement suggérés, un peu sensuels, il recrée dans l'imagination de la jeune mère la physiologie de la lactation. Si la mère se relaxe totalement, le lait se met à couler spontanément ou arrive abondamment dès que l'on met le bébé au sein. Ce procédé me paraît excellent et devrait être largement utilisé en milieu hospitalier. Après son retour à domicile, une jeune femme peut obtenir un résultat similaire en prenant un bon bain chaud, paisible, en rêvant à son bébé.

- enfin, *porter un bon soutien-gorge*. Si les seins ne sont pas soutenus, un certain nombre de canaux lactifères sont comprimés, écrasés, et ne peuvent se vider correctement. D'où engorgement localisé.

Ces moyens tout simples permettent de faire disparaître les engorgements énormes et douloureux, si fréquents dans un allaitement mal conduit. Il est tout à fait possible de supprimer l'utilisation du tire-lait, instrument douloureux et traumatisant, autant pour les bouts de seins que pour le moral des femmes.

● Si, malgré toutes ces précautions, un *engorgement vrai* se constitue, *quels sont les moyens médicaux utiles?*

Dans tout engorgement douloureux, il y a deux éléments : une stase mécanique et un phénomène d'œdème réactionnel qui aggrave la stase. D'où un véritable cercle vicieux.

Comment le rompre?

- *en calmant la douleur* : tant que la mère souffre, les flux seront nuls ou de mauvaise qualité ;

- *en créant un climat de réassurance et de détente* absolu. L'engorgement n'est qu'un incident transitoire qui va disparaître en quelques heures. Les techniques de yoga, de sophrologie, de détente, expérimentées pour l'accouchement ont ici toute leur place ;

- en donnant, si les signes sont importants, des anti-inflammatoires, locaux ou par voie générale, en prenant garde à une éventuelle toxicité pour l'enfant par leur passage dans le lait. Efficace et peu toxique, le plus simple de tous est l'aspirine ;

- en apaisant le bébé pour que ses cris et ses pleurs ne s'ajoutent pas à la panique de sa mère ;

- quand ces quatre points sont réalisés, et alors seulement, en provoquant des flux, le maximum de flux, rapprochés d'une ou deux heures, avec la technique que la maman préférera : massage aréolaire, douche ou tire-lait. Chaque fois qu'il est disponible, c'est bien sûr le bébé qui devra se charger de ce «travail».

Ce qu'il faut dire et redire, c'est que l'avenir de l'allaitement maternel se joue souvent dans la première semaine. Si la lactation démarre bien, si la mère évite toute crevasse ou engorgement important, le risque de complications ultérieures est à peu près nul, et l'allaitement deviendra très vite facile, agréable, satisfaisant pour la mère et l'enfant.

C'est le rôle de tous, parents, personnel soignant des maternités, médecins, d'obtenir une qualité de soins telle que les difficultés des premiers jours soient les plus rares possible.

PETITES DIFFICULTÉS DE DÉMARRAGE

Comme toute expérience humaine, l'allaitement maternel nécessite un temps d'apprentissage, un temps de rodage pourrait-on dire. Tout n'est pas aisé d'emblée. Les petites difficultés de démarrage sont bénignes et faciles à résoudre, mais peuvent être ressenties par une jeune mère déprimée et angoissée comme de véritables drames. Trop de femmes arrêtent brutalement un allaitement dans les premiers jours parce que c'est vraiment trop difficile et douloureux. Alors qu'il suffirait d'un peu de patience, d'une présence amicale et de quelques conseils judicieux pour atteindre la phase d'équilibre où mère et enfant sont parfaitement adaptés l'un à l'autre.

Il ne faut pas rêver d'un allaitement maternel idéal d'emblée. Au début, il y a des jours où le lait déborde, d'autres où le bébé ne trouve pas son compte. Des jours où le bébé dort calmement et tète à heures régulières, et d'autres où il pleure sans trêve sans que rien, pas même le sein en permanence, n'arrive à le consoler. Il y a des jours où la mère est paisible, heureuse, d'autres où la fatigue et le manque de sommeil la laissent au bord des larmes. Il y a aussi le bébé qui tarde à comprendre comment il faut téter, et celui qui rejette de grandes quantités de lait quand on le recouche. Il y a...

Le passage brutal au biberon ne règle rien. On prive définitivement l'enfant d'une alimentation qui lui est merveilleusement adaptée et d'une relation unique pour résoudre quelques petites difficultés passagères. Comme c'est dommage!

Je voudrais trouver les mots pour expliquer, rassurer, donner aux mères envie de poursuivre sans crainte un allaitement, même si tout n'est pas idyllique. Comment convaincre que ce temps de rodage ne dure jamais longtemps, qu'il faut tenir le coup «encore quelques jours» pour atteindre le «jardin des Délices»? Ce n'est pas plus difficile que d'apprendre à marcher, par exemple. Regardez les enfants vers un an, ils hésitent, ils tombent, ils pleurent, ils essayent en riant de suivre un jouet, ils trébuchent et recommencent. Et puis, un jour, ça y est. Ils marchent et, d'un coup, savent dans leur corps, profondément. La marche est programmée depuis toujours dans leur cerveau, dans leur corps. Il a seulement fallu l'apprendre.

C'est pareil pour l'allaitement. La technique du bébé et la lactation de la mère existent au fin fond de notre code génétique... comme dans celui de tous les mammifères.

Il faut donner aux corps des femmes, aux bouches des enfants le temps de se retrouver et de parfaire un véritable équilibre.

Avec un peu de patience et un climat d'aide chaleureuse pour la mère, c'est toujours possible.

La première condition pour résoudre les petites difficultés de démarrage, c'est **d'éviter les mauvais conseils**. Ce détail, apparemment banal, n'est pas, en réalité, le plus facile à suivre. Le rituel social autour des naissances reste très fort, même de nos jours. Parents, grands-parents, amis, personnel soignant vont allègrement jouer les marraines-fées autour du berceau et accabler la nouvelle mère de prescriptions et recommandations plus ou moins sensées : «Attention, il va avoir froid. Tu ne tiens pas assez sa tête... Il mange vraiment trop ; il va être malade. Comment, tu le nourris aussi la nuit ? Mais tu vas le gâter, lui donner de mauvaises habitudes ! »

Pour tout ce qui touche à l'allaitement, j'ai envie de dire qu'il n'existe qu'une seule solution : se boucher systématiquement les oreilles. Sauf pour les phrases prononcées par une femme qui a vécu et réussi un ou des allaitements. Ce sont les seuls conseils précieux. Les autres n'ont aucune valeur. Les parents ou amis qui n'ont pas vécu l'allaitement ne peuvent colporter que des idées reçues, plus ou moins fausses et presque toujours émaillées d'échecs.

Un mari n'est pas objectif. Il participe de trop près aux émotions de la naissance et de l'allaitement. Ce qu'il peut — et c'est fondamental —, c'est apporter une présence calme, chaude et encourageante. En cela, il aide réellement sa compagne, bien davantage que s'il cherche des recettes dans un livre ou veut la conseiller «utilement».

Bien souvent, les jeunes mères qui réussissent un allaitement paisible aideront les médecins et le personnel soignant à comprendre ce «temps de vie», à mieux regarder ce qu'elles vivent avec leur bébé.

Donc, si vous connaissez une femme ou des femmes heureuses d'avoir allaité leurs bébés et de l'avoir fait longtemps, n'hésitez pas à les rencontrer, à parler avec elles. Il ne peut y avoir que des mots justes pour décrire une expérience profondément réussie. Elles connaissent nécessairement les petites difficultés de démarrage, et elles ont su les résoudre.. Il existe dans de nombreuses villes de France des groupes de femmes qui répondent bénévolement au téléphone à des mères inquiètes et se réunissent pour parler d'allaitement.

● Pour connaître le plus proche de chez vous, vous pouvez vous adresser :

- à l'association Solidarilait : par écrit, 26, boulevard Brune, 75014 Paris; téléphone général : 40 44 70 70. Un répondeur vous dira qui contacter;

- à la Leche League : par écrit, BP 18, 78260 L'Étang-la-Ville, téléphone : 39 58 45 84 (répondeur).

De nombreux groupes plus informels existent dans plusieurs villes. Les services de maternité peuvent vous en donner les coordonnées. Vous pouvez aussi chercher à la maison des associations de votre cité. S'il n'y a aucun groupe à proximité de chez vous, créez-le! Les associations ci-dessus sont très disponibles pour vous aider.

Je vais essayer de passer en revue les différentes situations difficiles, leurs causes et les moyens simples d'y remédier.

■ *Difficultés venant de l'enfant*

Le refus du sein

La difficulté la plus angoissante pour la mère, c'est l'échec de la mise au sein. C'est-à-dire un nouveau-né qui pleure, manifestement affamé, et qui pourtant refuse le sein. Soit il refuse totalement de téter, soit il n'arrive pas à attraper correctement le mamelon, soit encore il tète quelques secondes, se rejette en arrière, en hurlant, retète, crie à nouveau... Il est alors inutile d'essayer de convaincre le bébé de téter par la persuasion et encore moins, bien sûr, par la force.

Tenir un bébé trop fort, lui appuyer la tête sur le sein, c'est courir à la catastrophe. Son premier réflexe sera de se rejeter en arrière pour libérer son cou, sa tête. Et à la tétée suivante, il se souviendra d'un «danger», d'un «inconfort» lié à l'approche du sein. Très vite alors surviendra la panique mutuelle de la mère et du bébé et ce sera donc l'échec de l'allaitement.

● Comment faire?

- D'abord ne jamais mettre sur le sein de la mère de produit d'hygiène à odeur forte qui gêne le bébé dans sa reconnaissance du sein.

- Laisser l'enfant maître de ses mouvements, ne jamais lui tenir la tête fermement. Il suffit de la soutenir légèrement.

- S'il n'a pas envie de téter, le laisser contre sa mère, sans chercher à poursuivre la tétée, le laisser s'apaiser, se retrouver.

- Ne pas donner de biberons de complément... Ce serait du sabordage.

- Surtout, il faut que la mère se persuade que ce n'est pas grave. Que l'enfant ne risque rien à attendre un peu et qu'il mangera mieux un moment après quand il sera calmé. Mieux vaut réessayer tranquillement quand chacun sera en meilleure forme.

L'enfant qui tète mal

C'est fréquent pendant les tout premiers jours, surtout pour les enfants un peu prématurés ou fatigués. Si l'examen neurologique global est correct, il va apprendre et apprendre vite, il n'y a aucun souci à se faire. Au début de chaque tétée, il faut le laisser longuement sentir le mamelon, éventuellement le promener sur les lèvres pour qu'il apprenne à le reconnaître. Inutile de lui ouvrir la bouche. Il le fera tout seul et ne tardera pas à téter. Il suffit d'un peu de patience.

L'enfant plus grand peut téter moins bien par périodes: parce qu'il a moins faim, parce qu'il a surtout envie de dormir, parce qu'il est fatigué. Même si apparemment il ne mange presque pas, tant que sa courbe de poids est correcte, il n'y a pas lieu de s'inquiéter.

L'enfant qui ne mange pas assez

Trois signes peuvent faire penser qu'un enfant n'est pas assez nourri : une courbe de poids franchement inférieure à la norme — et cela pendant plusieurs jours —, ou encore un enfant qui pleure désespérément après les tétées sans pouvoir s'endormir.

La principale cause, c'est le manque de lait de la mère, soit parce que la lactation n'est pas encore franchement établie, soit parce qu'elle subit une petite diminution transitoire (après une fatigue excessive ou une émotion, par exemple). Dans ce cas, il faut compléter un peu l'alimentation. L'idéal pour faire démarrer ou redémarrer la lactation étant de donner ce lait après une tétée, et à la cuillère.

Si la courbe de poids n'est pas bonne malgré une lactation abondante et une bonne succion, il vaut mieux consulter un pédiatre pour éliminer toute cause pathologique associée.

L'enfant qui pleure beaucoup

Un bébé pleure pour des tas de raisons. Si ce n'est pas de faim, que se passe-t-il ?

La cause la plus fréquente et la plus méconnue par tous, c'est le rythme d'éveil. Quand un bébé dort peu, il a beaucoup de temps pour pleurer, étant bien incapable dans les premières semaines de vie, de passer de longs moments en éveil calme attentif. Il y a des bébés qui dorment deux fois plus que d'autres... donc des parents qui ont plus ou moins de chance. Un bébé ne choisit pas.

Souvent, il ressent un petit inconfort passager : couches mouillées qui l'irritent, petites coliques douloureuses, ou transit intestinal rapide un peu sensible.

Un nouveau-né peut pleurer d'inquiétude, parce qu'il ne sait plus où il est. Il était habitué à un milieu clos et chaud, habité de bruits réguliers. Il se retrouve dans un berceau inconnu. Le prendre dans les bras pour le rassurer, le calmer n'est pas le gâter. Il a besoin de tendresse.

Plus tard, le bébé pleure parfois d'ennui, d'envie de se promener, de changer de position. Il est bien facile de répondre à sa demande.

L'enfant qui se réveille mal

Il peut exister des enfants vraiment trop endormis, un peu hypotoniques, qui ne se réveillent pas tout seuls et dont la courbe de poids chute profondément ou reste stationnaire. C'est souvent le cas des enfants prématurés à trente-sept-trente-huit semaines. Parfois, c'est le propre d'une pathologie à rechercher. Mais c'est une éventualité rare, nécessitant l'avis d'un pédiatre.

Beaucoup plus souvent, les parents s'inquiètent, parlent d'enfant endormi devant un nouveau-né plein de santé, à courbe de poids satisfaisante, au comportement parfait. De toute évidence, il s'agit d'un enfant paisible, qui aime dormir, qui mange peu souvent, mais en prenant une ration correcte. Bien entendu, il faut respecter son rythme... et le laisser dormir.

L'enfant qui vomit

Presque tous les nouveau-nés «rejettent» un peu après les tétées, soit juste après, soit au moment où ils se réveillent pour un nouveau repas. Les petites régurgitations même répétées ont une signification banale. L'enfant a un peu trop bu et rejette le «trop-plein». Inutile d'être préoccupé.

En revanche, si les renvois sont très abondants, fréquents, et que la courbe de poids n'est pas satisfaisante, il vaut mieux le montrer à un médecin.

■ Difficultés venant de la mère

Elles sont fréquentes et passagères. Mais au moment où elles apparaissent, elles s'accompagnent d'un inconfort physique ou psychologique tel qu'il peut compromettre l'allaitement. Il faut les prendre en compte sérieusement. J'ai déjà parlé des crevasses et engorgements. Quelles sont donc les autres difficultés?

La fatigue

Autrefois, les nouvelles accouchées avaient ordre de rester au lit pendant près d'un mois, sans jamais se lever, leur bébé en permanence à côté d'elles. Il y avait nécessairement quelqu'un du voisinage ou de l'entourage pour venir tenir la maison à leur place. En ces temps-là, presque toutes les femmes allaitaient, et facilement! Il y a sûrement un lien entre le repos et la facilité à mettre en route un allaitement.

Actuellement, le séjour hospitalier n'est pas très favorable à un vrai repos : passages multiples dans les chambres, visites fréquentes, bruits dans les couloirs, pleurs des bébés. Il est beaucoup plus facile de se reposer, de dormir après le retour «à la maison». Une petite sieste par-ci, un petit bout de nuit par-là, en s'adaptant au sommeil de l'enfant.

Mais, dans presque tous les cas, les femmes, à peine rentrées chez elles, essayent de vaquer à leurs occupations, comme si rien ne s'était passé. C'est une erreur. Un accouchement fatigue, les modifications hormonales qui suivent, également. La mise en route de l'allaitement, certainement aussi.

Prendre en compte cette fatigue et aider les jeunes mères à se reposer à leur retour de maternité est un vrai problème de société. L'entraide spontanée des voisines ou des grand-mères n'existe à peu près plus dans les grandes villes. C'est une duperie de parler de promouvoir l'allaitement maternel sans soulever le problème de fatigue et d'isolement des jeunes accouchées. Il n'y aura guère d'allaitement maternel prolongé pour la majorité des femmes tant qu'un moyen d'aide efficace n'aura pas été trouvé. Inutile de se leurrer.

Et l'aide nécessaire n'est pas forcément la présence de quelqu'un pour s'occuper du bébé. Ce travail revient à la mère et au père. Ce qu'il faut, c'est libérer les femmes de leurs tâches ménagères pour qu'elles puissent, un certain temps, se consacrer à l'enfant... et aux autres enfants. Pour eux, le retour de la mère, avec un «nouveau», n'est pas toujours chose simple. Ils ont besoin d'une mère disponible.

Qui posera le problème à nos gouvernants? Et, en attendant, que faire?

Il n'y a qu'une solution : il faut que la mère se repose si elle est épuisée. Dormir les seins nus, le bébé contre elle, le laisser prendre aussi souvent que cela lui viendra est certainement le plus simple. Rattraper par quelques siestes quotidiennes les nuits hachées, écourtées est une nécessité absolue. L'erreur de trop de mères est de reprendre dès les premiers jours un rythme d'avant la grossesse. Rien de plus fatigant.

Si vraiment la maman veut dormir et ne veut plus entendre parler de ce bébé une nuit entière, il est toujours possible de faire nourrir le bébé par quelqu'un d'autre. Il est bien préférable de donner une fois un biberon à l'enfant pour que sa mère dorme une longue nuit calmement, plutôt que de rester dans un fanatique «le sein rien que le sein». Le lendemain, l'allaitement est beaucoup plus facile... et a plus de chance de pouvoir durer! Ce point aussi c'est important.

Les bouts de seins mal formés

C'est une terreur des jeunes mères... peu justifiée pourtant! Les mamelons réellement invaginés que l'enfant ne peut absolument pas téter sont exceptionnels... s'ils existent! Pour ma part, je n'en ai jamais vu après plusieurs années de travail en maternité. Un enfant affamé arrive toujours à téter. Il faut démystifier cette idée du bout du sein «mal formé» qui affole la maman, risquant de répondre trop à point à ses angoisses d'être une «mauvaise mère».

Trop souvent, on parle de mamelon mal formé, imprenable, lorsque, au troisième ou quatrième jour, la jeune mère a des seins gonflés, durs, et donc un mamelon tendu et aplati. Bien sûr, si l'on a attendu aussi longtemps pour mettre le bébé au sein pour la première fois, il va y avoir quelques difficultés... Alors qu'au moment de la naissance tout aurait été tellement plus simple!

Au moindre doute sur les «bouts de seins», il suffit de veiller à placer le bébé en très bonne position, face au sein de sa mère. Il peut très bien téter l'aréole, même si le mamelon est invaginé ou aplati. Et le simple fait de téter forme les mamelons de sa mère en quelques jours.

Je suis certaine qu'il vaut mieux éviter à tout prix les téterelles, tétines et autres intermédiaires entre la mère et l'enfant. L'enfant doit tirer très fort et se fatigue. Et rien ne forme le mamelon. Ce n'est pas la solution. Si l'enfant n'arrive vraiment pas à téter, sa mère peut l'aider en vidant un peu le sein avant la tétée et en tirant légèrement sur le mamelon avant de le lui présenter. En général, cela suffit.

Nos grand-mères connaissaient bien le meilleur remède : faire téter ces mamelons difficiles à saisir par un enfant déjà grand (deux ou trois mois, par exemple). À cet âge, il arrive toujours à téter, et sa succion forme facilement les mamelons. Il n'existe actuellement plus de femmes qui «échangent» quelques minutes leurs nourrissons au sein. C'est probablement dommage, mais les doutes sur la transmission par le lait de certaines maladies virales n'autorisent plus ces échanges.

L'hypogalactie transitoire

Le mot «hypogalactie» signifie exactement : lait insuffisant. Dans les livres de médecine, on parle d'«hypogalactie primaire» pour désigner une montée laiteuse lente à s'établir et d'«hypogalactie secondaire» pour désigner la diminution de volume du lait chez une femme qui jusque-là avait une lactation normale.

— *L'hypogalactie primaire* ne devrait pratiquement jamais se rencontrer.

● Il n'existe qu'une cause pathologique vraie empêchant totalement la lactation : la destruction de la région hypothalamo-hypophysaire où sont sécrétées les deux hormones prolactine et ocytocine. (Dans ce cas, d'ailleurs, il vaudrait mieux parler d'agalactie — absence de lait — que d'hypogalactie.) C'est une éventualité extrêmement rare et toujours déjà connue pour ses autres manifestations cliniques.

● L'hypogalactie primaire isolée, sans cause hypophysaire, n'est guère plus fréquente. Pour tous les spécialistes ayant fait des recherches dans les pays où les femmes allaitent systématiquement, l'impossibilité d'instituer une lactation correcte ne se produit que dans trois à cinq cas pour mille. C'est donc très rare.

● En France, actuellement, le taux moyen d'hypogalactie primaire est estimé à 15 % (enquête auprès des obstétriciens français, avril 1980) mais avec des variations énormes : de 3 % à 50 % suivant les services... Donc, 10 à 50 fois plus que les chiffres obtenus dans les pays à taux élevé d'allaitement. Pourquoi une telle différence ? Il semble qu'il y ait deux vraies raisons :
   - les allaitements mal conduits et en particulier les mises au sein rares et tardives, cause malheureusement trop fréquente... ;
   - le faible désir des femmes d'allaiter leur bébé. Dans de très nombreux cas, le manque de lait est prétexte à un arrêt précoce de l'allaitement au sein... Et cet arrêt soulage et satisfait pleinement la jeune mère qui avait envie d'arrêter, sans oser le dire.

— *Les hypogalacties secondaires* sont bien plus fréquentes, surtout les trois ou quatre premières semaines : une grande fatigue, une émotion, un changement de rythme de vie, un effort physique intense, un voyage, une mauvaise nuit où le bébé a beaucoup pleuré, la maladie d'un autre enfant, un mari grognon, ou même un simple petit coup de spleen et ça y est : plus de lait ou presque ! Le retour à la maison après le séjour en maternité en est un excellent exemple. Les femmes, fatiguées et un peu angoissées en rentrant, manquent souvent de lait pendant quelques jours. Dès qu'elles retrouvent leurs habitudes, leur plaisir d'être chez elles, la production de lait augmente de nouveau.

Ces hypogalacties sont aussi bénignes que fréquentes, c'est-à-dire qu'elles ne durent pas, et sont contrôlées par des moyens très simples. D'abord et avant tout, ne pas s'affoler à la moindre fluctuation. Le lait va revenir, et revenir d'autant plus vite que la jeune maman reste calme.

Pour une femme qui a profondément envie d'allaiter son bébé, le *traitement de l'hypogalactie* est simple :

— Faire téter le bébé le plus souvent possible, autant qu'il réclame, même toutes les heures si nécessaire. C'est la succion du mamelon qui stimule la montée laiteuse, je ne le répéterai jamais assez. Par ailleurs, et cela aussi a déjà été dit, moins on complète avec des biberons, et plus on garde de chances de voir la lactation se rétablir sans problèmes, puisque le bébé tète mieux.

— Veiller à provoquer de vrais flux, complets, avec du lait qui jaillit vraiment.

— Se reposer au maximum. Rester au lit, faire la sieste, laisser tomber toutes les tâches ménagères «pas tout à fait indispensables». Plus une mère travaille, moins elle peut avoir de lait (et plus il lui faut de temps pour «récupérer» de la grossesse et de la naissance!).

● Contrairement aux discours populaires, boire abondamment est illusoire pour lutter contre l'hypogalactie (autant que ne pas boire pour prévenir l'engorgement). Même si elle ne boit pas, la mère puisera dans ses propres réserves la quantité de liquide nécessaire, et après... elle aura soif. C'est aussi simple que cela! Boire à sa soif, sans se forcer, est donc la meilleure solution.

Dans la tradition populaire, la bière et le lait ont des vertus galactogènes très grandes. Qu'en penser? Même peu alcoolisée, la bière ne devrait pas être d'utilisation journalière. Elle n'est pas plus efficace sur la montée laiteuse que d'autres liquides. Je conseillerai plutôt quelques jus de fruits chaque jour, car la vitamine C qu'ils contiennent favorise une bonne lactation. Mais la meilleure boisson est sûrement l'eau, l'eau sous toutes ses formes: eau fraîche, tisanes, thé léger. Les tisanes réputées efficaces sont la bourrache, le fenouil, l'anis, le basilic et le cumin. Il n'y a aucune limite de quantité. On peut boire des litres d'eau sans aucun risque. Inutile de rationner.

— Enfin, pour rétablir sans tarder une montée laiteuse efficace, l'essentiel est peut-être de l'attendre calmement. Une mère qui s'inquiète ne sait plus comment nourrir son bébé, entre dans une sorte de cercle vicieux : peu de lait → soucis → encore moins de lait, etc., dont il est difficile de sortir. Alors qu'une mère paisible, patiente, a cent chances sur cent de voir sa lactation remonter en quelques heures ou en un à deux jours.

Il n'y a théoriquement pas d'autre traitement utile. Il existe pourtant des *médicaments pour stimuler la lactation.*

● *Le Galactogyl* est une association de trois produits simples : des *plantes* (galega, cumin, fenouil) considérées comme galactogènes, du *diphosphate tricalcique* qui aide à compenser les pertes de la mère en phosphate et en calcium, du *malt*, qui favorise le transit intestinal et aussi la lactation.

Ce médicament n'a aucune toxicité. Il peut être pris à doses régulières (trois cuillerées à soupe par jour) pendant plusieurs semaines sans aucun risque. Mais son efficacité réelle est contestable. Il agit sûrement autant comme appui psychologique que comme galactogène vrai. Mais puisqu'il est sans danger, pourquoi pas ?

● *Le Dogmatil* (ou sulpiride), en revanche, doit être refusé. C'est un médicament à action élective sur le système nerveux central végétatif. Ce produit induit parfois des écoulements de lait chez certains patients (hommes ou femmes !) en dehors de toute grossesse. C'est logique puisqu'il agit sur la dopamine cérébrale, donc sur le facteur inhibiteur de la prolactine. Mais la dopamine est un des neuromédiateurs cérébraux fondamentaux, jouant un rôle dans tout l'équilibre psychologique. Mieux vaut éviter tout traitement agissant sur le cerveau de l'enfant à cet âge où il se construit.

● *Les anxiolytiques* et sédatifs sont souvent prescrits pour permettre à la mère d'être un peu plus paisible. Ils présentent peu de risques directs, mais peuvent entraîner une somnolence de l'enfant.

Puisque leur efficacité est discutable, n'est-il pas préférable de se passer de médicaments? Une bonne technique des tétées fréquentes et un vrai repos maternel sont tellement plus efficaces! L'allaitement n'est pas une maladie... Il n'a pas besoin de médicaments!

Les seins qui débordent, qui coulent tout seuls

C'est une éventualité assez fréquente, là encore pendant les premières semaines, tant que la sécrétion d'ocytocine n'est pas bien adaptée. Un sein peut couler pendant que le bébé tète de l'autre côté. Les deux seins peuvent se mettre à couler en dehors de toute mise au sein : parce que la mère entend son bébé pleurer, en cas de variations brusques de température ou d'altitude, au moment d'une émotion, d'un rapport sexuel, ou même sans aucune cause apparente.

Il est évidemment désagréable de se retrouver en pleine réunion sérieuse avec une robe inondée, ou de se réveiller le matin dans une mare de lait... Mais ces petits désagréments ne durent généralement pas. Il n'y a rien d'autre à faire que de placer au fond du soutien-gorge un coussinet de coton pour absorber le lait qui coule. Et changer ce coussinet dès qu'il est mouillé pour éviter toute macération du mamelon, donc tout risque de crevasse. Je rappelle que le port de coupelles d'allaitement entretient au long cours des écoulements abondants, donc est le pire moyen à utiliser *en continu* pour éviter de déborder.

Si l'écoulement du lait se produit à un moment franchement inopportun, il est possible d'arrêter le jet en appuyant fortement sur le bout du mamelon. Mais ce moyen est à employer rarement car il pourrait entraîner, à la longue, des engorgements de certains canaux...

Si l'écoulement de lait est réellement très abondant et se poursuit au-delà du premier mois, un médecin peut prescrire un traitement hormonal pour diminuer cette lactation excessive. Heureusement, ce n'est qu'exceptionnellement nécessaire.

Toutes ces difficultés de démarrage, regroupées ainsi en un long chapitre, peuvent paraître constituer une série vraiment insurmontable. En réalité, il n'en est rien. Si la mise en route de l'allaitement est correcte, ces ennuis sont très passagers, et ne représentent qu'un inconfort temporaire. Avec un peu de patience, tout va rentrer dans l'ordre. Mère et enfant, heureux, détendus, bien adaptés l'un à l'autre, vont alors atteindre la phase d'équilibre, le temps du bonheur d'allaiter et d'être allaité...

CHAPITRE 7

LES PROBLÈMES MÉDICAUX DE L'ALLAITEMENT

Lésions des mamelons et des seins

Pendant toute la période d'allaitement, les seins ont une intense activité fonctionnelle. Le sang circule plus vite et plus abondamment dans les vaisseaux dilatés, le lait est sécrété en permanence. La succion du bébé entraîne des mouvements de traction, d'étirement du mamelon souvent importants. Tous ces éléments concourent à une fragilité temporaire des seins, celle-ci pouvant conduire à des troubles ou à des problèmes médicaux vrais si l'allaitement est mal conduit.

Dans l'esprit de chaque femme qui allaite traîne une sourde angoisse à l'idée d'une possible complication. Notre enfance a été bercée d'histoires d'abcès, d'infections graves, d'interventions chirurgicales, de drainages atrocement douloureux. Les conversations de square ou les bavardages inconsidérés autour des jeunes accouchées ne nous font grâce d'aucun détail. Pourtant une oreille exercée reconnaît très vite, parmi toutes ces histoires les très rares cas où il y a eu complication médicale réelle. Des centaines de femmes racontent ce qu'on leur a dit être un abcès du sein qui n'était qu'une banale lymphangite. Beaucoup trop de médecins conseillent l'arrêt immédiat et définitif de l'allaitement à la moindre rougeur ou à la moindre fièvre, dans la crainte de ne savoir repérer une difficulté réelle. Comme c'est dommage ! Ces complications existent parfois, c'est certain, mais elles sont tout à fait exceptionnelles à condition d'éviter les erreurs de démarrage et surtout les interventions médicales inadaptées lors des petites difficultés.

Il faut trouver le juste équilibre pour traiter au mieux ces complications lorsqu'elles se présentent et éviter un sevrage inutile. Ce serait trop dommage : dommage pour l'enfant qui bénéficiait sans risque d'un lait excellent, dommage pour la mère chez qui un sevrage brutal a toutes les chances d'*augmenter* les risques de complications.

Je vais donc essayer de passer en revue les différents problèmes qui peuvent se poser, et la meilleure façon de les résoudre avec l'aide d'un médecin compétent et attentif.

LES DIFFICULTÉS FRÉQUENTES

Nous les avons déjà longuement examinées dans le chapitre sur la mise en route de l'allaitement. Je voudrais juste compléter quelques points. Il y a deux difficultés de base : les crevasses du mamelon et les engorgements des sinus lactifères ou des acini (localisés ou généralisés) qui, s'ils évoluent mal, provoquent une lymphangite.

■ Les crevasses

Ce sont des *problèmes des deux ou trois premières semaines*. Une fois le mamelon habitué à la succion et en bon état, l'enfant peut téter des mois (ou des années !), et même avec des dents, sans le moindre inconvénient pour la mère. Donc, les crevasses sévères se rencontrent surtout lors des premiers allaitements et, pour les bébés suivants, le mamelon a déjà pris l'habitude.

Les crevasses sont *plus fréquentes chez les femmes à peau claire*, à cheveux roux ou blonds et dont l'aréole en fin de grossesse reste peu pigmentée. Mais même les mamelons les plus fins et les plus sensibles permettent un allaitement sans problème si le démarrage est bien conduit.

On parle de crevasses, le plus souvent, dès que le mamelon devient sensible au cours des tétées. C'est une erreur. Il y a, en fait, **plusieurs niveaux de gravité :**

— mamelon douloureux lors des tétées, mais sans aucune lésion cutanée visible. C'est banal les tout premiers jours de l'allaitement, et cela ne présente aucun risque, sinon une douleur vraie qui va disparaître au bout d'une dizaine de tétées. Il faut un peu de courage et de patience ;

— gerçures du mamelon, minuscules traînées rouges à la surface du mamelon, sensibles au frottement et lors des tétées. Un seul traitement : laisser les seins à l'air ;

— fissures radiées : ce sont de profonds sillons rouge vif divisant la surface du mamelon. Très douloureuses au moment de la succion, et même entre les tétées ;

— érosions du sommet ou de la base : ce sont des zones où le revêtement cutané a été arraché, déchiré par la succion. Au maximum, tout le mamelon peut être érodé, rouge vif, framboisé, extrêmement douloureux et saignant lors des tétées.

Les crevasses importantes ont trois inconvénients :

— une *douleur extrême*, difficile à supporter par la mère pour qui les tétées risquent de devenir source d'angoisse, de panique devant la douleur, d'où crispation, mauvaise éjection du lait, début d'engorgement, donc augmentation de la douleur, etc. Ainsi s'installe un véritable cercle vicieux qu'il faut savoir éviter ;

— des *saignements*, fréquents quand les lésions cutanées sont importantes. Ils sont très rarement visibles en dehors des tétées. Le signe le plus courant — et qui affole à tort tout le monde —, c'est de trouver du sang dans le lait régurgité par l'enfant. On croit à une maladie hémorragique de l'enfant, alors qu'il s'agit seulement de sang qu'il a bu lors d'une tétée. Tant que les saignements restent limités au temps des tétées et peu abondants, il est tout à fait possible de laisser l'enfant au sein. Le sang de la mère ne présente pour lui ni danger, ni toxicité. C'est la douleur de la mère qui doit guider la thérapeutique, pas l'allure des régurgitations du bébé ;

— la plaie cutanée des crevasses est une *porte d'entrée pour les microbes*, donc la voie éventuelle d'une complication infectieuse du sein. Toute crevasse, même débutante, devra donc s'accompagner de soins d'hygiène rigoureux pour éviter une surinfection.

Facteurs favorisant les crevasses

Je les ai déjà cités. Mais il me paraît important de les regrouper en trois groupes essentiels :

— *Mauvaise mécanique de la succion :*

- Enfant mal installé, de travers ou trop bas, pas assez de face par rapport à l'aréole.
- Enfant fragile ou trop endormi ne sachant pas placer sa langue. Celui qui pince le mamelon et tire dessus au lieu de téter correctement.

— *Macération ou dessèchement excessif du mamelon :*

- Mauvais séchage entre les tétées. Seins qui coulent, vêtements ou compresses mouillées en permanence sur le mamelon.
- Trop de séchage à air chaud.
- Seins toujours habillés, couverts, parfois avec des tissus synthétiques ou plastiques imperméables à l'air.

— *Mauvaise hygiène :*

- La première erreur, c'est de ne pas faire attention (mains non lavées de la mère ou du personnel soignant, seins jamais nettoyés).
- La deuxième erreur, peut-être encore plus fréquente, c'est de vouloir trop bien faire : l'aréole du sein est recouverte de petites glandes sécrétant un liquide lubrifiant et désinfectant. Par ailleurs, le lait lui-même, grâce à tous ses facteurs immunologiques, est un excellent antiseptique local. Il ne faut pas supprimer ces défenses naturelles, décaper le sein six à huit fois par jour avec de l'eau savonneuse ou, pis, une lotion alcoolisée. L'organisme a ses défenses naturelles. Respectons-les.

Une bonne prévention

Connaissant les causes habituelles des crevasses, il est facile d'en déduire la meilleure conduite à tenir pour les éviter. On conseillera donc :

— dans la mesure du possible, de faire «travailler» un peu le mamelon (étirement, succion...) pendant les derniers mois de la grossesse. Attendre que l'enfant ait bien faim et le faire téter en très bonne position ;

— de programmer, au début, des tétées fréquentes et de courte durée en réglant le temps sur l'apparition de la douleur et des signes cutanés. Entre les tétées, laisser les seins absolument au *sec*, et, si possible, *à l'air*. Éviter les pommades couvrantes grasses qui favorisent la macération ;

— de ne nettoyer les seins qu'avec un peu d'eau stérile avant les tétées. Prendre en revanche une bonne douche quotidienne pour l'hygiène générale de la mère. Un savonnage des seins chaque jour suffit largement. Éviter les soutiens-gorge très serrés, en fibres synthétiques, dont les frottements risquent d'érailler le mamelon.

Comment les traiter

Malgré toutes ces précautions, des crevasses peuvent apparaître pendant les premiers jours. Que faire ?

— Laisser les seins à l'air et si possible au soleil. À défaut, quelques séances de lampe à rayons ultraviolets peuvent être très utiles.

● On peut toujours tenter sans danger :

- d'appliquer quelques glaçons sur le mamelon dix minutes avant chaque tétée ; le froid est un bon anesthésiant ;

- de favoriser une bonne détente de la mère : relaxation, respiration rythmée comme pendant l'accouchement, ou toute autre solution personnelle.

— Après désinfection, recouvrir la plaie d'un fin film lipidique : lait, pommade ou pansement gras. Ne pas multiplier les essais. Un seul produit à la fois et pendant trois ou quatre jours au moins, pour pouvoir juger de son efficacité.

— Diminuer la douleur lors des tétées : il n'y a malheureusement pas beaucoup de moyens.

— Si ces moyens ne suffisent pas, il faudra mettre le mamelon au repos. Surtout, ne pas remplacer une tétée normale par un tire-lait qui aggraverait les lésions. L'idéal est de laisser le sein au repos complet, pendant six à douze heures ; pendant ce temps, le bébé tète du côté non atteint. Si le sein s'engorge, provoquer un flux par massage doux uniquement.

— Dans les cas extrêmes, on peut être amené à arrêter totalement les tétées pendant quelques jours. Il est toujours possible de tenter de nouvelles mises au sein quand le mamelon est bien cicatrisé.

● Dans quelques cas rares, les femmes peuvent présenter *des crevasses à répétition pendant plusieurs semaines, ou, au contraire, voir apparaître des crevasses et des mamelons douloureux après plusieurs semaines, ou mois, d'un allaitement sans problèmes.* Il faut rechercher une cause extérieure :

- la plus fréquente : une infection à *candida*, facilement diagnostiquée par la reconnaissance de muguet dans la bouche du bébé. Il se manifeste sous forme d'un enduit blanchâtre, en plaques, adhérant sur les faces internes des joues, des gencives et du palais. Le traitement doit être double : sur les seins de la mère et sur la bouche de l'enfant, pour arrêter l'évolution, et voir disparaître les crevasses ;

- plus rarement, d'autres problèmes cutanés chroniques de la mère peuvent être en cause : eczéma du mamelon, psoriasis, etc. Il sera alors utile de consulter un dermatologue.

■ Les engorgements

Contrairement aux crevasses, les engorgements peuvent se rencontrer à tout moment d'une lactation. Le risque est évidemment majeur pendant la première semaine, lors de la mise en route de l'allaitement. À cette période, beaucoup de facteurs interviennent pour inhiber un bon réflexe d'éjection : la fatigue, l'isolement à la maternité, une mise en route un peu difficile, l'anxiété ou l'inconfort de la mère, les mamelons douloureux, un soutien-gorge trop serré, les difficultés psychologiques pour s'adapter à un nouveau bébé, les éventuelles difficultés familiales, etc. Tous ces éléments, isolés ou imbriqués, favorisent les engorgements.

Mais il peut y avoir d'autres périodes critiques :

● Chaque fois que l'enfant tète peu ou mal, en particulier quand il est malade, s'il a mal aux dents, s'il est enrhumé, etc.

● Les périodes de retours de règles, ou même simplement après le troisième mois, quelques jours tous les mois correspondant schématiquement aux dates de menstruations inapparentes. Il semble qu'à ce moment-là, le mécanisme soit lié à une rétention d'eau et de sel excessive par l'organisme sous l'influence des modifications hormonales.

● Le sevrage, surtout s'il est précoce, trop rapide peut s'accompagner de périodes de tension mammaire douloureuse. Nous en reparlerons au chapitre 9.

● Enfin, un dernier élément mal connu : au début d'une lactation, certaines femmes présentent des engorgements douloureux des glandes mammaires *satellites*. En particulier sous les bras. On dirait de volumineux ganglions douloureux, arrondis, durs, sous une aisselle (ou les deux). Ces glandes mammaires n'ont pas de sinus lactifères débouchant dans le mamelon. Et la sécrétion du lait se tarira donc d'elle-même puisque le lait ne peut s'évacuer. En attendant, on ne peut que proposer un traitement antalgique local : compresses chaudes ou pommades anti-inflammatoires.

Comment prévenir et traiter les engorgements?

Oserai-je le redire encore une fois? Prévenir un engorgement, c'est d'abord et avant tout faire téter l'enfant le plus tôt possible après sa naissance et le faire téter aussi souvent qu'il le réclame pendant la première semaine. Si les seins sont régulièrement et bien stimulés, le risque d'engorgement est à peu près nul. Deuxième point tout aussi important : une maman paisible, détendue, heureuse et fière de donner le sein à son bébé aura un réflexe d'éjection efficace et régulier. Il est indispensable de créer un environnement tel que la mère se sente « bien dans sa peau », bien avec son bébé, chaudement entourée...

Si les seins deviennent, malgré tout, durs et douloureux, le mieux pour la mère est de rester au lit, son bébé à côté d'elle. Repos au lit, tranquillité, cataplasmes tièdes sur les seins (ou douches ou bains chauds) et tétées très fréquentes doivent régler le problème sans recours aux moyens médicaux décrits au chapitre précédent.

Il ne faut pas laisser évoluer un engorgement débutant. C'est capital. Les vaisseaux mal vidés, distendus, bloqués, présentent *trois risques vrais* à ne jamais négliger :

— Premier risque, bien sûr : la *douleur*. Un sein engorgé peut faire mal, très mal. La douleur est source de fatigue, d'épuisement psychologique. De plus, la douleur fausse la physiologie de la lactation, entretient un cercle vicieux : douleur, peur, inhibition, blocage aggravant la douleur, etc. Un allaitement bien conduit ne doit pas faire mal.

— Deuxième risque : tout engorgement vrai se caractérise par un *brutal gonflement des seins* et cette variation de volume distend trop vite les tissus cutanés de soutien, d'où vergetures, ruptures du tissu élastique, pouvant entraîner des lésions esthétiques irréversibles. Étant donné le rôle des seins dans notre civilisation, c'est un argument de poids.

— Troisième risque et c'est le plus important : un sein engorgé se surinfecte facilement. L'engorgement est la source des *complications infectieuses*. Pour peu que le mamelon gercé, crevassé, favorise l'entrée des germes, l'aggravation est imminente. Et l'aggravation, c'est le premier stade de l'infection du sein : la lymphangite.

■ *La lymphangite*

Malheureusement encore fréquentes quand la mise en route de l'allaitement est défectueuse, les lymphangites devraient devenir exceptionnelles et surtout ne devraient pas évoluer vers les infections sévères du sein. C'est un point capital.

Dans le questionnaire que j'ai adressé aux maternités de France en avril 1980, le taux moyen de lymphangite était estimé à 5 %. À la maternité de l'hôpital Sud de Grenoble, en 1978, le taux de lymphangite était de 0,3 %. Un tableau simple permet de bien montrer le parallélisme entre la fréquence des petites complications et l'évolution vers la lymphangite. (Une fois encore, ces chiffres n'ont pas de valeur statistique. Je cite ceux que je connais.)

%	Crevasses	Engorge-ments	Lymphan-gites	Abcès
Maternités de France	25 %	15 %	5 %	1 %
Maternité hôpital Sud	5,6 %	1,4 %	0,3 %	0

Quand les premières difficultés sont traitées à temps et bien traitées, le risque de complications est *minime*.

Une lymphangite, c'est une bataille rangée. Des germes dangereux ont pénétré dans le sein et l'organisme met toutes ses batteries anti-infectieuses en action pour empêcher leur installation. Leur défaite aboutirait à une infection vraie, mais le corps d'une femme en bonne santé, bien nourrie, qui gère bien son allaitement, a en lui tous les éléments pour gagner la bataille à condition de ne pas gêner les facteurs de défense !

● Les germes qui pénètrent peuvent arriver au sein par deux voies différentes :

- soit par une effraction cutanée du mamelon ou de l'aréole. Les microbes pénètrent mais seront vite «repérés» par les mécanismes de défense interne du sein ;

- soit par le sang à partir d'un foyer infectieux à distance : infection urinaire, abcès dentaire, infection utérine traînante...

Par contre, le lait maternel est tellement riche en éléments anti-infectieux qu'il est peu probable, dans des conditions normales d'hygiène, que les germes puissent remonter par les canaux galactophores, à partir des pores du mamelon. Les quelques microbes qui s'y aventureraient seraient immédiatement bloqués, et leur multiplication impossible. Le lait maternel contient souvent quelques germes, mais en très petit nombre, et sans aucun risque pour le bébé.

Les microbes dangereux sont captés par le système lymphatique du sein dans lequel ils vont être inhibés, ou détruits, par les cellules de lutte contre l'infection (polynucléaires, macrophages, lymphocytes) et par les anticorps que la mère fabrique instantanément contre eux. À ce stade, il n'y a pas d'infection dans le lait. Celui-ci reste excellent pour l'enfant. Les germes en cause sont le plus souvent des staphylocoques ; plus rarement des streptocoques, des germes pyogènes gram négatif. C'est important à savoir pour la décision du traitement ultérieur.

Comment la traiter?

Toute femme allaitant qui présente brutalement de la fièvre, une fatigue générale intense, des douleurs diffuses, doit a priori et jusqu'à preuve du contraire, être considérée comme atteinte d'une lymphangite. Bien sûr, il peut ne s'agir que d'une grippe banale... Il importe de le prouver.

Dans la majorité des cas, une lymphangite se manifeste en

outre par des signes mammaires très importants : gonflement global extrêmement douloureux d'un sein, douleur ou rougeur localisée en placard ou en traînée sur le sein, extrêmement sensible au toucher ou à la pression des vêtements. Parfois gonflement également douloureux des ganglions sous-axillaires (sous le bras) que l'on sent nettement rouler sous les doigts à l'examen.

Dans ces circonstances, il est habituel en France de conseiller l'arrêt immédiat de l'allaitement avec évacuation du lait au tire-lait, pour le jeter ensuite, de peur d'apporter une infection à l'enfant. Cette conduite n'est pas très logique :

— le lait n'est pas infecté ;

— le tire-lait n'est pas favorable à une bonne vidange du sein, donc à la diminution des symptômes.

Depuis de nombreuses années, les femmes américaines de la Leche League et leurs médecins conseillent exactement la conduite inverse :

— mettre l'enfant au sein le plus souvent possible, au moins dix à douze fois par vingt-quatre heures ;

— commencer les tétées par le côté malade. Sur le moment la tétée est très douloureuse, mais ensuite le sein dégorgé est moins sensible ;

— là encore, les principaux facteurs de guérison leur semblent être : repos au lit absolu de la mère, son bébé à côté d'elle, prêt à téter à tout moment, plus pansements ou cataplasmes humides et chauds sur le sein. Éventuellement vessie de glace pour certaines mères que le froid soulage mieux.

Normalement, les signes de lymphangite disparaissent spontanément en quelques heures. Si les signes ne s'amendent pas au bout de vingt-quatre à trente-six heures de ce traitement simple, il sera bon de consulter un médecin car il faut prévoir un traitement antibiotique de sécurité qui doit répondre à trois conditions :

— *Choisir un antibiotique a priori* efficace sur le staphylocoque, germe le plus souvent en cause. Donc, éliminer les traitements à la pénicilline ou aux ampicillines qui sont inefficaces et très dangereux, car ils favorisent la pullulation du microbe qu'ils sont censés combattre.

— *Prévoir un traitement prolongé :* au moins dix jours. Les traitements courts (cinq ou six jours) décapitent les signes cliniques, mais ne règlent pas le problème infectieux qui risque de redémarrer quelques jours ou semaines plus tard sous forme d'une complication sévère. C'est de cette manière que l'on *fabrique* les abcès du sein.

— *Laisser l'enfant au sein.* Le lait est et reste bon. Il suffit de choisir des antibiotiques qui n'ont pas de toxicité pour l'enfant.

● Certaines femmes présentent des *lymphangites à répétition*. Que faut-il en penser ?

En premier lieu, ce qui semble être deux ou trois lymphangites successives n'est en réalité le plus souvent qu'une seule atteinte qui disparaît, puis réapparaît parce que la mère n'a pas fait assez attention, n'a pas pris soin d'elle-même assez longtemps, parce que le traitement a été trop court ou mal suivi, le repos incomplet.

Si réellement les lymphangites se répètent anormalement, Mary White, une des fondatrices de la Leche League, conseille aux femmes de s'interroger pour comprendre ce qui ne va pas. Voici ses questions :

- Le bébé tète-t-il assez souvent ? (au moins dix à douze fois par vingt-quatre heures) ?
- Le bébé est-il aussi allaité la nuit ?
- Tète-t-il des deux côtés à chaque repas ?
- Ne manquez-vous pas de fer ou de vitamine ?
- Êtes-vous anémique ? Avez-vous eu une numération sanguine en cas de doute ?
- Allaitez-vous votre bébé encore plus souvent aux premiers signes d'une lymphangite ?
- Vous reposez-vous réellement, couchée dans votre lit, et pensez-vous à mettre des pansements chauds sur la région atteinte ?
- Prenez-vous de la vitamine C ? (Il semble qu'un supplément de vitamine C pendant toute la maladie et même une semaine après soit une bonne initiative.)

– Ne prenez-vous pas trop d'antibiotiques? Ils peuvent empêcher l'organisme de construire ses propres défenses immunitaires. (Nous pensons que presque *toutes les lymphangites traitées à temps peuvent se passer d'antibiothérapie.* Il est impératif, en revanche, de consulter un médecin si les signes n'ont pas disparu au bout de vingt-quatre heures.)

– Buvez-vous énormément de lait (riche en sel, ce qui peut favoriser un engorgement)?

– Êtes-vous en période de règles? Les quelques jours qui précèdent sont des moments critiques (à cause de la rétention saline).

– Êtes-vous heureuse d'allaiter et de vous occuper de votre enfant?

– Avez-vous des problèmes avec votre mari ou votre entourage au sujet de l'allaitement?

– Ne voulez-vous pas faire trop de choses : ménage, loisirs, etc.?

– Dormez-vous suffisamment? Faites-vous la sieste dans la journée? Gardez-vous votre bébé au lit avec vous la nuit pour ne pas perdre de sommeil?

– Donnez-vous des sédatifs à votre bébé? Si oui, arrêtez.

– Traitez-vous les mamelons douloureux attentivement et bien à fond?

– Avez-vous éliminé tout ce que votre bébé mange ou tète d'autre que le lait maternel? Avant six mois, les bébés n'ont besoin que du lait de leur mère. Moins ils auront d'autres aliments, mieux cela vaudra.

J'ai cité intégralement ce long questionnaire car il me paraît résumer parfaitement les principales causes de cette affection et le moyen d'y remédier.

Un dernier point à bien connaître : les lymphangites à répétition peuvent être le signe d'appel d'une infection inapparente à distance, dont les bactériémies ensemencent le tissu lymphatique mammaire. En ordre de fréquence : les abcès dentaires, les endométrites chroniques et les infections urinaires. Il est donc utile de prévoir une consultation dentaire et une consultation médicale gynéco-urologique devant toute rechute inexpliquée de lymphagite.

LES INFECTIONS SÉVÈRES DU SEIN

Si tous ces conseils sont bien suivis, les infections sévères du sein ne devraient plus se rencontrer, ou dans des cas tout à fait exceptionnels. Pourtant, elles existent, principalement lorsque les conditions de vie de la mère sont trop dures : travail épuisant, nombreux enfants, alimentation insuffisante, mauvaise hygiène générale. C'est aussi, hélas, quand les conditions socio-économiques sont les plus dures que l'allaitement maternel est le plus nécessaire à l'enfant... Comment sortir de cette impasse ?

Les infections sévères apparaissent sous deux formes successives : la phase de galactophorite et l'abcès du sein. Toutes deux ont la même signification. L'infection a franchi les barrières lymphatiques du sein et se propage dans la glande mammaire. À ce stade le lait est plein de pus, de microbes, et donc dangereux pour l'enfant. Il n'est plus question de le lui donner... au moins jusqu'à la guérison totale de sa mère.

■ *La phase de galactophorite*

Elle apparaît trois à quatre jours après le début d'une lymphangite mal traitée. La mère a un peu de fièvre (38°-38°5). Le sein malade est tendu, modérément douloureux.

Ce qui caractérise cette phase, c'est la présence de pus dans le lait. Le diagnostic en est simple (il s'appelle le signe de Budin). Si l'on recueille un peu de lait sur un coton, il est totalement absorbé, et le pus reste à la surface faisant une tache jaune verdâtre, facile à reconnaître.

Avant tout traitement, il faut identifier le germe en cause, donc prélever du lait purulent pour examen cytobactériologique et antibiogramme. C'est essentiel pour adapter les antibiotiques et donc avoir un traitement efficace. À ce stade, le traitement comprend :

— un arrêt de l'allaitement du côté atteint. Si l'autre sein n'est pas atteint, et si l'état général de la mère lui permet d'envisager de ne pas arrêter l'allaitement, il est toujours possible de faire téter le bébé sur le sein non malade, à condition bien sûr de choisir des antibiotiques qui ne lui poseront pas de problèmes. Du côté atteint, multiplier des flux d'éjection en *jetant* le lait permet une guérison beaucoup plus rapide, beaucoup plus complète qu'en bloquant la fonction mammaire ;

— bien nettoyer ou stériliser tout ce qui est en contact avec ce lait infecté (mains, tire-lait, biberons, etc.) ;

— une antibiothérapie adaptée et prolongée (au moins quinze jours) associée à des anti-inflammatoires. Il est conseillé de commencer systématiquement par un macrolide (type Rovamycine), ou par un béta-lactamine efficace sur les staphylocoques (type Bristopen). Si la disparition de tous les signes n'est pas franche et rapide (moins de quarante-huit heures), l'antibiothérapie sera nécessairement adaptée en fonction de l'antibiogramme ;

— un repos strict au lit de la mère pour l'aider à lutter contre l'infection.

Sous l'effet de ce traitement, la galactophorite guérit le plus souvent. Dans le cas contraire, on assiste à une évolution vers l'abcès du sein.

■ *L'abcès du sein*

La fièvre de la mère remonte à 39° ou 40°, les douleurs sont très vives, lancinantes, empêchent le sommeil. La mère est épuisée, très pâle. À l'examen, on perçoit, dans un sein très sensible, un noyau dur, extrêmement douloureux. La numération sanguine montre des signes d'infection grave (beaucoup de leucocytes, essentiellement des polynucléaires).

À ce stade, le traitement doit associer, dès que possible, suivant les signes cliniques :

— une antibiothérapie adaptée à l'antibiogramme et très prolongée ;

— une incision chirurgicale de l'abcès pour drainer le pus qui s'est collecté.

Parfois l'abcès, surtout lorsqu'il y a eu des traitements antibiotiques insuffisants, peut prendre une autre forme. C'est ce que l'on appelle l'abcès « froid ». La mère n'a pas, ou n'a plus, de fièvre, le sein est peu douloureux, mais on y palpe un noyau sensible, contenant quelques centimètres cubes de pus. Là encore, il faut vider l'abcès chirurgicalement. S'il est possible de bien nettoyer toute la zone infectée, il ne sera pas indispensable d'y ajouter des antibiotiques. Quand l'infection est ainsi collectée, « refroidie », ils n'ont plus grande utilité.

■ *Quelques précisions utiles*

Si l'état de fatigue de la mère le permet, et si elle a très envie de continuer à allaiter son bébé, elle peut le faire du côté non malade. À condition de multiplier les précautions d'hygiène (douches, lavages des mains, changements fréquents de linge...) pour éviter tout contact de l'enfant avec les germes de cette infection.

Une femme qui désire profondément allaiter peut reprendre l'allaitement même après un abcès du sein. Deux conditions me paraissent impératives :

— attendre au moins deux à trois semaines après la disparition de *tous* les signes cliniques ; la cicatrice doit être parfaite ;

— avoir au moins deux prélèvements bactériologiques de lait *stérile*, à huit jours d'intervalle.

Entre-temps, provoquer des flux régulièrement pour éviter une reprise évolutive à partir d'un nouvel engorgement.

> ● Un abcès du sein est un *accident*. La conséquence d'une erreur thérapeutique. Une femme qui a eu un abcès n'a aucune raison d'en avoir un autre lors d'un nouvel allaitement. Elle a toutes les chances, au

contraire, d'allaiter cette fois sans problèmes. Un antécédent d'abcès n'est pas du tout une contre-indication définitive à allaiter. La mère peut choisir librement si elle désire ou non essayer de nourrir son prochain enfant.

ALLAITEMENT ET PATHOLOGIE MAMMAIRE

C'est un sujet mal connu, sur lequel de nombreuses publications médicales essayent de faire le point. L'allaitement joue-t-il un rôle dans la prévention ou dans l'apparition des tumeurs du sein ? Une femme ayant subi des interventions chirurgicales sur un sein peut-elle encore allaiter ?

■ *Les tumeurs du sein*

Après trente ans, de nombreuses femmes présentent une *pathologie kystique des seins* : tumeur bénigne isolée ou mastose kystique étendue plus ou moins généralisée. Les signes cliniques sont connus : douleur des seins avant et pendant les règles, présence dans les seins de petites masses arrondies de la taille d'un petit pois. Dans ces cas, aucun doute, l'allaitement ne pose aucun problème et l'allaitement est *bénéfique*. Non seulement il y a moins de tumeurs bénignes chez les femmes qui allaitent leurs enfants, mais, en plus, les signes kystiques diminuent souvent au cours d'un allaitement et peuvent même disparaître, évitant à la mère un geste chirurgical toujours en suspens.

On a souvent dit que l'allaitement maternel avait un rôle préventif dans les *cancers du sein*. Un certain nombre d'études ont voulu montrer que la fréquence des cancers du sein est moindre chez les femmes qui allaitent que chez les autres. En particulier une étude curieuse faite auprès des femmes Tanka de Hong Kong qui, pour des raisons de commodité, ne donnent que le sein droit, indique que le cancer du sein, chez elles, serait nettement moins fréquent à droite...!

En réalité, on a dit, et écrit, beaucoup de choses contradictoires. Il semble ressortir des derniers travaux que le cancer du sein est plus fréquent chez les femmes qui n'ont pas eu d'enfants. Plus rare, en revanche, dans les régions où les femmes ont de nombreux enfants. Par ailleurs, dans les pays du tiers monde, la baisse spectaculaire du nombre et de la fréquence des allaitements n'a pas modifié le pourcentage de cancers du sein.

En conclusion : avoir plusieurs enfants est sûrement un bon facteur de prévention, les allaiter ou non n'aurait en revanche guère d'incidence.

Dans les semaines, ou mois, qui suivent l'arrêt d'un allaitement, certaines femmes présentent dans le sein une ou deux masses kystiques, arrondies, non douloureuses, sans aucun signe clinique ni douleur, ni signe inflammatoire, ni saignement... Ces *galactocèles* correspondent simplement à des acini ou sinus lactifères restés pleins de lait, très dilatés. Il n'y a aucun risque, aucun problème évolutif. Ces petits kystes de lait disparaissent spontanément en quelques mois. Il suffit de ne pas y toucher.

■ *Allaitement et chirurgie mammaire*

Un certain nombre de jeunes femmes ont subi avant leur grossesse des interventions sur la glande mammaire, soit pour des raisons esthétiques, soit pour soigner des kystes ou autres masses glandulaires. L'allaitement est-il encore possible?

La réponse ne peut être donnée que par le chirurgien. En principe, il y a deux questions à lui poser :

— L'intervention a-t-elle sectionné un nombre important de canaux galactophores?

— L'intervention a-t-elle détruit une large part de l'innervation de l'aréole?

Si la réponse est positive à ces questions, il y a fort à craindre que la lactation soit bloquée dès la première semaine par un engorgement irréductible (par obstruction mécanique du flux ou par absence de signal). Ne pas oublier, dans la décision de tenter ou non une lactation, le préjudice esthétique ultérieur possible d'un tel engorgement.

Si l'intervention a eu lieu plus haut, sur un quadrant de la glande mammaire, l'allaitement se déroulera le plus souvent sans aucun problème.

Les implants de silicone, glissés sous la peau pour augmenter le volume et la bonne tenue des seins par certains chirurgiens, ne gênent pas non plus la lactation. La grossesse et l'allaitement n'auront aucune incidence sur ces interventions esthétiques.

CHAPITRE **8**

LES MILLE ET UNE TÉTÉES
ou la phase d'équilibre

*Mon Bien-Aimé est pour moi un bouquet de
myrrhes qui repose entre mes seins.*

Cantique des Cantiques

Sein gauche si rose et si insolent, je t'aime
Sein droit si tendrement rosé, je t'aime
Mamelon droit couleur de champagne non
champagnisé, je t'aime
Mamelon gauche semblable à une bosse du front
d'un petit veau qui vient de naître, je t'aime.

Apollinaire, *Poèmes à Lou*

LE JARDIN DES DÉLICES

Il ne me paraît pas possible, ni opportun, de disserter longuement sur ce qui se vit entre une mère, son enfant, et le reste de la famille, lorsque tous les problèmes, toutes les difficultés passagères des premières semaines sont aplanis.

Le bonheur ne se met guère en mots. Chaque mère, chaque père va le vivre à sa manière. Il n'y a pas de modèle, pas de théorie possible. Les expériences sont multiples, uniques et irremplaçables. C'est pourquoi je laisserai dans ce chapitre la parole à un certain nombre de jeunes parents de mon entourage qui ont vécu un allaitement prolongé et heureux — témoignages tout simples d'un merveilleux moment de vie.

Après quelques semaines d'allaitement, mère et enfant atteignent une nouvelle phase. C'est le début du bonheur paisible, de la grande quiétude heureuse. La fatigue de l'accouchement et des premiers jours s'estompe. La mère est plus confiante, nourrit et baigne son bébé sans angoisse, connaît ses rythmes de faim et de sommeil. En même temps, le bébé se transforme, acquiert sa personnalité. Il devient capable de regarder, de sourire, de reconnaître. Il sait manifester son plaisir lorsque sa mère le prend dans ses bras. C'est le début des vrais échanges : échanges de regards, échanges de rires, échanges de jeux, échanges de caresses pendant les tétées. L'enfant devient très actif, joue avec le

JOSÉE : *30 ans, sage-femme, deuxième enfant ; allaitement : 14 mois.*

«Comme il m'avait semblé évident d'allaiter Emmanuel le plus tôt possible après sa naissance, il m'a paru aussi naturel de prolonger après trois mois ce qui marchait si bien et convenait à toute la famille. Chacun y trouvait son compte. Le consommateur en personne tétait avec bonheur et poussait comme une belle plante. Donc, la mère était contente, le père était content que la mère et l'enfant soient contents et le frère aîné était également satisfait puisque tout le monde était content...

Je n'avais pas du tout prévu la durée de l'allaitement, laissant au bébé le soin d'improviser au jour le jour selon ses désirs, ses besoins. Au hasard de nos repas, il a progressivement goûté, à la cuillère, des fruits écrasés, des légumes...

Vers un an, il voulait manger tout seul à la cuillère. Il était en pleine forme. Rien à voir avec ce qu'un médecin généraliste m'avait prédit (enfant capricieux, difficile à nourrir, refusant la cuillère, etc.). Il a gardé jusqu'à 14 mois la tétée du petit matin : vers 6 h 30 toute la maison sommeille, Emmanuel escalade son lit à barreaux et vient se lover contre moi, à la recherche de son repas matimal. Il tète avidement — le lait est abondant le matin — et se rendort jusqu'à l'heure du lever familial.»

FRANÇOIS : *25 ans, étudiant en agronomie ; premier enfant :*

«On a toujours pensé qu'il était aussi beau parce que NOUS l'allaitions. Je n'ai pas douté une seconde de la réussite. C'était une évidence.»

THÉRÈSE : *20 ans, deuxième enfant, allaitement encore en cours à 15 mois. Ne travaille pas, mari ouvrier.*

« Ce que j'apprécie le plus, c'est quand Pierre est là, avec moi, quand je nourris Élodie. J'ai l'impression que nous allaitons ensemble, tant son regard est rempli de tendresse et d'amour. Pouvoir vivre intensément et merveilleusement ce plaisir que l'homme n'a pas, m'a procuré un certain équilibre. J'apprécie mieux mon corps de femme et ses privilèges. Si je refais un jour un autre enfant, ça sera pour le plaisir de l'allaiter. »

GÉRARD : *25 ans, deuxième enfant, directeur commercial.*

« L'allaitement, c'est l'harmonie, l'harmonie parce que l'évidence, parce que la simplicité, parce que la liberté, parce que je voyais l'enfant s'épanouir. Je n'arrive pas à cerner où l'allaitement pourrait être un problème pour moi. »

GERMAINE : *80 ans, 9 enfants, tous allaités 1 an. Ne travaillait pas ; mari industriel...*

« J'ai eu neuf enfants et je les ai tous allaités pendant un an environ. L'allaitement, c'était merveilleux, un moment très doux. J'aimais ce temps seule à seul avec le bébé. Parfois, je disais que le bébé avait besoin de silence et de tranquillité pour téter. Je montais dans ma chambre, fermais la porte à clé, prenais un bon livre... J'allais m'asseoir confortablement, le bébé tétant à côté de moi. Et je vivais un long moment paisible, heureuse dans mon corps, heureuse d'être libérée un temps des charges de la maison. Je n'aurais jamais pu être aussi tranquille avec un biberon à préparer et à réchauffer. D'ailleurs, j'ai toujours pensé très fort qu'en allaitant mes enfants je leur « fabriquais une santé », qu'ils ne pourraient pas être malades grâce à moi. »

ÉLISABETH : *30 ans, ouvrière, 3 enfants tous allaités. Le troisième a 1 an, en cours d'allaitement.*

«Florence est arrivée et tout de suite elle a tété. J'ai les bouts de seins ombiliqués, ce qui fait qu'au début c'est drôlement difficile. Trois semaines de crevasses et d'engorgements. Heureusement qu'il y a des barreaux au lit, et le moral...!

En premier, en dernier et partout, le bébé et le plaisir réciproque qu'on se donne. C'est très sexuel et c'est mieux que ça, sans arrière-pensée, sans retenue et sans raison. C'est merveilleux d'avoir ce petit bout à soi, tout chaud dans les bras, qui tète bien sûr, ce qui est très agréable, mais qui se pelotonne et s'abandonne aux caresses et au plaisir, qui de ses mains grattouille le côté du dos, tire les poils, pince la peau du sein et du mamelon ; qui règle son propre désir à sa façon d'empoigner le sein à pleine bouche et à pleines mains.

J'aime me déshabiller devant elle et me voir appréciée... C'est tellement différent des hommes qui te déshabillent. Elle prend du plaisir à me toucher, à me sentir, et je prends du plaisir à être découverte centimètre carré par centimètre carré... à la voir se remplir de moi.

Ce qui est chouette, c'est qu'en grandissant, de goulue et gourmande elle est devenue gourmette, et qu'en me voyant, elle sait exactement le plaisir qui l'attend, et elle sait comment elle pourra le moduler et en tirer le maximum.

C'est une relation très, très forte, mais en même temps, comme moi, ça ne l'empêche pas de vivre sa vie. Je trouve même qu'elle a bien passé le cap des huit mois.»

ALAIN : *30 ans, ouvrier, premier enfant.*

«Chaque matin, je me levais au premier cri de Guillaume et le portais contre Martine. Il se mettait à téter sans même se réveiller, et moi, je les caressais tous les deux, la mère et l'enfant. C'était un grand moment de tendresse à nous trois... Ce qui ne m'empêchait pas de le voir évoluer sans vouloir le garder à l'état de bébé.»

sein, le prend, le laisse, le reprend, s'amuse des paroles de sa mère et gazouille pour y répondre. Il découvre le reste de la famille, appelle son père ou ses frères et sœurs, relève la tête pour regarder son univers. Il cherche à attraper les jouets colorés qu'on lui présente. Dans le bain, il tape des pieds et des mains pour arroser son entourage. Tout son éveil n'est qu'un jeu, une recherche douce de plaisir. S'il a été nourri réellement à la demande pendant les premières semaines, il n'a plus peur de manquer. Au plus profond de lui-même, il sait que sa mère comble ses désirs et ses besoins. Du coup les appels de faim ne sont plus des hurlements de détresse angoissée, mais de simples avertissements souvent joyeux et patients. Il n'a guère besoin de pleurer, toutes ses journées chantent la joie de vivre : vocalises, gazouillements, sourires, mimes des gestes de l'entourage. L'enfant **aime** de façon immense, infinie. Pourquoi ne parle-t-on que d'amour maternel ? Dans cet échange, il y a au moins trois amours : la mère, le père et l'enfant.

Un minimum de connaissances

Je voudrais brièvement, dans les pages qui suivent, répondre aux quelques questions qui peuvent se poser pendant cette période, dire ce qui est normal, ce qui est médicalement possible, tant pour la mère que pour l'enfant. Là encore, traditions, habitudes, recettes médicales et nécessité vraie sont allègrement confondues, formant un vaste halo «technique» plus ou moins exact. Essayons de préciser les points importants.

■ *Le nourrisson qui va bien*

Il est facile de reconnaître au premier coup d'œil un bébé en bonne santé et bien nourri.

Il est tout rose, les lèvres bien colorées. Il dort calmement au moins deux à trois heures entre les tétées. Quand il se réveille, il est tonique, ouvre grand les yeux, tient bien sa tête et son dos, hurle vigoureusement si on le dérange, mais se calme très vite quand on le caresse, quand on lui parle doucement. Les deux premiers mois, il est le plus souvent «en flexion», c'est-à-dire bras et jambes pliés, poings fermés, dos arrondi. Petit à petit, il détend ses membres, apprend à les étaler, et, au contraire, à mieux tenir son dos, sa tête. Il apprend à sourire, à gazouiller, puis à rire.

Rythme et horaire des tétées

Dans la diététique traditionnelle, un nourrisson à terme est nourri à heures fixes, six fois par vingt-quatre heures, avec un jeûne nocturne prolongé (neuf heures environ). On le passe à cinq repas lorsqu'il atteint 5 kg, et à quatre repas à 7 kg environ.

Une telle rigueur n'a aucun sens. En allaitant à la demande, le rythme spontané moyen des enfants est très différent. Au début, la majorité des nouveau-nés réclament six à huit repas par vingt-quatre heures, et très peu d'entre eux ne demandent pas de tétées la nuit. Ils restent au même rythme pendant six à huit semaines, puis, brutalement, et presque du jour au lendemain, ils passent à quatre repas et dorment douze heures d'affilée.

Sur le problème des tétées de nuit, les passions se déchaînent. Les partisans d'une éducation «ferme» sont formels : «Pas de repas la nuit, sinon l'enfant va s'habituer!»

Mais au juste, s'habituer à quoi? À réclamer à manger lorsqu'il a faim? Je n'arrive pas à trouver cela anormal. En revanche, le laisser crier pendant des heures pour le déshabituer d'avoir faim ne lui apprend rien... et me paraît bien inhumain!

Toutes les études sérieuses sont concordantes. À trois mois, les enfants nourris à la demande dorment aussi bien, aussi long-temps que les enfants soumis à une discipline sévère. Répondre à la demande d'un tout-petit, l'assurer qu'il ne manquera de rien, n'est pas, ne peut pas être, le gâter. Sa personnalité se construit au tout début sur la sécurité. Pas sur les brimades.

L'horaire des tétées de jour est, lui aussi, très irrégulier pen-dant les premières semaines. Certains enfants réclament à inter-valles réguliers, toutes les trois heures ou toutes les quatre heures. Mais un certain nombre d'entre eux s'installent différemment.

Par exemple : trois tétées rapprochées le matin (toutes les heures environ), six à sept heures de sommeil paisible, trois ou quatre tétées rapprochées le soir et de nouveau six à sept heures de sommeil pendant la nuit.

Pourquoi pas ? Si la courbe de poids est bonne, il n'y a aucune raison d'imposer un autre horaire. Seules, la fatigue de la mère ou les difficultés d'organisation matérielle constituent des arguments valables « contre ». L'enfant qui mange quand il le désire ne risque rien.

Un dernier point important. Si un bébé ayant suivi un horaire régulier se met à pleurer très souvent, plus de huit à dix fois par jour, la première question à se poser est : « N'a-t-il pas trop chaud ? » La toute première raison, bien plus fréquente par exemple que la diminution du lait de sa mère, c'est la soif. Nos bébés français sont, en moyenne, beaucoup trop couverts : brassière de laine, pantalons chauds, couvertures pliées en quatre même l'été, ou dans une chambre trop chauffée. Le seul moyen dont dispose un enfant pour lutter contre la chaleur est de réclamer à boire très souvent... Sinon, il risque de se déshydrater. Il en a absolument besoin — et très souvent — s'il est trop habillé. Bien sûr l'idéal est d'apprendre aux mères (... et aux grand-mères !) qu'un enfant n'a nul besoin de tant de lainages et qu'il n'a pas à être plus habillé que les adultes qui l'entourent. Ce n'est guère facile à faire admettre...

Durée des tétées

Elle peut être éminemment variable. Beaucoup de mères s'inquiètent parce que l'enfant tète quelques minutes et s'endort calmement ensuite. Trois chercheurs américains (A. Lucas, P. J. Lucas et J. D. Baum) ont démontré qu'en réalité l'enfant absorbe la plus grande part de sa ration de lait en quelques instants : 50 % dans les deux premières minutes ; 80 à 90 % dans les quatre premières minutes. Une tétée courte, de quatre ou cinq minutes, peut donc être tout à fait satisfaisante du point de vue nutritif. Si l'enfant dort, laissons-le dormir.

La majorité des enfants préfèrent rester au sein beaucoup plus longuement, souvent vingt ou trente minutes. Ils y trouvent alors, non seulement un peu de lait, mais l'immense plaisir de sucer, de téter librement, de jouir du corps de leur mère. Si celle-ci est bien installée, paisible, a tout son temps pour répondre à la demande de l'enfant, pourquoi vouloir leur imposer, à l'un et à l'autre, un temps de bonheur limité? L'enfant pourrait virtuellement rester au sein vingt-quatre heures sur vingt-quatre sans aucun risque pour lui. Il ne peut ni se « dilater l'estomac », ni craindre diarrhée grave, troubles du sommeil, troubles psychologiques ou autres maux d'origine faussement médicale.

C'est à la mère, et à elle seule, de décider librement du temps qu'elle peut, et veut, passer avec l'enfant au moment des tétées. Il semble, d'ailleurs, qu'il existe un parallélisme précis entre la durée des tétées et les coliques douloureuses des tout-petits : les enfants de moins de trois mois pleurent souvent le soir, à la tombée de la nuit, semblent avoir mal au ventre. Ils se calment si on les berce, si on leur caresse le ventre doucement ou s'ils éliminent quelques gaz. Ces troubles digestifs minimes, appelés coliques par les grand-mères, sont beaucoup plus rares et modérés si l'enfant peut téter à sa guise... (d'où, d'ailleurs, l'invention fort contestable de la sucette !). Ne vaut-il pas mieux leur offrir le sein, aussi souvent que la mère peut être disponible ?

Courbe de poids des premiers mois

On ne devrait plus voir, dans chaque chambre de nourrisson, un énorme pèse-bébé qui trône sur la table, rappelant à la mère la nécessité impérieuse de chiffres et de poids...

Si l'enfant va bien... et je l'ai déjà dit, cela se voit, il est absolument inutile de le peser chaque jour. Une fois par semaine pendant le premier mois, puis une à deux fois par mois, c'est largement suffisant.

Une mère qui doute de la quantité de lait absorbée par l'enfant n'apprendra rien en pesant les tétées. Si l'enfant semble avoir faim, la seule technique possible est de le remettre au sein plus souvent. En réalité, dès la fin du premier mois, une pesée par mois, lors de l'examen médical systématique de l'enfant, est bien suffisante.

● Quels sont les chiffres normaux de prise de poids d'un enfant?

- Pendant les trois premiers mois, l'enfant prend en moyenne 500 à 1 000 g par mois (soit 125 à 240 g par semaine).

- À partir du quatrième mois, la courbe fléchit et la prise de poids n'est plus que de 300 à 600 g par mois, jusque vers six mois. Au-delà, l'augmentation de poids devient plus lente.

Il existe dans les premières pages des carnets de santé, remis aux parents à la naissance de chaque enfant, des courbes comparées de poids, taille et périmètre crânien. Il est très simple d'y dessiner, mois après mois, l'évolution pondérale de l'enfant. Inutile d'en faire plus.

Ces courbes sont des courbes moyennes :

— Un enfant peut demeurer à la limite inférieure de la normale, en étant en parfaite santé. C'est fréquemment le cas des enfants au sein, jugés souvent «menus». Pourquoi menus? Parce qu'on les compare aux gros bébés nourris au lait de vache (trop riche pour eux), ou bourrés de farines. Une seule chose est certaine : les gros enfants ne sont pas les enfants en meilleure santé. Il y a en particulier beaucoup moins de pathologie respiratoire (bronchites, pneumopathies...) chez les enfants menus que chez les gros bébés.

— Si la courbe de poids d'un enfant paraît excessive, trop verticale, le premier geste à faire est de la comparer à la courbe de taille. S'il grandit aussi vite qu'il grossit (donc, si les deux courbes sont grossièrement parallèles), il n'est sûrement pas obèse. Il s'agit seulement d'un enfant à croissance rapide... Rien là que de normal. J'ai vu conseiller des «régimes amaigrissants» pour des enfants magnifiques et réellement minces, parce qu'ils étaient trop lourds (en les comparant à des chiffres théoriques). En réalité, le médecin ou la puéricultrice avait oublié de les regarder, et de s'apercevoir qu'ils n'étaient pas gros, mais grands, donc plus lourds que la moyenne de leur âge. C'était pourtant une évidence!

Un dernier point essentiel : les enfants nourris au sein et à la demande ne sont pas, ne risquent pas de devenir obèses. Le lait maternel, même absorbé en grandes quantités, n'apporte pas à l'enfant des calories excessives qui lui constitueraient des réserves graisseuses importantes. Sauf cas pathologiques rarissimes, les enfants obèses sont les enfants mal nourris (laits trop riches et farines) et surtout les enfants que l'on force à terminer leur ration. Les nourrissons au sein règlent très bien leur appétit sur leurs besoins... et ne cherchent pas à devenir énormes !

Vaccinations chez l'enfant au sein

Quand un enfant est nourri par sa mère, faut-il le vacciner ? Peut-on le faire normalement ? C'est une question essentielle et pourtant mal connue.

Nous l'avons vu, le lait de la mère est riche en immunoglobulines mais celles-ci restent dans l'intestin du bébé (peinture d'anticorps) et ne le protègent que des infections digestives ou à porte d'entrée intestinale. L'enfant n'est donc pas armé contre la plupart des maladies que l'on cherche à lui éviter : tuberculose — diphtérie — tétanos — coqueluche — rougeole. Il est donc préférable de ne pas retarder ces différentes vaccinations.

Le problème est différent pour le vaccin antipoliomyélitique. Il existe sous deux formes : une forme injectable (associé au DT ou au DTCOQ) et une forme buvable. Dans la forme buvable, le virus polio atténué est vivant. Il sera détruit dans l'intestin de l'enfant par les anticorps du lait de sa mère (si elle est elle-même vaccinée ou immunisée, bien sûr) et la vaccination sera inefficace, ou beaucoup moins efficace.

Donc, si un nourrisson est allaité par sa mère, il vaut mieux : soit faire le vaccin « polio » sous forme injectable, soit retarder la vaccination buccale jusqu'à la fin de l'allaitement. De toute façon, la poliomyélite étant une maladie à porte d'entrée digestive, le lait d'une femme vaccinée protège son enfant.

L'enfant qui a des dents

Je ne sais quels mythes et fantasmes ont imposé dans de multiples civilisations le sevrage brutal des enfants dont les dents apparaissent. Il est vrai que cette apparition correspond à une certaine maturité générale et digestive. L'enfant peut commencer à goûter d'autres aliments, à s'en nourrir. Mais il n'y a aucune urgence, aucune raison impérative de le sevrer. Il peut très bien continuer à téter... et pendant de longs mois. En plus, cela ne pose aucun problème pour sa mère. Un mamelon qui a «servi» régulièrement pendant quatre à six mois est très résistant, ne souffre pas du tout de «morsures», ne risque pas d'être blessé gravement. Il n'y a pas de craintes à avoir. Les premières dents à pousser sont presque toujours les incisives médianes de la mâchoire inférieure (les dents du bas !). En tétant, l'enfant avance sa langue, pour tirer le mamelon entre sa gencive supérieure en haut, et sa langue en bas. Les premières dents ne sont donc nullement au contact du mamelon.

Aucun enfant, dans aucune histoire crédible, n'a jamais «dévoré» le sein de sa mère. Oublions les contes fantastiques et leurs rêves de mutilation. Ils n'ont rien à voir avec la réalité !

Pour conclure ces quelques points, on peut en dégager une notion absolument fondamentale. Allaiter un bébé, c'est *simple*, extrêmement simple. Inutile de se préoccuper d'heure, de poids, d'âge, de maladies possibles. Tout est simple, la sécurité est totale. L'enfant bénéficie de la meilleure nourriture qui soit au monde pour lui ; il jouit de la présence de sa mère, de sa tendresse. Harmonie parfaite qui peut durer aussi longtemps qu'ils le désirent l'un et l'autre...

■ *La mère qui va bien*

Pour la mère, la phase d'équilibre correspond à la période d'automatisme mammaire. Le sein fonctionne de façon autonome, fabrique du lait au moment où l'enfant tète, et juste la quantité désirée. Le corps de la mère retrouve peu à peu son équilibre hormonal d'avant la grossesse. Ovulation et retour de couches deviennent possibles.

Quelles sont les différentes questions qui peuvent se poser ?

Nutrition de la mère

L'alimentation d'une femme qui allaite ne pose aucun problème. Il est inutile d'en parler longuement. Il suffit que son régime soit riche en protéines (viandes, œufs, poissons), en laitages, en fruits et légumes frais. Il n'y a aucune contre-indication absolue. Certains légumes (chou — ail — asperges) donnent une saveur un peu forte au lait pendant quelques heures, mais n'est-ce pas le meilleur moyen d'habituer l'enfant en douceur aux goûts de ses futurs aliments? Contrairement à ce qui se dit et s'écrit, je ne crois absolument pas que des troubles digestifs de l'enfant puissent être rattachés à la nourriture de sa mère. Par exemple qu'un enfant aura la diarrhée si sa mère mange trop d'oranges, ou sera constipé si elle mange du chocolat...! Il n'y a aucun lien direct. Que la mère mange ce qui lui fait plaisir, sans excès, et tout ira pour le mieux.

Une seule précaution : éviter l'alcool et les excitants (thé, café) à fortes doses. Là encore, seul l'excès est dangereux. Un verre de vin au cours du repas et un café après sont tout à fait compatibles avec un excellent allaitement.

Dernier détail : pour fabriquer du lait, il faut de l'eau, beaucoup d'eau. Une femme qui allaite doit boire chaque fois qu'elle a soif. C'est la seule nécessité de son régime. Il n'y a aucune limite de quantité. Et il n'y a pas lieu de se forcer.

La mère peut-elle s'absenter?

Une des grandes craintes des jeunes femmes concernant l'allaitement maternel est de devenir prisonnière de l'enfant, de ne plus pouvoir sortir librement. Cette crainte est totalement injustifiée. Dès que la lactation est bien établie, régulière, il est tout à fait possible de moduler les tétées de façon très souple.

Par exemple, une jeune femme qui désire s'absenter une journée peut la veille et avant de partir, tirer son lait, remplir deux ou trois biberons. Ceux-ci se conservent très bien dans le freezer d'un réfrigérateur pendant vingt-quatre à trente-six heures. Si la quantité de lait n'est pas suffisante, il n'y a aucun risque à compléter par quelques biberons de lait en poudre.

Savez-vous que certaines femmes tirent régulièrement un peu de leur lait qu'elles conservent au congélateur ? Elles disposent ainsi d'un stock de lait maternel dont l'enfant peut bénéficier si sa mère doit s'absenter ou a envie de partir en voyage quelques jours. Si la congélation du lait est bien faite, c'est sûrement là un très bon moyen.

À ce stade, normalement, une femme qui ne fait pas téter son bébé pendant plusieurs jours n'a pas de problème d'engorgement, de tension anormale puisque le lait est sécrété uniquement lorsque le bébé tète. Si les seins deviennent un peu gonflés, sensibles, il est facile de les vider par pression manuelle ou avec un petit tire-lait mécanique. Il suffira, quelques jours plus tard, de refaire téter l'enfant pour voir la lactation réapparaître normalement. Un seul risque : que l'enfant ait pris goût à la tétine entre-temps et préfère clairement le biberon... Cela arrive, mais pas très souvent. Le sein est tellement plus doux...!

Allaitement, retour de couches et contraception

Première notion : *le retour de couches n'altère en rien le lait.* Il ne devient ni moins bon, ni impur, ni dangereux pour l'enfant, ni moins abondant. Tous les racontars à ce niveau sont absurdes et moyenâgeux, comme les histoires de mayonnaise qui ne veut pas monter, de vin qui se pique ou de lait qui tourne dans la crémerie quand les femmes de la maison ont leurs règles... Toutes ces aberrations circulent encore ! Oublions-les vite.

Deuxième notion : une femme allaitant son nourrisson et ne désirant pas une nouvelle grossesse rapide *ne peut se contenter de la relative protection contraceptive liée à l'allaitement.* Une vraie contraception s'impose dès le troisième mois après la naissance. Il vaut mieux ne pas attendre le retour de couches qui peut être tardif du fait de la lactation. Celui-ci, d'ailleurs, peut être précédé d'une ovulation, donc d'un risque de nouvelle grossesse (3 à 10 % des femmes allaitant sont à nouveau enceintes avant tout retour de couches). De plus, le cycle qui suit le retour de couches est toujours ovulatoire : 100 % des femmes sont fécondes dans les semaines qui suivent. Donc, il est indispensable de prévoir une méthode contraceptive au plus tard dans les cinq jours qui suivent la réapparition des règles.

• Quelle méthode contraceptive choisir? Là encore les avis divergent. Dans l'enquête que j'ai menée en avril 1980, 7 médecins sur 19 pensent qu'il n'y a aucun moyen possible : 2 sur 19 n'ont pas répondu à la question; et 3 sur 19 pensent qu'une contraception locale est seule possible. Aucun d'entre eux n'a tenu compte de l'âge de l'enfant. En revanche, 6 médecins sur 19 ont analysé la possibilité de moyens hormonaux (progestatifs en continu, ou minipilules œstroprogestatives). Un seul considère qu'il n'y a aucune incompatibilité entre les méthodes contraceptives et l'allaitement.

Un bulletin du Planning familial, rédigé par Robert Buchanan et paru en octobre 1975, a fait clairement le point sur toutes les méthodes possibles, à partir d'enquêtes multiples réalisées en particulier dans les pays en voie de développement. En voici brièvement les conclusions :

- *Les préservatifs* et autres moyens locaux sont à réserver aux deux premiers mois qui suivent la naissance, période où le risque de fécondation est très faible.

- *Les dispositifs intra-utérins* (stérilets) constituent le meilleur moyen de contraception. Ils n'altèrent en rien la lactation et semblent même l'augmenter (en quantité et en durée). Ceci pourrait résulter de la persistance d'une sécrétion d'ocytocine, liée à la stimulation mécanique de l'utérus par le stérilet. Les stérilets peuvent être insérés relativement tôt après l'accouchement (deux à six semaines). Il faut savoir que plus ils sont mis en place précocement, plus le risque de rejet est grand. Une surveillance régulière s'impose donc durant les premières semaines pour s'assurer que l'appareil est toujours en bonne place. Dans ces conditions, les échecs sont très rares (quatre femmes sur mille, au bout d'une année d'emploi, sur une statistique de 15 000 femmes).

- *Les moyens hormonaux.* La plupart des recherches effectuées ces vingt dernières années dans tous les pays du monde ont abouti aux mêmes conclusions : une contraception hormonale est possible, mais peut comporter un certain nombre d'inconvénients.

Les pilules œstroprogestatives normales entraînent assez fréquemment une diminution de la quantité de lait produite par la mère, et peut-être le lait sécrété est-il un peu moins riche (moins de protéine, de lactose, de graisse, de calcium et de phosphore). Sur ce point, il manque une étude biochimique statistique sérieuse. En revanche, le taux d'hormones retrouvé dans le lait est très faible (1 % environ), très inférieur à celui fourni à l'enfant à travers le placenta pendant toute la grossesse. Il n'y a aucune raison de penser que ces traces d'hormones aient une quelconque action défavorable sur le bébé.

Les minipilules et micropilules, très faiblement dosées en œstroprogestatifs, sont sûrement un bon moyen contraceptif pendant l'allaitement. Deux précautions : les prendre à heure très régulières et les remplacer par une pilule normalement dosée dès la fin de l'allaitement. Dans ces conditions leur efficacité est excellente.

Les hormones progestatives pures, en continu, ne semblent modifier ni la quantité, ni la qualité du lait de femme. Certaines femmes allaitent au contraire mieux et plus longtemps sous ces hormones. On peut donc les utiliser pendant toute la période d'allaitement, soit en pilule continue, soit en injections. Il n'y a aucune contre-indication pour l'enfant. Pour la mère, un inconvénient majeur est l'absence de règles vraies et la fréquence de petites hémorragies survenant à n'importe quel moment. Cet ennui est plus fréquent lorsqu'on utilise des doses importantes par voie injectable que sous pilule régulière.

Quelle que soit la méthode hormonale choisie, le meilleur moment pour démarrer la contraception est le début du troisième mois, sans attendre le retour de couches spontané. Les risques d'une nouvelle grossesse sont alors à peu près nuls.

Allaitement et «remise en forme»

Une femme qui allaite doit se reposer longuement les premières semaines pour établir une lactation abondante et correcte. C'est certain, mais cela ne veut pas dire qu'elle ne peut plus rien faire. Il est bon de prévoir, sans tarder, une reprise progressive des différentes activités sportives pour retrouver une musculature abdominale et périnéale solide. Actuellement, de nombreux médecins prescrivent des séances de gymnastique chez un kinésithérapeute dès la sortie de maternité. L'allaitement ne doit pas les faire retarder. Pour toutes les femmes, il est important de retrouver un corps agréable et musclé sans délai, ce qui est tout à fait possible, même en allaitant.

Allaitement et sexualité

La sensualité de l'allaitement, l'immense plaisir partagé entre la mère et son bébé sont des facteurs d'épanouissement, d'échanges. Pourquoi tant de pères se sentent-ils exclus, en dehors? Pourquoi tant de femmes ont-elles peur, ou honte, du lait qui ruisselle quand elles font l'amour? Pourquoi tant de civilisations ont-elles interdit la sexualité pendant toute la durée de l'allaitement?

En réalité, si l'on ne se réfugie pas derrière des tabous moraux ou des théories faussement médicales, l'allaitement constitue une partie intégrante de la sexualité des couples, et pas seulement des femmes. Toutes les caresses, tous les plaisirs sont possibles. Il n'y a pas d'interdits, pas de risques. À condition de l'accepter, de reconnaître que le nouveau corps de la jeune mère, que ses seins pleins de lait sont une nouvelle source de plaisir, de connaissance, et non une période à passer le plus vite possible.

UNE JEUNE FEMME : «*Il y a un moment angoissant, une minute de vérité, c'est la première fois où l'on refait l'amour après l'accouchement. J'avais peur, peur d'avoir mal, peur de ne plus être pareille. Nous avons vécu un mois de timidité, de pudeur, de reconnaissance de quelque chose d'inconnu. Notre plaisir, c'était autre chose qu'avant la naissance, mais c'était bien. J'ai découvert que je n'étais pas cassée, pas changée de manière négative. J'étais plus épanouie, mes hanches plus rondes. Mes seins de nourrice, tout gros, au début ça l'excitait beaucoup. Et j'étais fière, de façon presque animale, du lait qui coulait partout, qui me parlait "d'abondance", de l'abondance de notre plaisir...*»

UN JEUNE PÈRE : «*Au début, elle avait sommeil, elle était souvent fatiguée. Je la voyais heureuse pendant les tétées et j'avais l'impression que cela lui suffisait, la comblait totalement. J'avais peur que cela dure trop. Et puis, nous nous sommes retrouvés. J'aime son corps nouveau, j'aime ses seins trop sensibles qui m'amènent à inventer d'autres façons de faire l'amour. J'aime son lait... et j'aime encore plus lui donner du plaisir...!*»

■ Une mère, un nourrisson, une famille et la société

Quand on parle d'allaitement comme je le fais dans ce livre on fausse une importante réalité en plaçant mère et enfant au centre du monde, en créant un peu artificiellement un univers clos autour de leur relation. En pratique, il n'en est rien. La vie continue. Les autres frères et sœurs sont présents, participent à l'allaitement. Tout autour, le monde des amis, celui du travail, celui des loisirs interpellent sans cesse la mère et l'enfant. Allaiter un bébé, c'est aussi un acte «social».

ÉLISABETH : *Mes filles aiment que je donne à téter à Florence parce que c'est une occasion de revenir à leur âge de bébé et de parler de ce qui a pu se passer ou ne pas se passer. Elles comprennent le plaisir qu'on a quand le bébé est petit, le plaisir que nous avons eu avec elles, à l'époque. Elles ont pu goûter aussi au lait et n'avoir pas de regrets de n'être plus bébés. C'est révolu. À travers Florence, elles revivent leur propre histoire... Finalement, en allaitant Florence, je fais une sorte de prise en charge collective...*

JOSÉE : *Yann était satisfait de l'allaitement du petit frère, car cela nous a permis pendant l'été des tas de sorties en montagne qui auraient été impossibles avec des biberons. Donc, pas de dimanches enfermés et limités à cause du bébé. C'était important pour Yann resté pendant huit ans enfant unique. Parmi ses petits copains — et surtout les filles — qui assistaient à une tétée par hasard, certains, gênés, n'osaient pas regarder ou bien sortaient de la pièce en s'excusant, tout honteux d'avoir surpris une scène aussi intime. Au contraire, Yann considérait les seins, le lait, avec naturel..., sachant qu'il avait été nourri de la même façon... !*

ÉLISABETH : *J'aime pouvoir allaiter Florence dehors, au supermarché, par exemple, pour montrer qu'on peut le faire. Les femmes, avant, n'étaient pas si arriérées et avaient un sacré bon sens que j'aime retrouver, alors que tant de femmes ne pensent même pas à l'éventualité de le faire maintenant. Quand je donne le sein à la crèche avant de laisser Florence, ça l'aide à se sentir chez elle, et donc, elle n'est pas gênée par la séparation. En plus, ça peut faire des adeptes ! Je veux aussi montrer aux autres qu'on peut travailler et allaiter un bébé. Qu'en sachant se débrouiller pour ne pas se faire marcher sur les pieds, pas de problèmes ; qu'une fois démarré, ce n'est pas crevant.*

Je n'ai même jamais été aussi en forme après une grossesse et un accouchement. D'être heureuse vaut largement les prescriptions de vitamines. Ce n'est pas une question de courage. C'est idiot de dire ça. C'est au contraire une solution de facilité. La vie continue comme avant. Il ne faut pas prendre les enfants comme prétexte à son inaction.

GERMAINE : *Je ne suis jamais rentrée à la maison pour allaiter. Où que nous allions, j'emmenais le bébé avec nous. J'avais aussi toujours un foulard dans mon sac. Quand l'enfant avait faim, je mettais le foulard sur mon épaule et je mettais l'enfant au sein, n'importe où, même à la terrasse d'un café. J'étais fière et je me sentais très bien ! Un soir, je suis allée danser. Je suis rentrée à minuit pour faire téter l'enfant, puis je suis repartie danser. Mes amis s'amusaient gentiment de moi : «À danser comme ça, ce n'est pas du lait que tu vas lui donner, mais du beurre !»*

JOSÉE : *Et maintenant, que reste-t-il de ces quatorze mois d'allaitement ? De toute évidence et en premier lieu, un petit bonhomme bien campé sur ses jambes, au corps harmonieux, épanoui, et tout... Et pour nous, de beaux souvenirs... mais on ne peut guère en parler. Comme dit son père, ça se passait tellement bien qu'à la limite on n'a pas grand-chose à en dire...*

QUELQUES CAS PARTICULIERS

Dans tout ce qui précède, je n'ai évoqué que les allaitements simples d'un enfant heureux, dans une famille heureuse. Il n'en est pas toujours ainsi. Certaines femmes vont se trouver confrontées à des situations beaucoup plus difficiles, personnelles, médicales ou sociales. Essayons de les énumérer brièvement.

■ *Naissance de jumeaux ou de triplés*

Il est en théorie tout aussi facile — du strict point de vue de la lactation — d'allaiter deux ou trois enfants qu'un seul. Si les enfants sont mis au sein très régulièrement, la quantité de lait s'adapte à leurs besoins à tous, et la mère a toutes les chances d'arriver à une lactation suffisante.

Il est possible d'allaiter des jumeaux ensemble en les installant chacun d'un côté et en changeant de sein à chaque tétée. Ce n'est pas très facile, mais c'est faisable. Bien entendu, on est obligé d'imposer un horaire commun.

En revanche, les triplés ne pourront être allaités que l'un après l'autre, ou d'abord deux, puis un. Inutile de décrire le travail et le temps que cela représente pour la mère. Comme, en plus, ils sont toujours prématurés et au début ne savent pas téter, le démarrage est un véritable exploit.

En fait, le problème vrai — et il est fondamental —, c'est celui de la fatigue maternelle. Seule une femme en excellente santé, ne travaillant pas au-dehors, et pouvant se faire largement aider à domicile pendant de longs mois, peut, à mon avis, entreprendre un tel allaitement. Si toutes ces conditions ne sont pas réunies, mieux vaut ne pas risquer un épuisement rapide, préjudiciable à l'équilibre de toute la famille.

■ *Hospitalisation de l'enfant*

Si l'enfant tombe gravement malade, il a encore plus besoin du lait de sa mère que lorsqu'il était en bonne santé. Ce n'est pas le moment de le sevrer. Les parents peuvent, et doivent, exiger la poursuite de l'allaitement au sein, donc, que la mère puisse rester librement à côté de l'enfant, qu'elle puisse continuer à le nourrir. Nul ne peut le lui interdire. L'enfant en a besoin pour se rétablir, pour ne pas se sentir totalement perdu, isolé à l'hôpital. S'il n'a pas peur, s'il se sent en sécurité avec sa mère, il guérira plus vite.

Dans quelques cas très exceptionnels, l'enfant ne peut plus

être alimenté pendant quelques jours. La mère est donc amenée à tirer son lait. C'est dur, mais nécessaire. L'enfant en aura besoin dès qu'il pourra manger à nouveau. C'est le lait de sa mère qu'il supportera le mieux lors de la reprise alimentaire.

Parfois, l'enfant est hospitalisé depuis sa naissance, donc depuis de longues semaines. C'est le cas des grands prématurés, ou des enfants ayant présenté à la naissance un état de détresse sévère. Il me paraît fondamental que la mère puisse se libérer de toutes les autres charges familiales ou professionnelles pour allaiter cet enfant fragile le plus souvent possible. C'est lui donner alors la meilleure chance de survie. Au début, il est souvent indispensable de tirer le lait et de l'apporter à l'hôpital régulièrement. Mais, dès que l'enfant est assez fort pour être sorti quelques instants de sa couveuse, dès que son réflexe de succion devient énergique, sa mère pourra tenter de le mettre au sein. Quelles merveilleuses retrouvailles pour l'un et pour l'autre !

■ Hospitalisation ou maladie de la mère

Une jeune mère peut être atteinte, au cours de son allaitement, d'une affection sévère : urgence chirurgicale, maladie grave, accident parfois. Là encore, le sevrage de l'enfant n'est généralement ni urgent, ni obligatoire.

Certaines maladies infectieuses de la mère et certains médicaments posent de réels problèmes. Mais chaque cas est particulier et ne peut donc être détaillé ici. Il est possible d'en parler calmement avec le médecin traitant.

■ Nouvelle grossesse

L'apparition d'une nouvelle grossesse au cours d'un allaitement a été considérée, dans toutes les civilisations, comme une raison impérieuse de sevrage immédiat. La crainte n'est pas tant que le lait devienne mauvais et fasse tort au nourrisson ; la peur est pour l'enfant à venir : « Le premier enfant suce les pieds de celui qui est à venir », disent les vieilles femmes.

Certaines femmes essayent, au contraire, de démontrer qu'il est tout à fait possible de continuer l'allaitement pendant la grossesse, puis de nourrir ensuite les deux enfants (en faisant téter chaque fois le nouveau-né en premier).

Ce qui est indiscutable, c'est que le lait d'une femme enceinte se modifie et a une composition chimique intermédiaire entre celle du colostrum et celle du lait nature. Il est donc moins adapté à l'enfant qu'auparavant et ne peut plus constituer une alimentation exclusive équilibrée.

■ Rétablir une lactation

Une femme ayant allaité longtemps, après son retour de couches, dont les seins ont appris à fonctionner de façon autonome, a la possibilité théorique de rétablir une lactation plusieurs semaines, voire plusieurs mois après l'arrêt de l'allaitement. Certaines mères ne gardent-elles pas spontanément du lait dans leurs seins pendant des années...

Il suffit, pour relancer la lactation, d'avoir une envie immense d'allaiter un autre enfant, et d'être aidée au début par un compagnon ou des amies compréhensifs qui acceptent de «téter» chaque jour un peu longuement pour stimuler une nouvelle montée laiteuse.

Il existe à l'heure actuelle de nombreux témoignages de femmes ayant repris un allaitement soit après un sevrage précoce (par exemple, si l'enfant tombe gravement malade), soit même pour nourrir un enfant adopté. Une femme américaine raconte comment elle a nourri un enfant adopté *sept ans* après le sevrage de son premier enfant. C'est probablement possible, avec beaucoup de courage et de persévérance (et en apprenant comment compléter astucieusement la quantité de lait si elle est insuffisante!).

■ La mère qui se retrouve seule

Que dire à une jeune mère confrontée soudain à une crise aiguë : départ du compagnon, perte d'une personne chère, problème familial majeur? Il n'y a pas de recettes, pas de fausses consolations. L'allaitement, la douceur l'amour et l'intimité avec l'enfant peuvent aider à traverser cette période difficile... mais ne régleront pas le problème. Si la mère a très envie d'allaiter, elle y arrivera certainement après une période transitoire où sa lactation risque d'être un peu perturbée.

Il est possible, d'après toutes ces données, de tirer une conclusion bien étonnante, car totalement oubliée dans notre mentalité actuelle. L'allaitement est *possible*, même dans des situations difficiles ou aberrantes. *Fabriquer du lait est l'une des capacités permanentes, réelles, importantes, d'un corps de femme.* Puisque tant de femmes au monde arrivent (avec des grossesses successives) à fournir du lait pendant quinze à vingt ans de leur vie, pourquoi les jeunes femmes de France ont-elles peur de ne pas y arriver pendant un ou deux mois?

Il est temps de retrouver, de reconnaître cette formidable puissance qui est en nous... et d'apprendre à en jouir!

CHAPITRE **9**

LE SEVRAGE

Un nouveau pas vers la liberté

Les dents qui leur viennent annoncent que la nature a parlé et que leur estomac encore faible est pourtant assez fort pour digérer les aliments plus solides que le lait.

J. Ballexserd, 1762

Un mot et un moment difficiles à définir

■ *Un mot différent suivant les lieux et les époques*

● Si vous ouvrez le *Petit Larousse illustré* au mot
« sevrer », vous apprenez :

- que l'étymologie latine est le mot *separare*, ce qui
signifie séparer ;

- que le sens courant est : « cesser d'alimenter un
enfant ou un petit animal pour lui donner une
alimentation plus solide » ;

- au sens figuré, sevrer c'est *priver*, et l'exemple
donné est « sevrer quelqu'un de caresses » ;

- enfin, en horticulture, sevrer une marcotte, un greffon,
c'est « la séparer du pied mère après qu'elle a pris racine ».

Quant au *Petit Robert*, il apporte dans sa définition
deux éléments nouveaux : sevrer c'est « cesser
progressivement d'allaiter, d'alimenter **en lait**, pour
donner une nourriture plus solide ».

Dans toutes les définitions, il n'y a pas d'ambiguïté. Sevrer
un enfant, c'est l'alimenter « comme un grand », de nourritures
solides, de purée, de viande, de fruits, de fromages. C'est passer
réellement à l'alimentation diversifiée.

Pourtant, dans la tradition populaire, ce mot a pris un autre sens. Sevrer c'est arrêter l'allaitement au sein, c'est le passage précoce à l'allaitement artificiel : laits en poudre et biberons. Dans ce sens-là, le sevrage retrouve son étymologie latine : *separare*. C'est la séparation de la mère et de l'enfant.

■ *Quelle différence existe-t-il entre un sevrage précoce (avant 3 mois) et un sevrage tardif (après 6 mois ou 1 an)?*

En fonction de l'âge de l'enfant, le mot sevrage recouvre des réalités totalement différentes. Il faudrait trouver des noms pour définir ce qui se passe, soit pour un bébé de deux mois, soit pour un nourrisson de deux ans. Ce qu'ils vont vivre n'a rien de commun, ne peut en aucun cas être comparé.

Avant 3 mois, le sevrage c'est le *changement de lait*. Ce changement peut se traduire par quelques difficultés digestives temporaires. Mais si le passage est progressif, si la mère reste présente, câline, et que l'enfant continue à percevoir toute sa tendresse, sa chaleur, ce «sevrage provoqué» peut se passer de façon tranquille, presque naturelle, sans difficultés.

Après 3 mois, les bébés commencent à manifester clairement ce qu'ils aiment ou n'aiment pas, à avoir des préférences et à ne pas accepter facilement d'être dirigés. Souvent, un bébé allaité par sa mère et qui trouve près d'elle ce «jardin des Délices» dont parle G. Mendel, ne voit aucune raison d'accepter l'intrusion d'une tétine en caoutchouc au mauvais goût et à la forme inconnue ou une cuillère de légumes. D'ailleurs, sa mère ne se déshabille plus pour le nourrir. Au lieu de la douceur de sa peau, de sa chaleur, de l'odeur qu'il aime tant, il se frotte la tête, la joue sur un vêtement inconnu plus ou moins agréable au toucher, pas toujours très confortable. Comment un bébé équilibré et conscient pourrait-il ne pas manifester son désaccord devant de tels changements?
Si un bébé pleure, refuse le biberon, il donne là une preuve merveilleuse de son amour pour sa mère... et aussi de son intel-

ligence, de sa mémoire et — pourquoi pas? — tout simplement de son «bon goût».

Mais pas de craintes inutiles. Le choix d'un bébé n'est jamais irréductible et définitif. S'il est sûr d'être aimé, s'il est câliné davantage, s'il découvre d'autres temps de «corps à corps», de «peau à peau» pour être bien avec ses parents; en d'autres termes, s'il n'a pas à vivre la perte de sa mère, la séparation, mais seulement un changement d'alimentation, de lait et de tétines, il l'acceptera sans grandes difficultés en bien peu de temps. Il ne demandera qu'un tout petit peu de patience et beaucoup d'amour.

À partir de 8-9 mois, le problème est encore différent. Notre petite bonhomme, notre petite bonne femme commencent leur vie «d'explorateurs». À quatre pattes, debout, à plat ventre, ils tentent de visiter et de «goûter» le monde qui les entoure. Ils sont curieux de tout connaître, heureux des découvertes, ravis de participer mieux à la vie de toute la famille. Ils touchent à tout, mangent tout ce qui leur tombe sous la main et découvrent avec ravissement le plaisir des nouveaux repas. C'est le moment des vrais changements : repas plus solides, plus consistants, plus colorés, plus savoureux, plus différenciés. Tout est bon à goûter, à inventorier. Et spontanément, progressivement, en visitant le monde, *le petit d'homme s'éloigne, se sépare de sa mère*. Il peut très vite, en quelques semaines, arrêter de téter, prouvant clairement qu'il préfère les yaourts ou le gratin de légumes. Il peut aussi, s'il est moins entreprenant, garder encore quelques mois la sécurité de l'allaitement, tout en dévorant déjà de solides rations de légumes, viandes et desserts. À ce stade de «sevrage spontané», c'est l'enfant qui choisit calmement le moment où il a pris racine et peut se libérer de sa mère.

Cette séparation peut très bien se vivre pour l'un comme pour l'autre dans un accord profond, une plénitude, la certitude d'avoir partagé jusqu'au bout un échange exceptionnel.

On a trop parlé de sevrage en termes de privation, de rupture, de séparation. Le sevrage n'est pas un divorce. Oublions le *Petit Larousse*. Retrouvons la joie et la sagesse millénaires des anciens Hébreux. En hébreu, le mot qui signifie *sevrer* est le mot *combler*.

■ *Pourquoi les jeunes mères françaises choisissent-elles le plus souvent le «sevrage provoqué précoce»?*

Selon des statistiques de 1976, près de 55 % des femmes allaitent leur nouveau-né à la maternité, mais parmi elles 30 à 40 % le font encore à un mois, 12 % à trois mois, et il n'y a presque aucun enfant français de six mois allaité par sa mère.

Ce fait est très spécifique de notre pays. Dans une statistique américaine de la même année, près d'une femme sur deux ayant allaité à la maternité allaite encore six mois après.

Pourquoi de tels chiffres : nécessité ou coutume? Cet arrêt rapide des allaitements est en fait lié à toute une évolution historique et socioculturelle de notre siècle.

● Au cours de la guerre de 1914-1918, pour remplacer tous les jeunes hommes morts dans les tranchées, les femmes ont commencé à travailler en grand nombre en usine. Pour que leur maternité ne pèse pas sur le marché du travail, de nombreuses campagnes d'information ont essayé de démontrer qu'il était tout à fait possible, et justifié, de nourrir les nouveau-nés au lait de vache, et qu'il convenait de les «sevrer» dès les premières minutes.

● Parallèlement, pendant les premières décennies du XXe siècle, deux grands changements de mentalité sont survenus :

- l'apparition des *mouvements féministes* qui, dans les revendications d'émancipation et de libération, ont rejeté dans un premier temps les charges de la maternité et milité pour l'abolition de l'allaitement ;

- *l'évolution de la médecine* qui, en quelques années, a été très grande. Connaissances scientifiques et nouvelles théories ont envahi les facultés et écoles dans le but de diminuer la mortalité infantile encore majeure à cette époque. Du même coup, les médecins — hommes! — s'intéressent à la grossesse et au nouveau-né, domaines jusque-là réservés aux «bonnes femmes». Et les nouveaux spécialistes, obstétriciens et pédiatres, rejettent violemment les traditions et habitudes des sages-femmes et des médecins de famille.

● Dès le début du siècle, les pédiatres américains, à la suite de Emmet Holt, se mettent à prôner «l'élevage scientifique» des nouveau-nés et des nourrissons : les laisser dans leur lit, ne pas bercer, horaires fixes, rations fixes, mères rigides. Il convient d'être efficace et non plus d'aimer pour être une «bonne mère». C'est le début de la crainte morbide des microbes, des bonnes courbes de poids théoriques imposées comme normes pour tous les nouveau-nés, des hôpitaux inhumains où les enfants se laissent dépérir de solitude et de manque de tendresse. Tout vaut mieux que de laisser mères et enfants libres au risque de se «gâter» mutuellement.

Et bien sûr, dans cette optique, les laits en poudre, réussite de la technique moderne, sont hautement considérés. Ils ne peuvent être que supérieurs au lait de «ces femmes pleines de microbes et qui ont parfois des abcès...!» De là, s'est créé tout un engrenage conduisant en bien peu d'années à l'oubli de l'allaitement et à la diversification précoce de l'alimentation.

Il y a indiscutablement des raisons extérieures qui ne permettent pas aux jeunes mères de choisir librement la durée de l'allaitement.

— *La reprise du travail*, après dix semaines de congé maternité, est souvent un des arguments clés. Il n'est pas toujours possible, surtout dans les grandes villes (s'il y a d'autres enfants, de longs trajets quotidiens), de concilier allaitement et travail. Beaucoup de jeunes femmes préfèrent avoir terminé le sevrage de leur bébé avant de reprendre leur travail. Et pour ne pas brusquer l'enfant, elles introduisent les premiers biberons dès 6 à 8 semaines. D'une façon générale, les femmes qui savent qu'elles vont retravailler et faire garder leur enfant commencent à sentir une *diminution de leur lactation dans les 15 jours qui précèdent.*

Il est certain que les femmes qui peuvent prolonger leur congé de maternité par leurs vacances (les enseignants par exemple) ou prendre des congés sans solde (parce qu'elles sont de milieux socialement favorisés), vivent le sevrage de façon plus sereine. Elles ne constatent pas qu'elles «n'ont plus de lait»... Elles décident du moment du sevrage : «Parce que je trouve que ça suffit!»; «Parce que j'en ai assez!»; «Parce que je voudrais faire autre chose!»

— *L'isolement des jeunes mères, la fatigue* sont très certainement des raisons fréquentes d'arrêt précoce de l'allaitement. Il est beaucoup plus facile d'allaiter longtemps si l'on est entouré d'autres femmes, d'amies, de mères ou grand-mères qui ont déjà vécu cette expérience. En plus de l'aide matérielle, celles-ci apportent, chaque jour, la possibilité de parler, de calmer des doutes, les angoisses, d'aplanir les difficultés. Dans notre pays, cette aide un peu tribale a pratiquement disparu et les jeunes mères se retrouvent seules avec leur bébé, isolées dans une société où l'allaitement est à peu près inconnu. Cesser d'allaiter, c'est imiter les autres femmes, rentrer dans la norme... et ne plus avoir peur.

● Je l'ai déjà dit, *les médecins et puéricultrices* qui connaissent mal l'allaitement prolongé, ne sauront guère conseiller une jeune mère qui aurait envie de nourrir longtemps son bébé. Leurs conseils vont très souvent dans le sens d'un sevrage précoce et d'une alimentation diversifiée rapide. Nous connaissons tous des enfants magnifiques qui ont été élevés sans problèmes et sans troubles digestifs avec les laits en poudre modernes. À coup sûr, la tentation est grande, à la première difficulté, de tout arrêter, de sevrer bébé bien vite et passer sans risque au biberon.

— La publicité sur les farines, les petits pots, est très répandue. Beaucoup de femmes (souvent poussées par le médecin) pensent que les farines sont indispensables à l'alimentation de l'enfant de 2 mois. Or, comment donner ces farines si ce n'est dans un biberon de lait artificiel?

Il y a quelques années, on prescrivait de façon systématique les «petits pots légumes-viande» à partir de 2 mois. Les femmes ont souvent l'impression qu'elles n'ont pas le droit de refuser à leur enfant les progrès de la diététique moderne, qu'allaiter exclusivement au sein, c'est retourner à des temps antérieurs où la mortalité infantile était plus importante. Elles ne se sentent donc pas rassurées, et souvent coupables...

— Mais, même si toutes les difficultés extérieures étaient aplanies, beaucoup de jeunes mères ne prolongeraient pas l'allaitement de leur bébé. Il existe donc aussi des **causes personnelles** à cette décision.

Un premier argument indiscutable est la place du *sein dans notre mentalité.*

Pour nous, la poitrine est, d'abord et avant tout, un organe érotique. Nous l'avons déjà dit. Les jeunes femmes n'acceptent pas toujours longtemps de voir leurs seins transformés en «mamelles» nourricières. Surtout si l'allaitement est vécu comme un devoir, une «sainte nécessité», et non pas comme un merveilleux plaisir réciproque de la mère et de son enfant.

● Le père joue, par ailleurs, souvent un rôle dans le sevrage. S'il n'a pas «trouvé sa place» dans la relation avec le tout-petit, il revendique (hélas trop souvent de façon enfantine et jalouse) le corps de sa femme pour lui tout seul... et impose un arrêt plus ou moins brutal de l'allaitement.

Reprenons la thèse de Françoise Julien : «L'un d'eux m'a dit : "Si vous me demandez mon avis, l'intellectuel que je suis vous dira qu'il l'a bien vécu, par contre l'amant s'est sûrement senti frustré..." Un autre : "Je me

sens complètement exclu de cette relation mère-enfant.
Ils se suffisent à eux-mêmes. Je n'ai pas de place..." Un
autre : "J'ai vécu l'allaitement comme le prolongement
de la grossesse. Ça ne me concernait pas directement.
Alors je me sentais à la fois esclave de l'enfant et
dépossédé." »

Deuxième raison évidente, *la peur de mal faire*, de faire courir
des risques à l'enfant.

● Dans notre société, nous sommes encore très
persuadés de la validité des habitudes alimentaires de
diversification précoce. Il est dur de changer les
comportements nutritionnels de tout un pays. Et encore
plus dur pour les mères de s'y opposer individuellement.
Il est vrai que l'entourage supporte mal à notre époque
une mère qui allaite longtemps.

● Peur de mal faire aussi pour l'équilibre psycho-affectif
de l'enfant. La diffusion de notions psychologiques et
psychanalytiques sommaires ou déformées sur le sevrage
a entériné la notion d'un «cap dangereux», d'une
«privation frustrante», d'une séparation mutilante pour
l'enfant. Les mères de la génération actuelle redoutent
au plus haut point ce temps de rupture, redoutent
l'affrontement avec leur enfant. Et elles préfèrent «régler
le problème» le plus tôt possible, avant que bébé ne
manifeste trop clairement ses désirs.

Dernier argument possible : *le rêve des parents d'avoir le plus
beau bébé*, le plus intelligent, le plus éveillé, le plus dodu, le plus
précoce, le plus heureux. La diversification précoce de l'alimentation est souvent exploitée comme un moyen de valoriser
l'enfant, de montrer sa supériorité. «Il fera mieux que la petite
fille de la voisine qui mangeait du jambon à quatre mois ; on lui
en donnera à trois mois à peine...»!

■ Est-il possible d'allaiter longtemps?

Il existe aujourd'hui dans le monde un grand nombre de bébés nourris au sein pendant un an et parfois même deux ou trois ans. Nous le voyons peu en France, où cette démarche est encore exceptionnelle. Ailleurs, deux grands groupes de femmes vivent et réalisent cet allaitement prolongé.

— *Les femmes du tiers monde* qui n'ont aucune autre alternative technique et économique. Nourrir longuement leur bébé, c'est lui donner la seule chance d'éviter les diarrhées graves, souvent mortelles, et surtout la seule chance d'échapper à une malnutrition protidique sévère, c'est-à-dire à la redoutable maladie de *Kwashiorkor* dont sont atteints ces enfants affamés, au visage osseux, aux bras et jambes décharnés, à l'énorme ventre gonflé, bébés qui marchent tard, se développent difficilement et meurent par centaines à la première épidémie, décimés par la tuberculose ou la moindre rougeole. Si l'alimentation diversifiée ne peut apporter que des céréales ou des légumes, cette malnutrition s'installe en moins de deux ans.

La seule façon de sauver ces enfants, c'est de leur conserver le plus longtemps possible l'excellent apport protéique du lait de leur mère. Malheureusement, celles-ci sont souvent elles-mêmes mal nourries, dénutries. Et l'allaitement prolongé aggrave leur état nutritionnel et risque d'entraîner à tout moment des carences graves.

Cette sous-nutrition des mères et de leurs enfants est la plus grande urgence sociale et politique de notre temps. L'Organisation mondiale de la santé (OMS), le 12 octobre 1979, a lancé un appel pressant aux différents gouvernements et communautés internationales pour promouvoir dans les plus brefs délais une politique mondiale permettant d'équilibrer les ressources nutritionnelles et d'améliorer les conditions de vie des 3/4 de l'humanité, en particulier celles des femmes et des jeunes enfants. Dans cet appel, *l'allaitement maternel prolongé aussi longtemps que possible et une meilleure alimentation des mères sont considérés comme la première issue valable à la malnutrition chronique et irréductible de millions d'êtres humains.*

— La situation est tout autre pour le deuxième groupe de mères. Depuis quelques années, *dans différents pays, mais en particulier aux États-Unis et dans les pays nordiques, les femmes de milieux sociaux très favorisés ont pris conscience* de leur «identité de femmes». Dans le cadre des revendications féministes, le droit à disposer et à jouir librement de leur corps, la redécouverte des plaisirs de la maternité les reconduisent directement à l'allaitement. Et très souvent, ce plaisir de nourrir l'enfant s'inscrit dans la durée. La même évolution, pour des raisons différentes, se retrouve dans les groupes écologiques des pays européens.

J'ai vu des enfants australiens, finlandais ou américains, courir et jouer dans une salle de réunion puis revenir vers leur mère, défaire eux-mêmes les boutons du corsage et la fermeture du soutien-gorge et se mettre à téter voluptueusement.

J'ai vu une petite fille de vingt mois demander avec un adorable sourire : «Encore, maman.» J'ai vu de très beaux enfants dévorer à belles dents un solide bifteck et une assiette de frites, aller trouver leur mère pour un grand câlin et une petite tétée, puis partir jouer sereinement entre eux.

Bien sûr, ces images idylliques ne doivent pas cacher la réalité. *Pour la majorité des femmes occidentales,* les conditions nécessaires ne sont pas réunies : être bien dans son corps et totalement épanouie dans sa maternité ; pouvoir être totalement disponible à un enfant sans gros soucis, ni financiers ni personnels ; se sentir soutenue, aidée par un mari, un compagnon, des amies favorables à cette merveilleuse expérience ; ne pas travailler ou avoir un métier ni trop fatigant ni trop astreignant... et puis, peut-être, tout simplement savoir que c'est possible et avoir envie de le vivre...

Néanmoins, décrire ces deux tableaux n'est pas inutile. Aux deux bouts de l'échelle sociale, pour des raisons totalement différentes et avec des mentalités également très différentes, les femmes allaitent leur bébé, et cela pendant des années. Nous avons ainsi la preuve formelle qu'il est possible :

— d'avoir du lait pendant des mois, des années, aussi longtemps que le bébé tète et que sa mère en a envie ;

— d'avoir des nourrissons, de très jeunes enfants magnifiques, nourris au lait maternel, puis progressivement sevrés sans grandes difficultés.

QUELQUES NOTIONS DE BON SENS

Première notion toute bête et pourtant difficile à définir individuellement : pour réussir un sevrage, il faut :

■ *Choisir le meilleur moment*

Il n'y a pas de «meilleur moment théorique» qui se chiffrerait en jours, en semaines ou en mois. Le meilleur moment du sevrage d'un bébé, c'est le moment choisi par ses parents, celui qui leur convient le mieux, celui qui paraît le meilleur pour eux ou pour l'enfant.

Pourquoi se laisser impressionner par les conseils plus ou moins objectifs de l'entourage ? Les réactions seront multiples : «Comment! François a trois mois et tu n'as pas encore commencé les farines. Mais il va te réveiller toutes les nuits... et puis tu sais, il ne voudra plus jamais accepter un biberon.»

Inévitable! «Comment, Anne tète encore à neuf mois. Mais vous êtes folle, elle va vous mordre... elle vous épuise. Et puis c'est indécent de l'allaiter ainsi dans un jardin public.»

Plus grave, un médecin peut être insuffisamment informé : «Mais regardez sa courbe de poids, madame, vous pourriez faire beaucoup mieux en mettant des farines tout de suite, et des légumes dans deux semaines...»

Le plus classique, une mère ou une belle-mère : «Tu sais, ma chérie, Mathilde au même âge pesait 800 g de plus. Je me demande si tu n'as pas tort de vouloir continuer à allaiter. Tu n'as pas l'impression que Lucie est quand même un peu maigre? Elle me paraît fragile!...»

Résister à un tel environnement et ne pas se laisser convaincre par cette multitude d'arguments contradictoires devient un véritable exploit. Pourtant la relation avec un bébé est unique. Elle vaut la peine de ne pas se laisser envahir.

Si une mère décide d'arrêter l'allaitement vers deux mois, qu'elle se sente tout à fait libre. Son bébé a déjà eu beaucoup de chance de bénéficier de son lait pendant ces semaines de démarrage. À quoi servirait de se forcer? Toute la famille serait moins à l'aise.

Si, en revanche, une autre mère a envie d'allaiter très longtemps, sachant que cela sera compatible avec sa vie familiale ou professionnelle, il lui faudra fermer ses oreilles aux commentaires alarmistes ou négatifs dont elle va être assaillie. Elle jouira alors calmement, aussi longtemps qu'elle le voudra, de cette merveilleuse rencontre. Un bébé grandit vite et l'allaitement n'a qu'un temps. Nul ne doit le lui gâcher.

Comme pour l'allaitement, seul un sevrage choisi librement, au moment le plus propice, peut être réussi.

Quels sont pour une femme, pour un couple, les éléments de choix de ce meilleur moment?

— En premier lieu, prévoir d'*avoir du temps*, de préférence plusieurs semaines. C'est la condition absolue pour ne pas être angoissée si le bébé refuse quelques jours son nouveau mode d'alimentation. Pour avoir le temps de le câliner, de compenser par la présence, la tendresse, les quelques difficultés, le manque qu'il va ressentir à abandonner le sein. Avec du temps, la mère n'a pas à se forcer, ni à forcer son bébé.

Quand un bébé doit être laissé en garde de longues heures, il vaut mieux, pour lui, avoir retrouvé son équilibre. Un sevrage réussi, je l'ai déjà dit, ne doit pas être synonyme de séparation, d'abandon. Il faut au bébé le temps d'apprendre les «retrouvailles», la nouvelle forme de relation avec ses parents, sa famille.

— *Est-il possible de concilier allaitement et travail ?* C'est une question importante. Reprise du travail n'est pas toujours synonyme de sevrage obligatoire. Certaines mères peuvent bénéficier d'un mi-temps pendant quelques semaines ou quelques mois. À condition d'en faire la demande assez tôt.

D'autres pourront bénéficier d'horaires souples. Nous verrons qu'une femme qui allaite a droit pour allaiter à une heure par jour de liberté sur son temps de travail. Cette disposition peut permettre de revenir dans la journée donner le sein à l'enfant, ou au contraire de rentrer chez soi plus tôt le soir.

L'allaitement, donc, est possible si les déplacements ne sont pas très longs, le travail pas trop fatigant, si la mère est aidée chez elle. Le choix est fonction de la situation de chaque famille.

— Dans toute la mesure du possible, *éviter les périodes de fatigue, de «déprime»*, les moments de mal aux seins ou de mal au dos. Un sevrage brutal n'est jamais la bonne réponse à ces difficultés. Mieux vaut se faire aider : par un compagnon, des parents, des amies, des femmes qui ont déjà connu cela, qui peuvent vous dépanner dans certaines tâches matérielles. Pourquoi avoir honte de demander de l'aide ?

Il est infiniment préférable d'attendre d'être mieux, d'avoir récupéré, d'avoir réglé les différents problèmes posés pour entamer le sevrage. Un bébé accepte d'autant mieux une nouvelle alimentation qu'il sent sa mère gaie, épanouie, et totalement détendue avec lui.

— Le meilleur moment pour chaque mère est aussi celui *où elle a envie de vivre autre chose*. Même si la relation avec un bébé est très riche, très belle, un jour ou l'autre, elle souhaite s'évader : retrouver du temps pour elle, pour se promener, pour voyager, pour se sentir libre, retrouver son corps d'avant ; envie d'abandonner le plaisir de l'enfant pour mieux retrouver son compagnon, son mari ; envie d'une autre disponibilité pour les autres enfants.

Un jour, vient l'envie de voir grandir ce «tout-petit», de le regarder évoluer, s'éveiller, s'éloigner. Il a besoin de ce regard pour grandir, pour s'épanouir. Là encore, si un bébé sent ses parents heureux, paisibles et fiers de lui, il ne voudra pas les décevoir. Et il s'émerveillera des découvertes qu'il peut faire en acceptant une nouvelle alimentation.

Ainsi, même le sevrage devient un temps de dialogue, un plaisir réciproque.

Et pour l'enfant, quel est donc le meilleur moment?

— Première évidence. *Il n'y a jamais d'indication médicale urgente de sevrer un enfant* (sauf la galactosémie congénitale, maladie héréditaire tout à fait exceptionnelle). Trop souvent encore, un médecin conseille de sevrer pour une courbe de poids limite, des difficultés à téter, un ictère traînant, une fatigabilité excessive, oubliant que le lait maternel est le meilleur pour l'enfant, sans comparaison possible avec ce que l'on apportera en échange. Si un enfant a des difficultés pour démarrer, on peut le nourrir plus souvent, tirer un peu de lait et le lui donner en complément à la cuillère ; chercher avec le médecin les causes de son ictère ou de son manque de tonus, ou de ses troubles digestifs, mais la solution n'est en aucun cas le sevrage : comment pourrait-on l'aider en remplaçant une nourriture parfaitement adaptée à son organisme par un lait artificiel dont la digestion va demander un surcroît d'énergie et de travail ? Là encore, souvent, les parents devront clairement exprimer ce qu'ils savent être bon.

— Deuxième évidence. Pour un bébé, comme pour sa mère, il vaut mieux éviter de démarrer le sevrage en période de fatigue, de maladie, ou de déséquilibre.

Le meilleur moment, c'est celui où il est en pleine forme, ni enrhumé, ni sujet à une poussée dentaire, ni même simplement maussade, grognon.

Les nourrissons, comme les adultes, ont des périodes de fatigue, de ralentissement. Vous l'avez sûrement remarqué. En quelques jours ou quelques semaines, ils font des progrès fantastiques, s'éveillent, rient, communiquent, puis, les jours suivants, ils paraissent rester sur leurs acquis, inventent moins, et parfois même oublient des mots ou des gestes qu'ils avaient appris. Il faut savoir respecter ces temps de repli, de repos (il n'est pas facile de «devenir grand»), et attendre qu'il soit à nouveau tonique et heureux, prêt à conquérir son univers.

— Certes, l'idéal c'est *d'attendre*, si c'est possible, le *moment ou bébé lui-même réclamera autre chose à manger.*

Vers l'âge de six mois, il attrape déjà parfaitement les objets et les porte à la bouche. Il va faire très vite la différence entre le jouet en plastique ou en bois et le succulent biscuit qui fond dans la bouche. Si on lui propose, dès cette période, des petits morceaux de pain, de fruit, de fromage, il commencera à les sucer, à les goûter avec délices. Petit à petit, avec l'arrivée des dents, il va prendre plaisir à mâcher, à mastiquer, à se nourrir réellement lui-même. L'enfant décide alors tout seul de délaisser le sein de temps à autre, guidé doucement par sa mère, et progressivement il diminuera son nombre de tétées. Cette diminution peut s'échelonner sur plusieurs mois (et pourquoi pas sur plusieurs années!). Même s'il mange un peu de tout, le lait de sein reste l'aliment de complément idéal.

Et quel réconfort pour lui de savoir, lorsqu'il part explorer le monde, qu'il peut à n'importe quel moment revenir vers sa mère et retrouver dans ses bras, contre sa peau, la douceur, la tendresse et le lait qu'il aime tant. S'il a cette sécurité absolue, il apprendra d'autant plus vite l'indépendance et l'autonomie.

Je pourrais résumer tous ces critères en un seul : le moment d'un sevrage doit être tout simplement un **temps de fête** : «L'enfant grandit et fut sevré et Abraham fit un grand festin le jour où l'on sevra Isaac» (Genèse, 21-8).

■ Ne pas se presser

Bébé aime téter, sa mère aime l'allaiter. Il serait dommage et dangereux de bousculer trop vite une si douce habitude.

— Souvent, la première fois où l'on présente un biberon ou une cuillerée de purée, bébé est étonné, désagréablement surpris. S'il pleure, s'il refuse de goûter, surtout **ne pas le forcer**. Le temps du repas était, et doit absolument rester, un moment de détente et de joie. Pourquoi faire un drame de son refus ? Mieux vaut le consoler, le faire rire, rire avec lui : il associera bientôt rire et nouvelle alimentation. Il aura envie d'essayer, envie de recommencer.

— *Ne pas oublier les temps de câlins*, de caresses. Il serait aberrant et dangereux de laisser bébé dans son berceau avaler tout seul un biberon calé par des oreillers. Il s'éloigne du sein, de sa mère, il a encore plus besoin de ses bras, de sa peau. Il aura besoin de jeux, de paroles, de promenades. Pourquoi, par exemple, ne pas se baigner avec lui, pour retrouver dans l'eau un autre plaisir, une autre rencontre ?

— Les *habitudes nouvelles* ne sont pas faciles à prendre. *Une à la fois suffit*. Ne jamais présenter le même jour, pour la première fois, une assiette de purée, une compote et un biberon. Bébé ne comprendrait plus rien, aurait peur et se mettrait à hurler. Pour la nourriture aussi il a besoin de s'apprivoiser. Rappelez-vous *Le Petit Prince*. Apprivoiser : « Cela signifie créer des liens... On ne connaît que les choses que l'on apprivoise... Il faut être très patient... »

En lui offrant les nourritures nouvelles, l'une après l'autre, les parents apprennent à connaître non seulement les goûts de leur enfant, mais aussi ce qui, par hasard, ne lui conviendrait guère. S'il a les fesses rouges, une éruption de boutons, une petite diarrhée, on retrouve plus facilement quel aliment peut être responsable.

— Un *bébé* tout comme un adulte *a le droit de ne pas avoir faim*. S'il se contente de quelques cuillerées de légumes et d'un peu de lait, là encore, il ne faut pas le forcer. Cela ne signifie en rien qu'il est malade, ou que le sevrage le dégoûte. Depuis sa naissance, ce qu'il mange est très variable d'un jour à l'autre, d'une tétée à l'autre. Laissons-le faire. Il sait ce qui est bon pour lui. Tant qu'il reste gai et rose, que sa courbe de poids ne descend pas, il ne risque rien.

En revanche, s'il sent ses parents inquiets, angoissés, s'il les voit prêts à dépenser une très grande énergie pour le faire manger, il pourrait bien un jour ou l'autre, quand il ne sera pas très en forme, utiliser ce moyen pour les garder auprès de lui, les retenir habilement «prisonniers». Il est essentiel d'éviter toute épreuve de force au moment des repas. L'enfant ne risque rien, il ne va ni maigrir, ni tomber malade.

Mieux vaut la tendresse du rire et du jeu que celle de «une cuillère pour papa, une cuillère pour maman...». Toute la famille s'y retrouve mieux.

— Le sevrage naturel et spontané d'un enfant déjà grand pose très peu de problèmes. Si l'enfant est en parfaite sécurité, il prendra la décision tout seul, quand il en aura envie. *Le seul écueil à éviter est de lui offrir le sein au moindre problème*, à la moindre contrariété. Donc de faire de l'allaitement un camouflage des problèmes qu'il peut avoir. À cet âge, la solution, c'est lui parler, essayer de comprendre, élargir son univers.

● Un enfant toujours seul, qui sort peu, *s'ennuie*... et, comme un adulte, cherche quelque chose à manger puisqu'il s'ennuie. Il aimerait sans doute tout autant un nouveau jeu, une promenade, une histoire ou un câlin. S'il réclame à téter trop souvent, il a peut-être envie de rencontrer plus longuement d'autres enfants, au jardin ou dans une garderie, ou de recevoir ses petits copains chez lui.

● L'enfant peut se sentir *jaloux* du temps que ses parents passent sans lui, ensemble, avec des amis, ou à lire... et demander à téter juste pour les ramener à lui, sans avoir faim. Il n'y a aucune raison de lui présenter le sein, ce n'est pas ce qu'il demande réellement. Il lui faudra apprendre que ses parents ont envie de temps avec lui, et de temps pour eux seuls. Par contre, au moment des tétées, des «temps pour lui», il a besoin d'une disponibilité totale : que ses parents lui parlent, racontent une histoire, soient très présents.

● Dans une famille l'humeur des uns retentit sur celle des autres. Plus les parents sont fatigués, tendus, impatients, plus bébé se sent *insécurisé*, isolé... et plus il réclame à manger.

Un remède : se reposer, se détendre... et tout rentre dans l'ordre.

Un *sevrage réussi*, c'est apprendre à l'enfant à *séparer nourriture et besoins émotionnels*. Combien d'adultes de notre génération se précipitent sur un gâteau, un énorme repas, ou «tètent» fébrilement une cigarette pour essayer d'oublier leurs difficultés personnelles, leurs problèmes de couple, ou leur travail? Ils n'ont sans doute jamais appris une autre sécurité. Serions-nous, tous ou presque, des «enfants au sevrage raté»?

La meilleure chance que l'on puisse donner à un enfant d'être un jour une femme ou un homme équilibré, épanoui, c'est de lui apprendre que le bonheur n'est pas la nourriture. Manger est bon, manger peut être un merveilleux moment de la vie collective et sociale. Mais le bonheur est dans la rencontre avec d'autres hommes, d'autres femmes, des vieux, des jeunes, des enfants, des amis ou des étrangers.

Le bonheur, ce n'est pas le repas : le bonheur, c'est de partager un repas avec ceux que l'on rencontre.

■ *Au cours d'un sevrage réussi, le lait maternel diminue puis disparaît spontanément*

Le corps de la mère va s'adapter progressivement à la diminution des tétées, comme il s'était adapté le premier mois à l'appétit de l'enfant. En prenant le temps, c'est-à-dire plusieurs jours entre chaque changement, il n'y a aucun problème.

Le *lait diminue* au rythme que bébé et sa mère ont choisi. Et, à l'arrêt des tétées, les seins restent souples, non douloureux.

Cela ne signifie pas que le lait disparaisse du jour au lendemain. *Il est très fréquent de garder du lait* pendant plusieurs semaines, et même plusieurs mois. Les changements hormonaux de fin d'allaitement pour retrouver l'état d'avant la grossesse sont très progressifs. Il est donc ainsi possible, nous l'avons vu au chapitre 8,

(p. 278) de rétablir une lactation même après de longues semaines d'interruption totale des tétées.

Ce lait qui reste dans les seins ne présente aucun risque, ni pour la mère ni pour l'enfant. Tout ce qui se dit sur les abcès, le lait qui «devient rance», le danger pour un enfant de téter après trois ou quatre jours (ou semaines!) d'arrêt, tout ce que l'on peut entendre n'est que balivernes. Les seins ne sont pas de quelconques bouteilles dans lesquelles le lait est stocké et risque de s'abîmer; si bébé a envie, un jour, d'une «petite dernière tétée», il n'y a pas de raison de la lui interdire.

Une fois bébé complètement sevré, *les seins vont retrouver leur taille et leur forme* d'avant la grossesse. La mère a souvent l'impression qu'ils sont devenus beaucoup plus petits et plus mous parce qu'elle les avait vus, depuis de longs mois, gonflés et fermes, modifications de la grossesse et de l'allaitement. C'est le moment de réapprendre leur vrai aspect, leur nouveau volume. En quelques semaines, si l'allaitement a été bien conduit, et en particulier si tout engorgement a été évité, ils vont retrouver leur fermeté.

Comme tous les changements physiques et hormonaux, cette période de fin de sevrage s'accompagne parfois d'un *temps de réadaptation psychologique* un peu difficile. Arrêter une relation d'amour est toujours très émouvant. La mère peut avoir l'impression de perdre son enfant, peur de le voir vivre loin d'elle et en est un peu plus vulnérable, un peu dépressive. Elle se sent inutile ou solitaire. C'est normal et ce n'est pas grave. Il est dur de quitter une relation aussi belle. Mais l'allaitement n'est pas la maternité. Il reste fort à faire...!

Que faire si la lactation ne se tarit vraiment pas? C'est-à-dire si la diminution du lait ne suit pas celle des tétées. Si les seins sont trop pleins, engorgés, douloureux?

D'abord, chercher les raisons de cette réaction. On pourrait dire, un peu schématiquement, qu'il n'y en a que deux:

— Première raison, *un sevrage trop rapide*; le corps n'a pas eu le temps de s'adapter. Il faut ralentir, attendre un peu avant de supprimer une autre tétée. Prendre le temps, le temps de son corps, et tout se passera le mieux du monde quelques jours plus tard. S'il s'agit de la dernière tétée, à la fin du sevrage, il est tout à fait facile de faire téter l'enfant un jour sur deux, puis un jour sur trois, puis beaucoup plus rarement. L'idéal est de laisser le corps, les seins, vous guider. Ils sont d'excellents juges et repères de l'évolution de la lactation.

— Deuxième raison, beaucoup plus fréquente qu'on ne l'imagine : *la mère n'a pas vraiment envie de sevrer.* Le sevrage a été entamé sans trop savoir pourquoi, la mère y a été poussée par une amie, le «qu'en dira-t-on», des arguments guère convaincants. Tellement peu convaincants qu'à chaque biberon la mère a envie de se déshabiller, de donner le sein, et rêve sans se l'avouer de ce plaisir qu'elle aime partager. Tout son corps, ses seins ressentent ce violent désir. Les seins gonflent, se durcissent, se font pleins de lait, pour aller au-devant de son rêve. Il n'est pas possible de mentir à son corps. Pour bien sevrer, il faut en avoir envie !

Si c'est nécessaire, *comment accélérer la diminution* du lait ? Il existe deux *moyens simples* et sans danger :

● Faire donner les biberons par une autre personne. Les seins de la mère réagissent moins si le bébé n'est pas contre elle pendant son repas.

● Reprendre un peu plus rapidement un certain nombre d'activités.

Pour les cas urgents, on peut faire appel aux *moyens médicaux.* Ces moyens seront différents suivant la période à laquelle est décidé le sevrage.

— S'il s'agit d'un sevrage précoce (avant 12 semaines environ), une consultation médicale s'impose. À ce stade, le traitement idéal est le Parlodel, pendant 21 jours au moins, à la dose de 2 à 3 comprimés par jour. On peut lui associer des œstrogènes *locaux* en pommade ou en gouttes pour frictionner le sein (Œstrogel ou Percutacrine œstrogénique).

— À la phase d'automatisme mammaire, les inhibiteurs de la prolactine sont inefficaces puisque le taux sanguin de cette hormone est spontanément très bas. Le seul traitement efficace... (et encore !), ce sont les œstrogènes locaux. Normalement, à ce stade, il n'y a besoin d'aucun médicament. La lactation se tarit d'elle-même quand le bébé ne tète plus.

L'origine des recettes diététiques qui remplissent nos livres de puériculture et les conseils des médecins et pédiatres français.

Un peu schématiquement, on pourrait dire que celles-ci ne sont que le résultat empirique d'une *réaction en chaîne* pour tenter de limiter les conséquences désastreuses du postulat de base : « On peut nourrir sans problème les nourrissons avec du lait de vache. »

Le lait de vache pur est toxique pour les nourrissons du fait de sa trop grande richesse en protéines et en sodium. On a donc commencé par le « couper », c'est-à-dire l'allonger de 1/3 d'eau environ. Malgré cela, la majorité des bébés présentaient des troubles digestifs, en particulier des diarrhées importantes. On a essayé d'augmenter la proportion d'eau dans le lait, mais la ration calorique devenait alors insuffisante. Les bébés hurlaient de faim, ou avalaient de gigantesques quantités de lait dilué, ce qui les faisait vomir. On a tenté *d'enrichir* ce lait dilué et on a donc inventé les farines, qui avaient deux fonctions : elles épaississaient le lait, donc limitaient les vomissements, et elles représentaient un apport calorique très important sous un faible volume absorbé. Mais ces farines, composées presque exclusivement de glucides, déséquilibraient le régime et entraînaient donc d'importants troubles digestifs :

- La majeure partie des bébés ainsi nourris étaient constipés, souffraient de coliques très douloureuses liées à une trop grande fermentation intestinale. Pour diminuer ces troubles, on *a accéléré le transit intestinal* en introduisant dans le régime des légumes et des fruits. (On a aussi malheureusement à cette période inventé le suppositoire à la glycérine et utilisé le thermomètre pour stimuler l'évacuation des selles; ces deux méthodes représentent une véritable plaie pour l'équilibre digestif, et sans doute psychologique, de nos bébés!)

- Un petit nombre de nourrissons, en revanche, présentaient au bout de quelques mois de ce régime lacto-farineux une perte de poids et une baisse de l'état général liées à une diarrhée chronique sévère. Cette maladie grave, nommée «maladie cœliaque», est une allergie du tube digestif à une protéine présente dans toutes les céréales : le gluten. Une fois cette allergie constituée, le seul traitement possible pour obtenir la survie et une croissance correcte des bébés atteints est pendant plusieurs années, un régime *strict*, sans aucune céréale, donc pas de pain, ni de biscuits, ni de pâtes... Régime très difficile à suivre dans nos familles où ces produits constituent la base de l'alimentation quotidienne. Cette allergie se constitue pendant les trois à six premiers mois. Les farines étant introduites beaucoup trop tôt. C'était là leur danger.

Poursuivons notre historique. Le lait de vache, nous l'avons vu, contient du fer, mais non le système transporteur permettant son absorption intestinale. Les bébés nourris ainsi de lait coupé, de farines et de légumes, présentaient donc souvent des anémies sévères, puisqu'ils manquaient de fer, et que le fer dans l'organisme sert à la construction de l'hémoglobine, donc entre dans la composition des globules rouges.

Pour *compenser cette anémie*, on a introduit la viande et le foie qui sont effectivement tous deux riches en fer. Sous cette forme, le fer, pour son utilisation biologique, doit être modifié (ce qui nécessite une importante consommation d'énergie et un travail d'épuration du rein). Mais il peut quand même être partiellement absorbé et métabolisé. (Ne parlons pas des conseils comme donner des épinards aux bébés pour leur apporter du fer et les rendre plus costauds...! Les épinards ne contiennent pas de fer, ou à peine quelques traces... sauf dans les dessins animés américains!)

Continuons : pour éviter les diarrhées graves des premières années, on savait, à juste titre, depuis longtemps, que le meilleur moyen d'avoir un lait stérile est de le faire bouillir soigneusement. Or on a découvert que *cette ébullition détruisait les vitamines*. D'où l'idée, très justifiée, de compenser cette disparition, et donc la prescription systématique, dès la fin du premier mois, de vitamines ou d'un complexe vitaminique. Cette prescription valait pour tous les enfants, parfois même pour ceux nourris au sein... En revanche, les doses nécessaires n'étaient pas bien définies : par exemple, pour la vitamine D, les normes variaient de 400 à 1 200 unités par jour suivant que l'on se trouvait aux États-Unis ou en France !

Je pourrais poursuivre longtemps : parler du calcium, du fluor, des oligo-éléments, etc. Ce serait inutile. Je veux seulement montrer à quel point toutes nos recettes diététiques sont empiriques et méritent d'être revues, repensées à la lumière des nouvelles données nutritionnelles et immunologiques d'abord, du désir de chacun de nos bébés ensuite. Dans ce domaine de l'alimentation, tout est à réécrire.

SEVRAGE ET CHANGEMENT DE LAIT

■ Choix du lait

Le lait est la base de l'alimentation de l'enfant jusqu'à un an.

— **Pendant les six premiers mois**, le lait seul couvre tous les apports nutritionnels de l'enfant. Bien sûr, le lait maternel est le meilleur. Mais si la mère préfère arrêter l'allaitement maternel, il est très simple de remplacer le lait maternel par un lait en poudre. Cela à trois conditions : choisir un lait le plus proche possible du lait de femme, et si possible peu allergisant ; en apporter une quantité équivalente ; garder la souplesse des rations proches de celles de l'allaitement au sein.

— **Après cinq à six mois**, le lait est toujours indispensable, malgré la diversification de l'alimentation. Il convient de conserver 500 à 700 ml de lait par jour pendant toute la première année pour maintenir un apport de lipides, de calcium et d'acide linoléique correct pour la croissance de l'enfant.

En choisissant un lait de vache, pur ou peu modifié, même avec 700 ml par jour, il manque la quantité de fer nécessaire pour éviter les petites anémies cliniques et biologiques qui sont très fréquentes au cours de la première année. En augmentant les doses, on introduit un apport de protides excessif, surtout si on apporte en même temps viande, poisson ou œufs.

L'idéal, en fonction de nos connaissances actuelles, c'est : soit maintenir, jusqu'à un an au moins, 500 à 700 ml de lait premier âge par jour en diversifiant progressivement l'alimentation et en veillant bien à compléter régulièrement l'apport de lait sous forme de yaourt, petit-suisse ou fromage ; soit proposer à partir de 5-6 mois un lait de suite (ou lait « 2 »), enrichi en fer, qui peut couvrir seul, de façon équilibrée, les besoins de l'enfant (là encore, 700 ml au moins par 24 h).

Ces données sont valables aujourd'hui en fonction des laits artificiels qui se trouvent sur le marché. Il est évident que les formules vont encore s'améliorer, s'adapter. Dans les décennies à venir, interviendront peut-être des modifications spectaculaires et les conseils diététiques sur le choix du lait seront alors à repenser entièrement en fonction des nouvelles données.

En conclusion : *Quel lait choisir ?*

Si le bébé a moins de six mois, choisir *un lait premier âge*. Quand on a déjà utilisé un de ces laits, par exemple en complément des premiers jours à la maternité, il vaut mieux reprendre le même.

Si le bébé a plus de six mois, on peut choisir soit un lait premier âge, soit un lait deuxième âge. Votre médecin vous conseillera l'un ou l'autre suivant l'appétit et la courbe de poids de l'enfant. Les laits de suite « type 2 » sont plus riches en protéines, en lipides, donc sont moins indiqués pour les enfants « tout ronds, tout dodus », qui se nourrissent très bien de lait premier âge jusqu'à un an.

■ *Comment réaliser le changement de lait*

Le changement de lait ne pose pas de difficultés. Il suffit de remplacer les tétées, une à une, par des repas de lait artificiel, *en prenant son temps*. Plus le *changement* est *progressif* moins il y a de problèmes.

Quelques petits conseils pratiques

— Choisir, pour commencer, les heures de tétée où la mère a moins de lait. La plupart du temps, on commence par la fin d'après-midi, puis le milieu de la matinée. Conserver plus longtemps la tétée du soir pour éviter d'avoir mal aux seins pendant la nuit. La dernière tétée avant le sevrage complet est presque toujours celle du matin, car la lactation est souvent plus abondante après le repos de la nuit.

— Plus la mère a du lait, plus il conviendra d'espacer l'introduction de nouveaux biberons. Attendre que les seins soient moins pleins, non douloureux, bien adaptés à ce nouveau rythme avant de modifier encore le nombre des tétées.

— Pour que bébé accepte sans problème cette nouvelle alimentation, il faut qu'il ait envie de manger. Donc tout bêtement attendre qu'il ait faim, qu'il réclame son repas. Si le goût de la tétine le surprend trop, on peut, les premières fois, le masquer par une goutte de miel, ou y déposer quelques gouttes de lait.

— Ne pas oublier que ce changement pour l'enfant est un peu difficile, désagréable. Redoubler de tendresse et de présence.

— Si vraiment bébé ne veut rien savoir, rejette la tétine et se tourne désespérément vers le corsage où il retrouve l'odeur de sa mère, celle du lait, il sera peut-être plus facile de demander à une autre personne de lui proposer ce biberon. Pendant ce temps, il vaut mieux ne pas rester derrière la porte à guetter ses cris, ses réactions. Que la maman aille se promener, se détende et revienne une demi-heure plus tard pour le câliner, le retrouver. Surtout il ne faut pas avoir peur. Cette réaction hostile ne dure jamais longtemps. Bébé a besoin de temps pour s'adapter, lui aussi.

— Proposer un gros biberon, très supérieur à la ration théorique que bébé devrait prendre en fonction de son âge et de son poids. Le laisser prendre ce qu'il veut et, surtout, sans le forcer à terminer. S'il s'arrête de téter, ne jamais lui remettre la tétine dans la bouche «pour voir». En revanche, s'il prend une très grosse ration, il n'y a pas de problème. Il le faisait déjà très probablement au sein... et il mangera moins la prochaine fois.

— Faire très attention à la reconstitution du lait. C'est toujours : une mesure de lait pour 30 g d'eau. Si on dilue trop, bébé aura faim. En revanche, si on met trop de poudre, le lait sera trop concentré et risquera d'entraîner des troubles digestifs et neurologiques sévères à court terme. Le lait doit absolument être bien reconstitué. On ne fait pas grossir un bébé avec plus de poudre de lait, mais avec plus de lait bien équilibré. C'est une donnée essentielle.

— Dernier conseil pratique. Si bébé a quelques troubles digestifs, une petite constipation (fréquente avec les laits de vache même modernes), quelques vomissements, une éruption de boutons... surtout ne pas commencer d'emblée à chercher une nouvelle marque de lait. On ne changera rien et ni la mère ni le bébé ne pourront s'y retrouver. Il faut garder le même lait et examiner avec le médecin les petits problèmes qui se présentent. Il n'est jamais bien difficile de les régler au mieux.

Cuillère ou biberon?

Suivant les pays, les habitudes changent beaucoup et les conseils à ce niveau diffèrent totalement. Voyons pourquoi.

En France, le biberon est d'usage absolument général, et les mères l'utilisent sans se poser la moindre question. Quelques précautions s'imposent pourtant.

— Il faut une *stérilisation soigneuse* de tout l'ensemble biberon, tétine, bouchon, après chaque repas, pendant les premiers mois. Ensuite, un nettoyage rigoureux avec rinçage à l'eau claire suffira. Il est bon de savoir que les diarrhées toxiques des tout-petits sont le plus souvent dues aux germes qui se développent sur les traces de lait qui traînent dans les biberons. Donc laver les biberons dès que bébé a fini de manger et stériliser longtemps.

Si l'on prépare les biberons à l'avance, il convient de faire très attention à la propreté au moment de la préparation. Se laver les mains. Conserver les biberons au réfrigérateur. Pas plus de 24 heures.

En partant en voyage, mieux vaut ne pas transporter les biberons pleins et chauds. Ils risquent trop de se couvrir de microbes. Il vaut mieux préparer les biberons stériles avec la quantité d'eau nécessaire, éventuellement gardée au chaud dans un Thermos, et ne rajouter la poudre de lait qu'au dernier moment, juste avant la tétée. Le lait ainsi préparé sera plus propre.

● *Comment stériliser :* l'idéal est le passage à 100° pendant 15 à 20 minutes, soit par ébullition, soit par la vapeur (casserole, cocotte-minute, stérilisateur classique ou stérilisateur électrique à vapeur). On peut également faire tremper biberons et tétines pendant une demi-heure

dans une solution antiseptique faite avec un produit
vendu en pharmacie. Une seule précaution : rincer
abondamment à l'eau claire avant de préparer le lait.

— Pour reconstituer le lait, il faut une *eau peu minéralisée* et *bactériologiquement correcte.*

Dans la plupart des régions de France, l'eau du robinet peut parfaitement convenir et ne présente aucun danger. Éventuellement la faire bouillir par sécurité pendant les toutes premières semaines.

Les eaux de coupage vendues dans le commerce sont bien adaptées au point de vue minéralisation mais présentent plusieurs inconvénients : il en faut beaucoup, d'où un prix de revient élevé et l'obligation de transporter de lourdes charges pour en avoir assez chez soi. Par ailleurs, et c'est là le plus grave, les emballages plastiques n'offrent aucune sécurité au point de vue chimique et bactériologique et peuvent être dangereux à long terme... L'eau du robinet, sauf dans quelques très grandes villes, est sûrement aussi bonne (s'en assurer auprès des mairies).

— L'enfant a besoin de téter, de téter longuement pour satisfaire son besoin de succion, donc il importe de *calculer les perforations des tétines* pour que le repas dure au moins dix minutes. Sinon, il ne sera pas satisfait. De plus, le mode de succion de la tétine est très différent de celui du mamelon. Au début, bébé peut ne pas savoir, tirer trop de lait, s'étrangler facilement. Un risque à connaître !

— Le biberon peut être donné indifféremment à la *température ambiante ou réchauffé* à 30-35° environ. Il n'y a guère de différence entre ces deux méthodes, ni au point de vue digestif ni pour le confort de bébé. L'habitude de réchauffer est plus une tradition familiale qu'une nécessité réelle. Mais puisque le lait maternel coule tout chaud... !

— Dernier point qu'il n'est pas inutile de souligner une nouvelle fois. Bien s'installer. Installer le bébé tout contre soi. Lui parler, le câliner. *Ne jamais le laisser tout seul,* le biberon calé par un oreiller.

Dans nombre de pays, le biberon n'est pas admis et les repas se font à la cuillère : pourquoi?

Dans les pays du tiers monde, il n'est pas possible de stériliser correctement les biberons. L'eau est rare, le feu aussi, le nettoyage difficile. Le biberon, avec ses recoins, sa tétine, son pas de vis, est extrêmement dangereux. Il est plus facile de laver dans un peu d'eau un bol et une cuillère. De plus, les biberons sont chers, beaucoup trop chers pour le budget moyen des familles. Mieux vaut utiliser correctement le matériel dont elles disposent. L'achat du lait est déjà un problème économique majeur. Le biberon est inutile.

Dans les pays anglo-saxons, au niveau de vie élevé, le choix de la cuillère a de tout autres motivations : la tétine est considérée comme dangereuse car elle *déforme trop la succion.* On peut lire dans un livre canadien sur l'allaitement[1] : «Les dentistes s'inquiètent des méfaits du biberon et de la suce sur le développement de la bouche et des dents des enfants... Les mâchoires et les dents mal formées nécessitant le port de broches seraient étroitement liées, dans plusieurs cas, à l'alimentation artificielle... L'acte de téter (au sein) fournit l'exercice nécessaire à un développement adéquat du palais et des mâchoires... L'enfant nourri au sein sera moins sujet à la carie dentaire...»

Nous n'avons pas de statistiques sérieuses récentes pour juger ces données. Il serait peut-être bon d'entreprendre un jour une étude approfondie sur ce sujet. Il est probable que *la tétine,* justement parce qu'elle modifie la succion, *n'est pas longtemps compatible avec l'allaitement au sein.* L'enfant n'aime pas beaucoup alterner succion du mamelon et succion de la tétine, trop différentes pour

1. Colette Clark, *Le Livre de l'allaitement maternel* (Intrinsèque, 1977).

lui. Souvent, au bout de quelques jours, il fait un choix. D'où un certain nombre de «sevrages brutaux», l'enfant refusant du jour au lendemain le sein de la mère pour se contenter du biberon.

Je connais plusieurs jeunes mères qui ont été confrontées à ce choix de l'enfant et qui ont mal vécu d'être ainsi brutalement rejetées. La cuillère est mieux acceptée en complément par l'enfant puisqu'elle fait appel à des mécanismes qui ne sont pas en compétition avec la succion du mamelon.

Ainsi s'explique pourquoi les féministes qui militent pour un allaitement prolongé font du biberon le «symbole à abattre», le «concurrent déloyal» du sein. Le biberon est formellement interdit, même pour l'enfant déjà grand. Il n'y a d'autre alternative que le sein ou le lait à la cuillère ou à la tasse. Ont-elles tort ou raison? Je ne tenterai pas de prendre parti. Leurs arguments sont valables, mais les conséquences ne sont peut-être pas sans problèmes dans notre vie de tous les jours. Gardons-nous de tout fanatisme... Chaque famille choisira ce qui convient le mieux.

Jus de fruits et vitamines

— Les besoins de l'enfant en acide ascorbique ou **vitamine C** sont un peu difficiles à définir. Les besoins minimaux sont estimés à 10 mg/jour. Mais, en fait, la carence grave en vitamine C, c'est-à-dire le scorbut, est une maladie qui a disparu de nos pays, même chez les enfants nourris exclusivement au lait de vache... et sans jus de fruits.

Cependant la vitamine C n'agit pas seulement pour prévenir le scorbut. Elle joue également un rôle d'activation de la plupart des métabolismes et un rôle de protection contre les infections. C'est principalement en cela qu'elle est utile à la croissance de l'enfant. Les doses considérées comme nécessaires sont de 35 mg/jour environ (recommandation de la FAO en 1973).

● Dernier élément à connaître : il n'y a pas de dose maximale de vitamine C et pas d'intoxication par cette vitamine, même à absorption de quantités très importantes. Tout au plus peut-on observer une certaine hyperexcitabilité transitoire.

L'apport de vitamine C se fait uniquement par l'alimentation. Le lait de femme en contient de 20 à 60 mg/l, ce qui couvre largement les besoins des enfants nourris au sein. Le lait de vache bouilli n'en contient pas et il est bon d'en fournir sous forme de jus de fruits aux enfants ainsi nourris. Les laits premier âge et les laits de suite sont tous enrichis en vitamine C, à peu près au taux du lait maternel. Les jus de fruits sont très riches en vitamine C (6 à 12 mg pour trois cuillerées à café de jus d'orange environ) et peuvent être donnés sans risques, même à doses élevées, si l'enfant en a envie.

La prescription systématique de jus de fruits ne s'impose donc que pour les enfants nourris au lait de vache non modifié. Pour tous les autres, nourris au sein ou au lait en poudre, il n'y a que deux indications et, encore, très relatives :

— comme «stimulant et fortifiant» d'un enfant un peu hypotonique et fatigué ;

— surtout, et c'est là leur meilleure indication, pour régulariser le transit intestinal. Lorsqu'un enfant est un peu constipé, le seul et unique traitement efficace et sans danger est de lui donner quelques cuillerées de jus de fruit.

● Pour introduire les jus de fruits, proposer des quantités progressivement croissantes, en partant de une à deux cuillères à café par jour. Régler la quantité sur l'état des selles : si elles sont dures et rares, augmenter rapidement ; si, au contraire, l'enfant a tendance à être diarrhéique, ralentir un peu. Et, comme toujours, se laisser guider par le désir de bébé, sans le forcer.

Varier autant que possible l'apport du jus de fruits. Il est classique de commencer par l'orange et le pamplemousse. Mais très vite on peut donner du jus de n'importe quel fruit frais.

— L'apport de **vitamine D** est impératif.

Le lait de vache n'en contient guère, les laits premier âge ou de suite sont aujourd'hui supplémentés. Dans l'alimentation, seuls les foies et les huiles de poisson en sont réellement riches (vous savez, l'huile de foie de morue de nos grand-mères!). Il y en a un peu dans les laitages, le beurre, mais à des doses très faibles.

La source la plus importante de vitamine D, c'est la peau. Sous l'effet du soleil, le cholestérol des tissus se transforme spontanément en vitamine D. Plus un bébé est nu au soleil, plus il fabriquera cette vitamine D qui lui est indispensable.

● *À quoi sert la vitamine D?*

À une seule chose, mais capitale : à la fabrication et à la calcification du tissu osseux. Elle a donc un effet majeur direct sur la croissance et la « solidité » de l'enfant. Elle prévient le rachitisme.

Indirectement, elle joue aussi un rôle dans le maintien d'un taux constant de calcium dans le sang, nécessaire à l'équilibre cérébral et neurologique.

La quantité nécessaire varie beaucoup suivant les saisons, les lieux et la couleur de la peau. Plus un enfant a la peau claire, plus il peut être exposé nu chaque jour à la lumière solaire, moins il a besoin de vitamine D. En revanche, les enfants à peau sombre, les enfants vivant en zone de brouillard ou de froid auront des besoins nettement supérieurs.

La dose nécessaire ne peut être calculée que par un médecin et les préparations pharmaceutiques de vitamine D ne sont délivrées que sur ordonnance.

● *Attention :* la vitamine D ne doit jamais être donnée en excès. Il faut respecter scrupuleusement les doses indiquées. Il suffit de peu d'excès pour avoir des signes cliniques de surdosage. Et l'intoxication à la vitamine D est une maladie très grave qui peut laisser des séquelles rénales irréversibles. Ne jamais augmenter les doses pour le « fortifier ». Ce serait très grave.

SEVRAGE ET ALIMENTATION DIVERSIFIÉE

■ *Un chapitre presque inutile*

Je voudrais pouvoir sauter ce chapitre, dire seulement aux parents : «Attendez, attendez que votre enfant réclame les aliments qu'il voit dans votre assiette. Laissez-le choisir ce qui lui plaît, quand cela lui plaît, et comme il en a envie.»

Il est tout à fait certain qu'un enfant ainsi nourri serait magnifique, que les repas seraient un temps de fête collective, que la mère aurait trois fois moins de travail et d'angoisse, que les parents seraient bien plus heureux et détendus. Il n'y aurait pas d'enfants obèses et, probablement, les seuls enfants hypotrophiques ou dénutris seraient les enfants vraiment malades... (ce qui simplifierait diablement le travail de débrouillage des pédiatres, puéricultrices... et psychiatres!).

Nos tout-petits savent ce qui est bon pour eux... et à quelles doses. Pourquoi ne pas leur faire confiance?

Mais nous vivons dans une civilisation technique. Il faut des chiffres ou des normes pour faire sérieux. Les librairies sont encombrées de livres et revues sur «la bonne diététique» : régimes, menus, habitudes alimentaires, repas sophistiqués ou macrobiotiques, rêves végétariens ou naturalistes pullulent sur le marché. Une recette en remplace une autre. Une mode succède à l'autre et, chaque fois, une immense littérature essaye de nous convaincre de «bien faire» et de manger bien. La «bonne bouffe» serait bien sûr la dernière en date.

Même chose pour le «devoir sacré de parents». Les manuels de puériculture remplissent des rayons entiers. Il en paraît de nouveaux tous les jours, ou presque. Et tous enseignent en de longs paragraphes très sérieux le «difficile métier de parents». Des horaires, des menus, des conduites à tenir, un véritable agenda des mille et un gestes à faire et des bonnes pensées à avoir. Tous ces conseils, ces recettes sont d'une rigidité impressionnante. Comme si une famille ressemblait à toutes les autres.

Comme si un enfant était un enfant à la chaîne qui doit manger les mêmes grammes de purée et faire pipi sur son pot à la même heure que son voisin. Ne vous laissez pas enfermer dans le moule du «parfait jeune couple qui élève son premier enfant». Tous ces livres, à mon sens, cristallisent plus d'angoisse qu'ils n'apportent de véritable information.

La meilleure éducation, la seule valable, c'est celle apportée par chaque enfant..., si les parents lui donnent une chance de s'exprimer.

■ Quelques erreurs à ne pas commettre

Quand on les connaît, l'alimentation diversifiée d'un tout-petit est extrêmement simple.

Première erreur, la plus fréquente : le faire trop manger[1]

Tout pédiatre, à chaque journée de consultation, reçoit en urgence à son cabinet un enfant traîné par des parents ou grands-parents affolés parce qu'«il ne mange rien». Il n'est pas besoin d'être savant pour découvrir au premier coup d'œil un bambin superbe, aux joues roses, bien remplies, aux fesses dodues, qui, manifestement, ne manque de rien. Pourtant les parents sont catégoriques : «Je vous assure, docteur, c'est tout juste s'il goûte les légumes, il refuse la viande après trois cuillerées, il n'aime pas le lait, il n'a pris que deux bouchées de fromage... Je me demande comment il peut tenir le coup... C'est sûr, il est malade, ou il va tomber malade.»

Pourquoi une telle angoisse devant un enfant pourtant magnifique? Tout simplement parce que nous consommons presque tous, adultes et enfants, une ration calorique nettement supérieure à nos besoins. Cet excès atteint fréquemment 50 % et peut aller jusqu'à 100 %, c'est-à-dire que nous mangeons deux fois trop.

1. Ce chapitre a été inspiré par l'excellent article de A.-M. Dartois, M. du Fraysseix et G. Vermeil, paru dans le *Concours médical* du 25 février 1978.

Comparée à ces consommations habituelles excessives, celle de l'enfant qui mange juste ce qui lui convient le fait paraître anorexique. Pour juger de ses besoins, on s'est tout bêtement trompé d'échelle.

Il est urgent de calmer l'angoisse des parents, pour rendre la paix aux repas familiaux et surtout éviter à l'enfant un gavage inutile et dangereux.

● *Comment l'éviter ?*

- Réapprendre à *regarder l'enfant*, à voir à nouveau l'évidence, c'est-à-dire qu'il est en parfaite santé.

- Rappeler des notions toutes simples sur la courbe de poids d'un enfant normal. En moyenne, un nourrisson double son poids de naissance vers cinq mois et le triple vers un an. Pendant la deuxième année, il ne prend que 1 à 2 kg. De même, un nouveau-né normal de 50 cm à la naissance mesurera entre 70 et 80 cm à un an. Si l'évolution de l'enfant suit ces courbes-là, pourquoi vouloir le forcer ? Pour qu'il soit plus gros que son copain ?

- Si ces arguments simples ne suffisent pas à rassurer, les tableaux scientifiques de besoins alimentaires des enfants selon l'âge et le poids, et les tables de composition des principaux aliments permettent de calculer exactement la ration consommée par l'enfant. Mais attention, il faut faire de ces tableaux un usage intelligent, ne pas leur faire dire n'importe quoi.

- Il faut *tout* compter, même le biscuit après le bain ou le sirop de grenadine dégusté chez la voisine, même le bonbon offert par l'épicier, même, pourquoi pas ? les miettes ramassées sur la table... Toutes ces «petites choses» représentent parfois le tiers de la ration calorique d'un enfant !

- Ne pas oublier surtout que les chiffres marqués représentent des **besoins moyens théoriques**. En réalité, ces besoins peuvent varier considérablement d'un enfant à l'autre et, pour le même enfant, d'un moment à l'autre de son existence.

- Il existe indiscutablement des *enfants qui ont de gros besoins de nourriture*, mais qui gardent un poids tout à fait normal. Ils sont en équilibre avec une ration élevée. On pourrait dire que ce sont des «moteurs à mauvais rendement» qui nécessitent beaucoup de carburant pour se construire et se mouvoir. Tant que leur poids reste normal, il ne saurait être question de restreindre sévèrement leur consommation.

- L'erreur beaucoup plus fréquente est de *méconnaître les enfants menus, à croissance lente*, dont les besoins alimentaires sont nettement inférieurs aux besoins théoriques. Contrairement à ce que croit l'entourage, ils ne grandissent pas lentement parce qu'ils mangent peu, mais ils mangent peu parce qu'ils grandissent lentement. Cette croissance lente peut relever parfois d'une cause pathologique : maladie, fatigue nécessitant un diagnostic et un traitement adapté qui seul fera repartir l'appétit de l'enfant, et donc son rythme de croissance. Ce n'est heureusement pas le cas le plus fréquent.

- Une chose est certaine : jamais et sous aucun prétexte le remède ne consiste à forcer l'enfant à manger plus qu'à son appétit, ni même à lui donner des médicaments réputés actifs sur l'appétit. L'appétit est un équilibre précieux qui permet à l'organisme d'adapter exactement sa consommation à ses besoins. En déréglant ce mécanisme par la force dans les premières années, on crée de toutes pièces des générations d'enfants et d'adultes incapables de savoir ce qu'ils mangent et pourquoi : d'où des conduites alimentaires totalement déséquilibrées et farfelues.

Regardez autour de vous les dizaines de personnes oscillant sans trêve d'une surconsommation à un régime amaigrissant ; jamais rassasiées et toujours malades de mal digérer. Qu'ont-elles fait de cet instinct vital qu'était leur appétit ? Quelle connaissance profonde et paisible de leur corps leur reste-t-il ? Ne détruisons pas le fantastique équilibre naturel de nos enfants. Respectons leur appétit.

Deuxième erreur : vouloir diversifier trop tôt l'alimentation

J'ai précédemment décrit l'engrenage qui a amené l'évolution des habitudes alimentaires de diversification. Deux enquêtes récentes, résumées dans le tableau ci-après, illustrent combien jusqu'en 1930 l'introduction des différents aliments était tardive. Et comment nous avons «pris de la vitesse».

Pour beaucoup de parents, de médecins et de puéricultrices, cette tendance à prescrire de plus en plus tôt à l'enfant ces différents aliments est un moyen d'être à «l'avant-garde» de la pédiatrie. C'est une erreur.

On sait maintenant que l'enfant, jusque vers six mois, n'a besoin que de lait, et d'un lait qui lui soit adapté : lait maternel bien sûr ou, à défaut, un lait diététique premier âge.

ÂGE MOYEN D'INTRODUCTION DES ALIMENTS DIVERSIFIÉS
(âges donnés en mois)

Aliments	1930-34	1940-44	1945-49	1950-54	1960-64	1970-72	1977
Farines	9	7,5	6,1	5,3	3,6	2,1	1,5 à 2
Légumes	15,5	11,5	8	7	3,9	2,8	2 à 3
Viande	?	?	?	9	5,5	4,3	4 à 5
Enquête de J.-P. DESCHAMPS et M.-F. LARUELLE, Nancy, 1972.							Enquête GUIGOZ SOFRES Paris 1977

À partir de six mois, on peut apporter progressivement légumes, viandes, desserts, farines, comme l'enfant en manifeste le désir. On évite ainsi au maximum allergies et obésités.

Troisième erreur : croire que les farines
sont absolument nécessaires

Elles ont de nombreux inconvénients :

— Les farines sont constituées presque exclusivement de glucides, sous forme d'amidon, dont la digestion est sous la dépendance d'une enzyme : l'amylase pancréatique. Celle-ci est absente chez le nouveau-né et apparaît progressivement au cours des premiers mois. Avant quatre mois, le nourrisson ne peut digérer qu'une très petite quantité de farine. Par exemple, la dose maximale classiquement admise est de 5 g par jour pour un enfant de 5 kg, soit environ 2 cuillerées à café par 24 heures de farine instantanée. Même si les nouveau-nés digèrent sans problème, le biberon de lait qui contient de la farine est déséquilibré, c'est-à-dire qu'il contient trop de glucides. Ce qui n'est bon ni pour le tube digestif, ni pour la flore intestinale, ni pour la croissance d'un enfant.

— La plupart du temps, les parents introduisent la farine pour calmer la faim de leur enfant, uniquement parce qu'ils n'osent pas augmenter les quantités de lait. Ils ont encore en tête les rations types que l'on doit donner — rations malheureusement encore inscrites sur chaque boîte de lait. Il n'est nulle part écrit à quel point ces chiffres rigoureux correspondent à des règles arbitraires et démodées. Si un enfant a faim, la meilleure solution (l'unique vraie solution avant quatre mois), c'est de lui offrir du lait, plus de lait, autant qu'il en veut. Pourquoi remplacer ce lait bien adapté par un aliment inférieur. Il ne faut que 50 ml de lait pour apporter autant de calories que quatre cuillères à café de farine instantanée.

— Je l'ai déjà dit, les farines de céréales contiennent aussi des protéines (celle du blé est le gluten) auxquelles quelques enfants vont devenir intolérants, et victimes de la redoutable maladie cœliaque. Un seul moyen pour l'éviter : éliminer systématiquement les farines contenant du gluten jusqu'à six mois environ. On ne peut pas prévoir ceux des enfants qui réagiront mal à l'absorption du gluten. Mieux vaut donc les protéger tous.

— Autre inconvénient, *il existe une grande diversité de farines* : des farines à cuire (dextrinées ou maltosées) et des farines instantanées..., des farines lactées ou non, des simples et des multi-céréales, des avec ou sans gluten, des farines enrichies en protéines, en légumes, en fruits, des farines avec ou sans cacao, etc.

Toutes ces farines ont des compositions et des propriétés différentes, avec de grandes variations des principaux constituants.

Malgré une réglementation en date du 1er juillet 1976 qui établit quelques normes précises, il est difficile quelquefois, pour une mère, de choisir judicieusement la farine qui convient.

● *Les farines peuvent-elles avoir un intérêt ?* Peut-être, à condition d'en utiliser peu et à bon escient :

- Pour aider un enfant à mieux dormir une nuit entière sans réveiller ses parents : l'amidon des farines se digère lentement, ce qui permet de maintenir un taux sanguin de glucose un peu plus stable, donc retarde la sensation de faim du bébé.

- La présence d'un tout petit peu de farine dans un lait de vache *non modifié* favorise sa digestion par les enzymes digestives. Mais, nous l'avons dit, ce ne devrait pas être une situation courante au cours de la première année.

Quatrième erreur : ne pas savoir compenser astucieusement ce que l'enfant refuse de manger ou ce qu'il veut trop manger

Les équivalences alimentaires

1/2 l de lait	= 4 yaourts
(comme source de protéines	60 g de gruyère
et de calcium)	80 g de saint-paulin
	250 g de fromage frais
50 g de viande	= 50 g de poisson
(comme source de protéines)	40 g de jambon
	1 œuf
	40 g de gruyère
	1/4 de l de lait

(D'après Lestradet)

— *Les protéines animales* des différentes sources sont équivalentes : poisson, viande, œuf, fromage, lait. On peut varier énormément. Les viandes rouges ne sont pas plus nourrissantes ni fortifiantes que les viandes blanches ou le poisson. Les œufs, si injustement déconsidérés en France, n'ont de façon certaine aucune toxicité sur le foie et on peut en donner plusieurs fois par semaine à partir de six mois. Le fromage est une merveilleuse source de protéines et de calcium. Il peut avantageusement remplacer viande ou lait que l'enfant refuserait.

— Beaucoup de parents dépensent une grande énergie et beaucoup de temps à forcer leurs enfants à manger des *légumes verts*. En fait, les enfants n'aiment guère ces légumes et préfèrent souvent les fruits qui ont la même valeur diététique.

Le potage du soir n'est qu'un reliquat de nos traditions paysannes. Il n'a pas grand intérêt pour une population sédentaire qui n'a plus l'occasion de perdre des grandes quantités d'eau et de sels minéraux dans un travail physique intense. Pourquoi forcer un enfant qui rechigne devant la soupe, alors que celle-ci peut disparaître sans inconvénient pour sa santé ?

— En dehors de l'intolérance au gluten, la consommation modérée *de pain de blé ou de biscuits* ne peut avoir aucun inconvénient pour l'enfant. Pain et biscuits peuvent s'utiliser à la main dès l'âge de six mois... à condition de ne pas gaver l'enfant à longueur de journée. Au début, un biscuit ou une fine tranche de pain par jour suffit largement.

Le pain complet qui devient très à la mode n'est pas adapté aux jeunes enfants. Le son est souvent mal toléré par l'intestin, d'où diarrhées et fermentations. Il est riche en acide phytique qui empêche, par compétition, l'absorption du calcium et du fer. Enfin, sa richesse en vitamines du groupe B n'est pas un argument puisqu'une alimentation normalement diversifiée en apporte largement assez.

— Un enfant qui a soif doit *boire*, et boire autant qu'il le désire. Il n'y a aucun risque. Tous les interdits dont on accable les enfants sont absurdes : ne pas boire quand on a chaud, ne pas boire quand on a froid, ne pas boire avant les repas, ne pas boire avant tel ou tel aliment...

Un enfant qui veut boire, doit boire, et si possible de l'eau. Éviter les boissons sucrées (orangeades, limonades, sodas, Coca-Cola) qui contiennent plus de 100 g de saccharose par litre. Ce sucre, beaucoup trop consommé de nos jours (bonbons, friandises, boissons sucrées), est le principal facteur de développement des caries dentaires. Protéger les dents des enfants, c'est rationner le sucre.

Cinquième erreur : avoir peur des aliments en conserve

Les récits des premières expéditions polaires ont laissé un souvenir indélébile dans l'esprit des Européens, qui se traduit par une grande méfiance à l'égard des conserves. C'est une erreur.

Les conserveries actuelles sont soumises à des réglementations draconiennes et sortent des produits d'excellente qualité, peut-être supérieure à celle des légumes prétendus frais qui ont séjourné plusieurs jours dans des wagons, des camions ou des entrepôts.

Les légumes industriels pour nourrissons (aussi bien les poudres de légumes que les petits pots) sont le plus souvent d'excellente qualité. Le décret du 1.7.1976 a réglementé clairement leur composition aussi bien en protéines qu'en sodium pour mieux les adapter aux nourrissons.

Outre leur commodité d'emploi, les conserves ont de multiples avantages :

— présenter un aliment qui contient toute la substance des légumes sous une forme fluide, donc miscible au lait du biberon, ce que les parents ne peuvent obtenir qu'avec un mixer puissant ;

— apporter en fait des légumes plus frais parce que mis en conserve dès la récolte et parce que les techniques actuelles de conserverie épargnent mieux la qualité des constituants que les transports ou le stockage prolongé.

Il semble que, pour la courte durée d'introduction d'une petite quantité de légumes dans les biberons d'un nourrisson, le maniement des conserves soit plus pratique et mieux adapté aux besoins que celui du bouillon de légumes traditionnel.

Étant donné les faibles quantités nécessaires, l'argument financier devient négligeable alors que celui du gain de temps et d'énergie ne l'est pas. Il n'est sans doute plus raisonnable et nécessaire aujourd'hui d'imposer aux mères de familles l'obligation quotidienne d'éplucher des légumes et de les faire cuire pendant une ou deux heures en imprégnant leur logement de l'odeur du poireau. Tout le temps qu'une mère gagne ainsi, toute la fatigue qu'elle évite, peuvent se transformer en disponibilité pour l'enfant, en présence calme pour le reste de la famille. Cela ne vaut-il pas la peine, au moins de temps en temps?

Je ne milite pas pour la consommation de conserves à tout prix.

● Si vous possédez un jardin, si vous avez facilement de beaux légumes frais, si vous aimez faire la soupe à l'ancienne pour toute la famille, ne vous privez pas. Le goût sera différent. Vous vous régalerez tous ensemble... et bébé aussi !

● Un mot sur les surgelés : c'est un merveilleux moyen de conservation des aliments qui préserve presque intégralement la composition et la teneur en vitamines. Vérifiez seulement que les exigences de la chaîne du froid sont respectées.

Sixième erreur : mal répartir l'alimentation dans la journée

Les habitudes françaises à cet égard sont très critiquables. Comment les améliorer ?

— Prévoir dès le plus jeune âge un *petit déjeuner complet*. Le nôtre est trop pauvre après une longue nuit de jeûne. Essayez d'y apporter lait ou fromage, jus de fruits, farine ou tartines. Et si l'enfant le désire, une boisson chaude ou froide de complément, pas obligatoirement du lait si la ration de fromage est correcte.

— *Le repas de midi* peut être plus simple : un plat de protéines (viande, poisson ou œuf), des légumes, un peu de pain et de fromage, un fruit. Cela suffit.

— *Le goûter pourrait se rapprocher du petit déjeuner* et être plus complet.

— *Le repas du soir doit être plus léger*, mais apporter une certaine quantité de produits libérant lentement et régulièrement des glucides pendant la longue période de jeûne nocturne : protéines et féculents y sont donc indiqués.

Pour terminer ce chapitre, je rappellerai seulement qu'en fin de compte la *seule erreur vraie* serait de se poser trop de question sur cette période de transition entre le lait et les « repas comme un grand ».

Il faut éviter de se compliquer la vie. On peut dès six mois proposer à l'enfant un peu de tout, lui donner les mêmes aliments qu'au reste de la famille pour éviter la fatigue inutile de multiples menus différents, l'habituer autant que possible à tous les goûts et consistances des aliments. Il s'y fera vite. Il sera heureux et fier de se sentir devenir grand.

Une seule précaution indispensable : lui conserver le plus longtemps possible, pendant les premières années, une très large ration de lait (ou de ses dérivés) pour favoriser au mieux sa croissance et son plein épanouissement.

Bibliographie

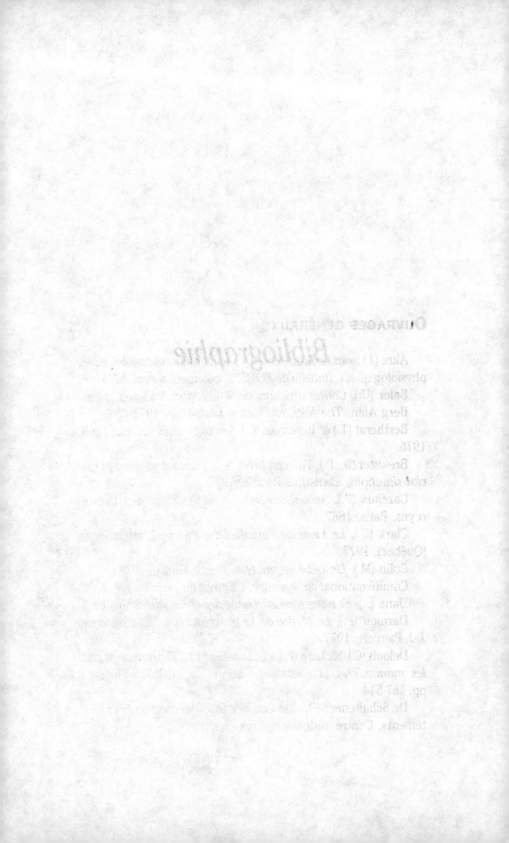

OUVRAGES GÉNÉRAUX

Akre (J.) (sous la direction de), «L'alimentation infantile ; Bases physiologiques», *Bulletin de l'OMS,* Supplément au vol. 67, 1989.

Beier (U.), *Contes africains de la Création,* Federop, 1966.

Berg Alan, *The Nutrition factor,* États-Unis, 1972.

Bertherat (T.) et Bernstein (C.), *Le corps a ses raisons,* Seuil, 1976.

Brewster (D., P.), *You can breas feed your baby... even in special situations,* États-Unis Rodale, 1979.

Cazeaux (P.), *Accouchements,* (7ᵉ éd.) Chamerol et Lauwereyns, Paris, 1867.

Clark (C.), *Le Livre de l'allaitement maternel,* Intrinsèque, (Québec), 1977.

Colin (M.), *Un bébé en analyse,* Pierre Horay, 1978.

Comité national de l'enfance, *L'Enfant du premier âge,* 1980.

Dana (J.), *Et nous aurions beaucoup d'enfants,* Seuil, 1979.

Darmon (P.), *Le Mythe de la procréation à l'âge baroque,* J.-J. Pauvert, 1977.

Delouis (C.), Richard (P.), «La lactation», *La Reproduction chez les mammifères et l'homme,* éditions de l'INRA, «Ellipses», pp. 487-514.

De Schuiteneer (B.), De Coninck (B.), «Médicaments et allaitement», Centre antipoison, Bruxelles, 1992.

Dufour (H.), *La Guenon qui pleure*, Grasset, 1980.

Fischer (C.), «La position de l'enfant au sein», *Médecine et enfance* (1987), 7, n° 5, pp. 223-238.

Fomon (S.), *Infant Nutrition*, W.B. Saunders, 1974.

Horvilleur (Dʳ A.), *Vous ne pouvez plus ignorer l'homéopathie*, Camugli, 1975.

Huard (P.) et Laplane (R.), *Histoire illustrée de la puériculture*, éd. Roger Dacosta, 1979.

Jaubert (M.-J.), *Les Bateleurs du mal joli*, Balland, 1979.

Koechlinswartz (D.), Granier Rivière (M.-E.), *Médecine douce pour vos enfants*, Stock 2, Pratique, 1977.

Laborde (M.), *Bébé d'amour*, Stock, 1979.

Lawrence (R.A.), *Breastfeeding, pediatrics in rewiew*, 1989, 11, n° 6, pp. 163-171.

Leboyer (F.), *Pour une naissance sans violence*, Seuil, 1974.

La Leche League internationale, *L'Art de l'allaitement maternel*, 1978.

Leclerc (A.), *Parole de femme*, Grasset, 1974.

Loux (F.), *Le Jeune Enfant et son corps dans la médecine traditionnelle*, Flammarion, 1978.

Manushkin (F.) et Himler (R.), *Bébé*, École des loisirs.

Marfan (A.B.), *Traité de l'allaitement*, Masson et Cie, 4ᵉ éd., 1930.

Martinet (J.), Houdebine (L.M.), *Biologie de la lactation*, éditions INSERM-INRA, avril 1993.

Mathiot (G.) et Vermeil (G.), *Bon appétit de un jour à 20 ans*, Stock, 1972.

Maury (Dʳ. E.-A.), Rudder (C. de), *Dictionnaire familial des médecines naturelles*, France Loisirs, 1978.

Mendel (G.), *Quand plus rien ne va de soi. Apprendre à vivre avec l'incertitude*, R. Laffont, 1979.

Metge (J.) (ouvrage sous la direction de), *La Production laitière*, Nathan, 1990, chapitre VIII, pp. 151-162.

Milinaire (C.), *Naissance*, Albin Michel, 1977.

Montagner (H.), Schaal (B.), *Données nouvelles sur les systèmes d'interaction entre le nouveau-né et sa mère*, éditions du CNRS, «Comportements» n° 6, 1986, pp. 125-154.

Montagu (A.), *La Peau et le Toucher*, Seuil, 1977.

Morley (D.), *Pédiatrie dans les pays en développement. Problèmes prioritaires*, Flammarion - Sciences, 1977.

Odent (M.), *Bien naître*, Seuil, 1976.

Odent (M.), *Genèse de l'homme écologique*, Epi, 1979.

Les cahiers du nouveau-né, *Naître... et ensuite?*, Stock, 1978.

Les cahiers du nouveau-né, *D'amour et de lait*, Stock, 1980.

OMS, *Déclaration de consensus à l'issue de la consultation OMS/UNICEF sur la transmission du VIH et l'allaitement au sein*, Genève, 30 avril-1er mai 1992, WHO/GPA/INF 92.1.

OMS, *L'Alimentation infantile. Bases physiologiques.* Supplément au vol. 67, 1989.

OMS, *Protection, encouragement et soutien de l'allaitement maternel; Le rôle spécial des services liés à la maternité*, déclaration conjointe OMS et FISE, Genève, 1989.

Ouvrage collectif sous la direction de Pierre Laroque, *Les Institutions sociales en France*, La Documentation française, 1980.

Philippeau (A.-F.), *Manuel d'obstétrique et de gynécologie*, Paris, 1899.

Rosenstiehl (A.), *La Naissance*, Centurion jeunesse, 1977.

Schaal (B.), Porter (R.), «L'olfaction et le développement de l'enfant», *La Recherche*, déc. 1990, 227, vol. 21, pp. 1502-1510.

Short (R.), «Hormones et allaitement», *Ces hormones qui nous gouvernent*, ouvrage collectif préfacé par Mauvais-Jarvis (P.), «Bibliothèque pour la science», juillet 1990, pp. 46-57.

Terrien (E.), *Précis d'alimentation des nourrissons*, Masson, 1939.

Trémolières (J.), Serville (Y.), Jacquot (R.), *Manuel élémentaire d'alimentation humaine*, Tome 2, Les aliments, 7e éd., éditions ESF, 1977.

Weill (E.), *Précis de médecine infantile*, Testud, DOIN, 1900.

Wright (S.), «Hypothalamus et système limbique», *Physiologie appliquée à la médecine*, éditions Médecine-Sciences-Flammarion, 1989, pp. 381-391.

ARTICLES ET REVUES

Ahmed (F.), Clemens (M.R.), Rao (M.R.), «Community-based evaluation of the effect of breastfeeding on the risk of microbiologically confirmed or clinically presumtive shigellosis in Bangladeshi children», *Pediatrics*, vol. 90, n° 3, sept 1992.

Akerman (R.), «L'utilisation de diurétiques dans la congestion mammaire par stase lactée», *Rapports au 3ᵉ Congrès mondial de gynécologie*, Vienne, 3-9 sept. 1961. Congressprint Romayor, édit., Vienne 1961, 2, 423 (texte allemand).

Allain-Regnault (M.), «Aucun produit industriel ne vaut le lait maternel», *Le Monde*, 17 mars 1976.

«Allongement du congé de maternité à partir du 1ᵉʳ octobre 1978»: loi n° 78-730 du 12 juillet 1978, in: *Liaisons sociales - Législation sociale*, n° 4668 - 28 juillet 1978, 4 pages.

Alter (S.), «Les congés payés pour élever un enfant», *Revue pratique de droit social*, n° 404 - déc. 1978, pp. 343-346.

Amir (L.H.), «Candida and the lactating breast: predisposition factors», J. Hum. Lact. 7(4), 1991, pp. 177-181.

Applebaum (R.M.), «The modern management of successful breastfeeding», *Pediatric clinics of North America*, Vol. 17, n° 1, fév. 1970, pp. 203-225.

Archavsky (I.A.), «Immediate Breastfeeding of newborn infant in the prophylaxis of the so-called physiological loss of weight», (texte en russe), *Vopr. pediatr.*, 20, 45, 1953.

Arias (I.M.), Gartner (L.M.), Seifters (S.), Furman (M.), «Breast Milk Jaundice», 1964, *J. Clin. Invest.*, 43, 2037.

Armelini (P.A.), Gonzalez (C.F.), «Breastfeeding and fluid intake in a hot climate», *Clinical pediatrics*, 1979, n° 18, pp. 425-426.

Ashraf (R.N.), Jalif (F.), Zaman (S.) et al., «Breastfeeding and protection against neonatal sepsis in a hight risk population». *Arch. Dis. Child.*, 1991, 66, 488.90, B. Abst., nov. 1992.

Astier Dumas (M.), «Les aliments de l'enfance, farines de céréales et préparations spéciales en petits pots. Le point de vue des nutritionnistes», *Revue Péd.*, 1975, *11*, pp. 229-234.

Auerbach (K.G.), «Breastfeeding fallacies : their relationship to understanding lactation», *Birth*, 1990, n° 17, pp. 44-49.

Baraito de Bellini (Y.), «Contribution à l'étude de la teneur en pesticides organochlorés du lait de femme en rapport avec l'environnement de celle-ci», Diplôme d'études supérieures, Université Louis-Pasteur, juillet 1975.

Barger (J.), Bull (P.), «Comparison of the bacterial composition of breastmilk stored at room temperature and stored in the refrigerator», *Breastfeeding Review N MAA Australia*, nov. 1988, pp. 35-36.

Barnett (C.R.), Leiderman (P.H.), Grobstein (R.), Klaus (M.), «Neonatal separation : the maternal side of interactional deprivation», *Pediatrics*, 45 : 197-205 (1970).

Baudet (J.M.), Pichereau (D.), Peter (J.), Brouquet (J.), «Comment arrêter l'allaitement maternel?», «Le point sur les méthodes actuelles de blocage de la lactation», *Gaz. méd. de France*, 1979, *86*.

Baudet (J.M.), Tabaste (J.L.), Daffos (F.), «Suites de couches normales et pathologiques», *Encycl. Méd. Chir.*, Paris, *Obstétrique, 11*, 1976. 5110A.10.

Bentouim (A.), «Shame and other anxieties associated with breastfeeding : a system theory and psychodynamic approach», *Ciba Foundation Symposium* 45, 1976, pp. 159-178.

Berenberg (S.R.) and Masse (N.P.) (Centre international de l'enfance - Paris), «Breastfeeding, weaning and child health services», *Mod. Probl. Paediat.*, 1975, Vol. 15, pp. 169-176.

Blumfield (W.), Midirs, «The dentist and the breastfeeding strike» *Midwifery Digest*, 1992, 2, 2. B Review, nov. 1992.

Bonnet (H.) et Jean (R.), «Alimentation au sein», in : *Encyclopédie médico-chirurgicale de pédiatrie*, Tome 1, 4002 H 10.9.1978, 10 p.

Bono (B.L.), «Assessment and documentation of the breastfeeding couple by health care professionnals», J. Hum Lact 8 (1), 1992, pp. 17-22.

Bosa (R.), Kennel (J.M.), Klaus (M.), «The effect of early mother-infant contact on breastfeeding, infection and growth», *Ciba Foundation Symposium*, 45, 1976, pp. 179-193.

Bouwman (H.), Coopan (R.M.), Reinecke (A.J.) et Becker (P.J.), «Levels of DDT and metabolites in breastmilk from Kwa-Zulu mothers after DDT application for malaria control», *Bull WHO*, 1990, 68, 761-68, B. Abst., nov. 1991.

Bowen-Jones (A.), Thompson (C.), Drewett (R.F.), «Milk flow ans sucking rates during breastfeeding», *Develop. Med. Child Neurol.*, 1982, vol. 24, pp. 626-633.

Brancher (B.) et coll., «Les motivations psychosociales dans le choix du mode d'alimentation du nouveau-né», *Les Annales de pédiatrie*, 1988, vol. 35, n° 7, pp. 519-523.

Bressat (R.), «La mortalité infantile dans le monde actuel», *Le Concours médical*, n° 20, 18 mai 1968, pp. 4356-4361.

Briggs (G.G.), Freeman (R.K.), Yaffe (S.J.), «Drugs in pregnancy and lactation», Williams and Wilkins, Baltimore, Maryland, États-Unis, 1990, p. 632.

Brown (K.H.) et *al.*, «Milk consumption and hydratation status of exclusively breastfed infants in a warm climate», *Journal of Pediatrics*, 1986, n° 108, pp. 677-680.

Brown Roy (E.), «Breastfeeding in modern times», *The American Journal of Clinical Nutrition*, 26 mai 1973, pp. 556-562.

Buchanan (R.), «Les avantages de l'allaitement», *Population Reports*, Série J. n° 4, oct. 1975, J. 49 à J. 68.

Bullen (C.L.), Tearle (P.V.), Stewart (M.G.), «The effects of "humanized" milks and supplemented breastfeeding on the faecal flora of infants», éd. Microbiol, 10, 403-13, 1977.

Centre d'étude et de formation en écologie, «La contamination du lait maternel; un révélateur de la gravité des problèmes de pollution», Namur, janv. 1991.

Chandra (R.K.), Puri (S.) et *al.*, «Influence of maternal diet during lactation and use of formula feeds on development of atopic eczema in hight risk infants», *British Medical Journal*, 1989, n° 299, pp. 228-230.

Clerc (M.), «L'alimentation du nouveau-né à la maternité», *Pédiatrie*, tome 28, n° 7, 1973 pp. 765-786.

Comité de nutrition de la société française de pédiatrie, «L'alimentation du nourrisson normal. Évolution des connaissances », *Arch. fr. pédiatr.*, 1992, n° 49, pp. 261-269.

Comité de nutrition de la société canadienne de pédiatrie et Committee on Nutrition of American Academy of Pediatrics, « Allaitement maternel », *Pediatrics*, 1978, n° 62, pp. 591-601.

Conner (A.E.), « Elevated levels of sodium and chloride in milk from mastitic breast », *Pediatrics*, juin 1979, *63*, n° 6, pp. 910-911.

Coslin (P.G.), Cartron (A.), « Déterminants du choix et du maintien du mode d'allaitement », *Revue internationale de pédiatrie*, 1993, n° 230, pp. 3-7.

Courpotin (C.), Girardet (J.P.) et Machinot (S.), « Alimentation du nourrisson de la naissance à 18 mois », Paris, Flammarion, 1978, 124 p.

Crumière (C.) et Sadje (P.), « Surveillance, soins et alimentation du nouveau-né normal ; conseils aux parents », *Revue prat.*, 1977, *27*, 2157-2166.

Cukier-Hemeury (F.), Latoch (J.), Rosenblum (O.), Conquy (L.), Mazet (P.), « Troubles de l'humeur maternelle en maternité », *Revue internationale de pédiatrie*, 1993, n° 231, pp. 3-11.

Cunningham (A.S.), « Morbidité chez les enfants nourris au sein et artificiellement », *The Journal of Pediatrics*, mai 1977.

Darbois (Y.) et Roussel (G.), « Données récentes sur la nutrition de la femme enceinte », *Revue Prat.*, 1979, *29*, pp. 2383-2394.

Dartois (A.M.), Fraissex (M. du), Vermeil (G.), « Diététique en pédiatrie », *Le Concours médical*, supplément au n° 8 du 25 fév. 1978.

Debry (G.), Manciaux (M.), Comoy (J.), « L'alimentation spontanée du jeune enfant », *Cah. nut. et diét.*, 1966, *1*, pp. 17-22.

Delvoye (P.), « Problèmes sociaux liés à l'abandon de l'allaitement maternel », 28ᵉ Congrès de la Fédération des gynécologues et obstétriciens de langue française, Liège 28, 30 mai 1980.

Derrick (B.J.), « Lactation - conception and the nutrition of the nursing mother and child », *Tropical Pediatrics, The Journal of Pediatrics*, oct. 1972, vol. 81, n° 4, pp. 829-833.

Derrick (B.J.), « Lait maternel et aliments naturels », *Gazette médicale de France*, 1973, tome 80, n° 14, pp. 2351 à 2357.

Deschamps (J.P. et Co), «Une enquête sur l'alimentation du nourrisson», *Arch. fr. péd.*, 1977, *34*, pp. 559-564.

Devereux (W.P.), «Mastite puerpérale aiguë. Évolution de son traitement», *Am. J. Obst. Gyn.*, 1 sept. 1970, *108*, n° 1, pp. 78-81.

Documenta Geigy, «Tables scientifiques», dernière édition, Bâle.

Dossa (D.), Bonnet (H.) et Jean (R.), «Alimentation du nourrisson et du jeune enfant», in *Encycl. Méd. Chir. Pédiatrie*, tome 1, 4002 G 50, 11/1978.

Duffy (L.C.) et *al.*, «Modulation of rotavirus enteritis during breastfeeding», *Am. J. Dis. Child.*, 1986, n° 140, pp. 1164-1168.

Eastham (E. and Co), «Further decline of breastfeeding», *British Medical Journal*, fév. 1976, pp. 305-307.

Eib-Eibesfeldt (I.), «Ethologie humaine et éducation», *Nouvelle Éducation*, n° 9, nov. 1979, pp. 38-45.

Eliot (N.), Deniel (M.), Rumeau Rouquette (C.), «Résultats d'une enquête sur l'allaitement maternel dans les centres de PMI du XIVe arr. de Paris», *Arch. fr. péd.*, 1975, *32*, pp. 681-694.

Eliot (N.), Deniel (M.), «Étude de la croissance de 0 à 18 mois», *Arch. fr. péd.*, 1977, 34, 23-26.

Engels (S.), «The Anatomy of the Lactating Brest», *Brit. J. Child*, 1941.

European collaborative study, «Risk factors for mothers to child transmission HIV-1», *Lancet* 339 : 1007-12-1992.

Evans (N. and Co), «Lack of breastfeeding and early weaning in infants of Asian immigrants to Wolverhampton», *Arch. of Diseases in Childhood*, 1976, 51, pp. 608-612.

Favier (M.), «Le blocage de la lactation», *Rev. Gyn. obsté. du Prat.*, n° 2, avril 1980, pp. 53-55.

Fomon (S.J.), «Comparative Study of adequacy Protein from Human Milk and Cow's Milk in promoting Nitrogen Retention by normal fullterm Infants», *Pediatrics*, 26, 51.

Fomon (S.J.), Thomas (L.N.), Fuler (L.J.), Anderson (Th.), Bergmann (K.F.), «Requirements for protein and essentiel amino acides in early infancy», *Acta Paediat.* Uppsala, 1973, 62, 33.

Fontaine (G.), «Diététique du nourrisson normal», *Médecine infantile*, 1978, tome VI, pp. 647 à 730.

Fontaine (G.), «L'ictère néonatal prolongé lié à l'allaitement maternel», *Sem. Hosp. Paris*, 44e A. n° 49, nov. 68, pp. 3010-3016.

Fontaine (G.), «Le Sevrage», *La Médecine infantile*, n° 6, août-octobre 1978, pp. 731-743.

«Les Fruits de la terre», *La Santé du Monde*, août-sept. 1979, 35 p., Organisation mondiale de la santé, Genève, Suisse.

«La Garde des enfants de moins de 3 ans : les formules de garde, l'aide accordée... travail et maternité... les moyens et les options du VIe Plan. La garde des jeunes enfants à l'étranger», in *Informations sociales*, n° 10, octobre 1972, n° spécial, 90 p.

Gielen (A.C.), Faden (R.R.), O'Campo (P.) et *al.*, «Maternal employement during the early postpartum period effects on initiation and continuation of breastfeeding», *Pediatrics*, 1991, 87, 298-305, B. Abstracts, mai 1991.

Gielen (A.C.), Faden (R.R.), O'Campo (P.), Paide (D.M.), «Determinants of breastfeeding in a rural WIC population», J. Hum Lact 8 (1), 1992, pp. 11-15.

Girod Czyba, «Cours sur la biologie de la reproduction. Fascicule III : Le placenta, la glande mammaire et la lactation», Simep éditions, Lyon.

Gladen (B.C.) et Rogan (W.J.), «Effects of perinatal polychlorinatred biphenyls and dichloro-diphenyldichloroethene on later development», *J. Pediatr.*, 1991, 19, 58-63, B. Abst., fév. 1992.

Glover (J.), Sandilands (M.), «Supplementation of breastfeeding infants and weight loss in hospital», *Journal of human lactation*, 1990, vol. 6, n° 4, pp. 163-166.

Goldberg (N.M.), Adams (E.), «Supplementary water for breastfed babies in a hot and dry climate- not really a necessity», *Arch. of Diseases in Childhood*, 1983, n° 58, pp. 73-74.

Got (Pr. R.), «Protéines et hétérosaccharides du colostrum humain», 1er Congrès européen des lactariums, Marmande-Bordeaux, 12 au 14 juin 1964, tome I p. 40-43 + figures.

Gottardi, «Allaitement, relation entre la mère et l'enfant», *Sage-femme suisse*, 1989, n° 11, pp. 13-17.

«Guide de l'allocataire», CAF, janvier 1978.

Hall (B.), «Changing composition of human milk and early development of appetite control», *Lancet*, 1975, *1*, pp. 779-781.

Hanson (L.A.), Winberg (J.), «Breastmilk and defence against infection in the newborn», *Arch. of Diseases in Childhood*, 1972, *47*, pp. 845-847.

Harfouche (J.K.), «The importance of breastfeeding», *The Journal of Tropical Pediatrics*, sept. 1970, pp. 135-175.

Harlow (H.F.), Harlow (M.K.), Hansen (E.W.), «The maternal affectional system of rhesus monkeys», *In Rheingold*, H.L. ed; *Maternal Behavior in Mammals*, New York; John Wiley and sons, pp. 254-281 (1963).

Harnack (G.A. von), Mschr. Kinderheilk, 1966, 114 : 198.

Hartemann (J.), Ribon (M.), Dellestable (P.) et David (R.), «À propos des infections mammaires du post-partum», *Bull. Féd. Soc. Gyn. Obst.*, juin-août 1963, *15*, n° 3, pp. 440-442.

Hartemann (J.), Ribon (M.) et Delestable (P.), «Effets de l'attirance mère-enfant sur le maintien de l'allaitement», *Bull. de Féd. Gynéc. et Obst. France*, 14, p. 770-778.

Dr Hartman (P.E.), «The bow and why of breastmilk supply», *ALCA-SA Seminar*, 15 août 1992, Adelaïde (Australie).

Hennequet (H.), «Liberté pour les mères», *Tonus*, n° 410, 21 sept. 1979, pp. 19 et 20.

Helsing (E.), Kjaernes (U.), «A silent revolution : changes in maternity ward routines with regard to infant feeding in Norway», 1973-1982, *Acta Paediatr. Scand.*, 1985, n° 74, pp. 332-337.

Henocq (A.), «Conseils d'allaitement en maternité. De l'utile à l'agréable», *Revue internationale de pédiatrie*, 1993, n° 230, pp. 9-13.

Hino (S.), «Milk-borne transmission of HTLV-1 as a major route in the endemic cycle», Nagasaki, *Acta Pediatr. - Japan*, vol. 31, n° 14, août 1984, pp. 428-435.

Horowitz (M.), «Le rôle du goût et de l'odorat dans l'alimentation du nourrisson», thèse, Genève, n° 2222, 1953.

Houdebine (L.M.), Sawadogo (L.), Sepehri (H.), «Étude de l'action lactogène de la bière», Entretiens de Bichat, 1990, *Expansion scientifique française*.

Hitchcock et *al.*, «The growth of breast-fed and artificially fed infants from birth to twelve months», *Acta Paediatr. Scand.*, 1985, n° 74, pp. 240-245.

Jacobson (J.L.), Jacobson (S.W.) et Humphrey (H.E.B.), «Effects of exposure to PCBs and related componds on growth and activity in children», *Neurotoxicol Teratol*, 1990, 12/319-26, B. Abstracts, août 1991.

Jason (J.), «Breastfeeding in 1991», *The New England Journal of Medecine*, 1991, n° 9, pp. 1036-1038.

Jean (R.), Bonnet (H.), Rieu (D.), «Besoins nutritionnels du nourrisson», *La Méd. infantile*, n° 1, janv. 76, pp. 69-87.

Jelliffe (D.B.), — «The Protein content of the breastmilk of African Women», *Brit. méd. J.*, 2, 1952, 1131.

— «Infant Nutrition in the Subtropics and Tropics», Wld. Hlth. Org. Monogr. Ser. n° 29, 1955.

— «Breast Feeding in technically developing Regions (with especial reference to West Bengal)», *Courrier*, 6, 191, 1956.

— «Cultural Blocks and Protein Malnutrition in early childhood in rural West Bengal», *Pediatrics*, 20, 128, 1957.

— «Culture, Social Change in Infant feeding : Current trends in tropical regions», *Am. J. Clin. Nutrition 10*, 19. 1962.

— «Le Leche League as an influence in Tropical pediatrics», *Editorial Comment. J. Pediat.*, 69, 161, 1966.

Joly (J.B.), Richard (P.) et Baudet (M.T.), «Les relations entre parents-enfants et personnel soignant dans un centre de néonatologie», *Pédiatrie*, XXXI, n° 6, 1976, p. 603-613.

«7e Journées nationales de médecine périnatale», Aix-les-Bains, 1977; Arnette, 1978.

Julien (F.), «L'allaitement maternel : un exploit», thèse, Paris, 1978, *Les Dossiers de l'Obstétrique*, n° 50, fév. 79, p. 3 à 38.

Kallio (M.J.T.) et *al.*, «Exclusive breastfeeding and weaning effects on serum cholesterol and lipoproteines concentrations in infants during the first year of life», *Pediatrics*, 1992, vol. 89, n° 4, pp. 663-666.

Karjalainen (J.) et *al.*, «A bovine albimine peptide as a possible trigger of insulin-dependant diabetes mellitus», *N. Eng. J. Med.*, 1992, n° 327, pp. 302-307.

Kennedy (K.Y.) et *al.*, «The Bellagio consensus conference on lactation infertility», *Contraception*, 1989, vol. 39, n° 5, pp. 477-491.

Kennedy (K.Y.) et Viness (C.M.), «Contraceptive efficacy of lactational amenorrhoea», *Lancet*, 1992, 339, 237.30.

Klaus (M.H.), Kennel (J.H.), «Mothers separeted from their newborn infants», *Pediat. Clin. North Amer.*, 27, 1015-1035, 1970.

Klaus (M.H.), «Maternal attachment. Importance of the first post-partum days». *The New England Journal of Medecine*, Mars 1972, Vol. 286, n° 9, pp. 460-463.

Kurinij (N.) et Shiono (P.H.), «Early formula supplementation of breastfeeding», *Pediatrics*, vol. 88, 1991, 745-50.

Lauer E., «Le désir d'allaiter aujourd'hui», *Cahiers de la Puéricultrice*, n° 4, déc. 1977, pp. 293-302.

Lawrence (R.A.), «Breastfeeding», *Pediatrics*, 1989, vol. 11, n° 6, pp. 163-171.

Lebeer (G.), «Rôle des déterminants psychosociaux et des interventions médico-sociales dans l'initiation et la prolongation de l'allaitement maternel», Centre de sociologie de la santé et Laboratoire d'épidémiologie et de médecine sociale, Université libre de Bruxelles, juin 1988, pp. 70-82.

Lederman (S.A.), «Estimating infant mortality from HIV and other causes in breastfeeding and bottle-feeding populations», *Pediatrics*, vol. 89, n° 2, fév. 1992, Lettre des AM, n° 12, p. 14.

Lestradet (H.), — «Aspects actuels de la diététique du nourrisson», Lyon, *édit. Méd.*, 1977, XIII, n° 19, pp. 1413-1428.

— «Conséquences immédiates et lointaines d'une mauvaise alimentation»,

— «L'alimentation du nouveau-né normal. La mère et l'enfant», 1974, *190*, pp. 22-26.

— «Le choix d'un lait pour les nourrissons», *Revue Prat.*, 1976, *26*, n° 34, pp. 2366-2369.

— «L'alimentation des nourrissons français de 2 à 9 mois. Étude qualitative et quantitative», *Revue Péd.*, XV, janv. 1975, n° 1, pp. 11-20.

— «Le lait maternel est le meilleur aliment du nouveau-né», *Médecine et enfance*, 1987, vol. 7, n° 5, pp. 215-218.

— MGEN n° 31, nov. déc. 1975, pp. 23-26.

— «Le rôle du lactose dans l'alimentation du nourrisson», *Rev. franç. de diététique*, 12ᵉ A, n° 46, 1968, pp. 19-23.

— «Supériorité du lait de femme», *Le Pharmacien de France*, 1973, *17*, pp. 770-783.

Lebovici (S.), «Les interactions très précoces», *Naissance et relations*, 1985, pp. 53-58.

Leveque (B.), «Les laits maternisés dans l'alimentation de l'enfant nouveau-né», *Le Journal des Agrégés*, Vol. 6-7, juil. 73, pp. 287-292.

Levin (S.), «Gerçures du mamelon», *South Afr. Med. J.*, 11 oct. 1969, *43*, n° 41, 1251-1252.

Lignières (B. de), «Physiologie du sein», *Encycl. Méd. Chir. Paris, Gynécologie du sein*, 6, 1975, 810, 1-10.

Lissner (L.), Bergtsson (C.), Hansson (T.), «Bone mineral content in relation to lactation history in pre-and post-menopausal women», *Calcif. Tissue Int.*, 1991, 48, 319-25, B. Abst., fév. 1992.

Lois (D.W.A.), «HIV and breastmilk : what is means for milk banks», *Journal of human lactation*, 1993, vol. 9, n° 1.

Loux (F.) et Morel (M.F.), «L'enfance et les savoirs sur le corps», *Ethnologie Française*, 1976, VI, 3-4, pp. 309-324.

Loveless (M.H.), «Milk Allergy», *J. Allergy*, 21, 489, 1950.

Lucas (A.), Morley (R.), Cole (T.J.) et *al.*, «Breastmilk and subsequent intelligence quotient in children born preterm», *Lancet*, 1992, vol. 339, n° 8788, pp. 261-264.

Lucas (A.), Cole (T.J.), «Breastmilk and neonatal necrotisiing enterocolitis», *Lancet*, 1990, 336, 1519-23, Lettre des AM, n° 10, p. 22.

Lucas (A.), Lucas (P.J.) et Baum (J.D.), «Modèle du flux de lait chez l'enfant nourri au sein», *Lancet*, 1979, II, pp. 57-58.

Machinot (S.), «Laits diététiques pour les nourrissons normaux», *La Revue de Pédiatrie*, T. 11, n° 7, sept. 1975, pp. 365-371.

MacLaren (N.), Atkinson (M.), « Insulin-dependant diabetes mellitus environmentaly induced? », *N. Eng. J. Med.*, 1992, n° 327, pp. 348-349.

Magnin (P.), « De quelques fondements biologiques de l'éducation », *Nouvelle Éducation*, n° 9, nov. 1979, pp. 25-37.

Malinas (Y.), « Le rouge est mis. Lymphangite du sein », *Le Concours médical*, 13 janv. 1979, *101*, n° 2, pp. 181-187.

Mallet (R.) et Jorron (F.), « Pourquoi pas l'allaitement maternel? », *Revue du Prat.*, 1974, *24*, 53 pp. 4751-4764.

Manciaux (M.), Debry (G.), Comquim (J.), « Le comportement alimentaire du jeune enfant (de 18 mois à 3 ans 1/2 en régime libre », *Arch. fr. péd.*, 1968, *25*, pp. 103-110.

Manciaux (M.) et Deschamps (J.P.), « Santé de la mère et de l'enfant », Flammarion, 1978, Collection « Médecine sciences ».

Marland (S.), Kesseler (A.), « Le choix d'un lait pour les premiers mois de la vie », *Les Dossiers de l'Obstétrique*, mars 1977, n° 31, pp. 19-24.

Marshall (B.R.), Hepper (J.K.) et Zirbel (C.C.), « Sporadic puerperal mastitis. An infection that needs not interrupt lactation », *J. Amer. Méd. Ass.*, 29 sept. 1975, *233*, n° 13, pp. 1377-1379.

Martin (Cl.), « L'allaitement maternel. Alimentation physiologique du nouveau-né », Premier Congrès européen des lactariums, Bordeaux 12-14 juin 1964, tome I, pp. 74-82.

Martin du Pan (R.), « Le rôle du rythme circadien dans l'alimentation du nourrisson », *La Femme et l'Enfant*, fév. 1970, n° 1, tome IV, pp. 23-37.

Martinet (J.), Houdebine (L.M.), « La lactation », *La Recherche*, 1982, vol. 13, n° 131, pp. 300-310.

Marzof (G.) et Boog (G.), « La lactation. Aspects physiologiques et pathologiques », *La Revue de Médecine*, n° 1, janv. 1977, pp. 87-99.

Masse (N.P.), « Études sur le développement de l'enfant normal », *Carnets de l'Enfance*, Vol. 15, 1971, (8-11).

« Maternité et Travail, pour une politique du travail (9) » ; rapport remis par P. Casanès à R. Boulin, ministre du Travail et à Nicole Pasquier, secrétaire d'État (Emploi féminin), avril 1979.

« Médecine du Travail. Protection de la maternité et santé de la famille». Genève, Bureau international du travail, 1974, 58 p., rapport 29, Série Hygiène et Médecine du Travail.

Ministère de la Santé et de la Famille, «La protection de la maternité», Dossier information santé n° 1, avr. 1979, Dossier sur la périnatalité, 21 sept. 1978.

Meier (P.), Anderson (G.C.), «Responses of small preterm infants to bottle an breastfeeding», *Maternal child nursing*, 1987, n° 12, pp. 97-107.

Mendy (F.), «L'allaitement artificiel du nourrisson, hier, aujourd'hui, demain», *La Revue de Pédiatrie*, tome IV, sept. 70, n° 7, pp. 463-556.

Merrett (T.G.) et *al.*, «Infant feeding and allergy- twelve month prospective study of 500 babies born in allergic families», *Ann. Allergy*, 1988, n° 61, pp. 13-20.

Meyer (M.F.), «Breastfeeding in the United States», *Clin. Ped.*, 1968, 7, n° 12; pp. 708-715.

Minchin (M.K.), «Positioning for breastfeeding», *Birth*, 1989, vol. 16, n° 2, pp. 67-80.

Monnet (P.), «Modalités de transmissions bactériennes de la mère à l'enfant», *Pédiatrie*, Tome XXXI, n° 2, mars 1976, pp. 117-134.

Montagner (H.) et coll., «Données nouvelles sur les systèmes d'interaction entre le nouveau-né et sa mère», éditions du CNRS, 1986, *Comportements*, n° 6, pp. 125-15.

Moore (E.R.), Bianchi-Gray (M.), Stephens (L.), «A community hospital-based breastfeeding counselling service», *Pediatric Nursing*, 1991, 17, 383-89 B, nov. 1992.

Morel (M.F.), «Les Médecins du XVIIIe siècle et l'allaitement maternel», *Contraception, Fertilité, Sexualité*, Vol. 7, n° 6, 1979, pp. 469-473.

Muller (P.), «Surveillance de la femme enceinte et de la jeune mère dans le cadre de la médecine du travail», in *Archives des maladies professionnelles*, n° 38, 1975, pp. 309-315.

Naouri (A.), «La bouche de l'enfant», *Psychosomatique*, 1988, n° 15, pp. 13-32.

Narayanan (I.), Mehta (R.), Choudhury (D.K.) et Jain (B.K.),

«Sucking on the "emptied" breast : non-nutritive sucking with a difference», *Arch. of Diseases Childhood*, 1991, 66, 241-44, B. Abst., nov. 1991.

Newburg (D.S.), Viscidi (R.P.), Ruff (A.) et Yolken (R.H.), — «A human factor inhibits binding of human immunodeficiency virus to the CD4 receptor», *Pediatr. Res.*, 1992, 31, 22-28, B. Abst., nov. 1992.

— «A human milk factor inhibits binding of HIV to the CD4 receptor», *Pediatr. Res.*, 1992, 31, 22-28 ; Lettre des AM n° 16, p. 4 ; JHL Lettre des AM n° 16, p. 11.

Newton (N.), «Psychologic differences between breast and bottle feeding», *The American Journal of Clinical Nutrition*, 24, août 1971, pp. 993-1004.

«Nutrition et alimentation du nouveau-né», 3ᵉ Congrès de Monaco, 22-23 avril 1978, in *Le Quotidien du Médecin*, n° spécial 1978, 8 p.

Neimann (N.), «La mort subite du nourrisson», in *La Revue de Pédiatrie*, n° 4, avril 1972, pp. 199-206.

Nommsen (I.A.), Lovelady (C.A.), Heinig (M.J.) et al, «Determinants of energy, protein, lipid and lactose concentrations in human milk during the first 12 months of lactation : the DARLING Study», *Am. J. Clin. Nutr.*, 1991, 53, 457-65, B. Abst., nov. 1991.

Nylander (G.), Lindemann (R.), Helsing (E.), Benvold (E.), «Allaiter sans compléments à la maternité ; effets positifs à long terme», *Acta obstet. gynecol. scand.*, 1991, vol. 70, pp. 205-209.

Oberndorfer (L.) and Mejia (W.), «Statistical anylisis of the duration of breastfeeding», *The Journal of Tropical Pediatrics*, mars 1968, pp. 27-42.

Odievre (M.), «L'ictère et ses conséquences sur l'allaitement», *Médecine et enfance*, 1987, vol. 7, n° 5, pp. 241-244.

Omolulu (A.), «Importance de l'allaitement maternel», Afrique paramédicale.

OMS, «Training package for a mother of a baby with a disability», *WHO*, 1989, vol. 25, pp. 1-8.

OMS, «Prévalence et durée de l'allaitement maternel. Mise

à jour 1980-1989 », *Relevé épidémiologique hebdomadaire de l'OMS*, 1989, n° 42, pp. 321-324 et n° 43, pp. 331-335.

OMS, «Santé et développement de l'enfant : santé du nouveau-né», *Bulletin A45/27*, 30 mars 1992, pp. 3-36.

OMS, « La nutrition chez le nourrisson et le jeune enfant. Rapport de situation et d'évaluation. État de la mise en œuvre du code international de commercialisation des substituts du lait maternel », *Bulletin A45/28*, 6 avril 1992, p. 33.

OMS, « Indicateurs servant à évaluer les modes d'allaitement maternel », *Bulletin WHO/CDD/SER*, 91-14.

OMS, « Consensus statement from WHO-UNICEF consultation on HIV transmission and breastfeeding », Genève, 1er mai 1992.

OMS, « Joint who Unicef meeting on infant and young child feeding », Genève, 9-12 oct. 1979.

OMS, « National workshop for the promotion of breastfeeding » OMS - Guatemala, 31 janv.-1er fév., 1979. MCH/NW/BF 79. 1 R. 1079, pp. 1-13.

OMS, « Who collaborative study on breastfeeding », OMS. MCH/79. 3. pp. 1-66, R 1179.

OMS, 1965. « Nutrition in Pregnancy and Lactation.» Report of a WHO Expert Committee. Wld. Hlth. Org. Techn. Rep. Ser. n° 302.

OMS, 1965. «Protein Requirements.» Report of a Joint FAO/WHO Expert Group. Wld. Hlth. Org. Techn. Rep. Ser. n° 301.

OMS, 1967. « Requirements of Vitamin A, Thiamine, Riboflavine and Niacin.» Report of a Joint FAO/WHO Expert Group. Wld. Hlth. Org. Tech. Rep. Ser n° 362.

Ouvrage collectif des services de pédiatrie du CHU de Reims, « Infections néonatales d'origine maternelle », *Méd. infantile*, 82e a, av. 1975, n° 4.

Ouvrage collectif sur « la nutrition et l'alimentation du nourrisson », Monaco 3, publié par Guigoz Nestlé.

Orloff (S.L.), Wallingford (J.C.), McDougal (J.S.), « Innactivation of human immunodeficiency virus type 1 in human milk : effects of intrinsic factors in human milk and of pasteurization », JHL 9 (1), pp. 13-17, 1993.

Oski (F.A.), «Is bovine milk an health hazard?», *Pediatrics*, 1985, n° 75, supp. pp. 182-186.

Paque (C.), «Deux causes fréquentes d'ablactation chez la femme. Les apports d'eau sucrée chez le nouveau-né et les tétées à heures fixes». *La Revue de Pédiatrie*, tome XI, avril 1975, n° 4, pp. 185-190.

Parens (H.), «Indices of the child's earliest attachment to his mother, applicable in routine pediatric examination», *Pediatrics* *49*, 600-602, 1972.

Parr (R.M.), Demaeyer (E.M.), Ivengar (V.G.) et *al.*, «Minor and trace elements in human milk from Guatemala, Hungary, Nigeria, Philippines, Sweden and Zaïre : results from a WHO/AEA join project», *Biol. Trace Element Res.*, 1991, 29, 51-75, B. Abst., nov. 1991.

Pelet (B.), «Allergie chez l'enfant», *Sage-femme suisse*, 1993, n° 1, pp. 2-8.

Perez (A.), Labbok (M.H.) et Queenan (I.T.), «Clinical study of the lactational amenorrhoea method for family planning», *Lancet*, 1992, 339, 968-70.

Perraudin (M.L.) et Sorin (M.), «Intoxications probables d'un nouveau-né par la nicotine présente dans le lait de la mère», in *Annales de Pédiatrie*, n° 1, janv. 1978, pp. 41-44.

Peters (F.) et Breckwoldt (M.), — «Nouveaux aspects dans le traitement de la mastite puerpérale», *Dtsch. Med. Wschr.* 2 déc. 1977, *102*, n° 48, 1754-1758.

— «La protection de la maternité dans les six pays de la Communauté économique européenne», Bruxelles, Communauté économique européenne, 1966, 39 pages, Étude n° 13, rapport périodique.

— «La protection de la maternité dans le monde», in *Chronique OMS*, Vol. 21, n° 4, avr. 67, pp. 157-168.

— «La protection de la maternité», in *Santé de l'Homme*, n° 219, janv./fév. 1979, pp. 9-16.

Pisacane (A.), Gratiano (L.), Mazzarella (G.), Scarpellino (B.) et Zona (G.), «Breastfeeding and urinary tract infections», *J. Ped.*, 1992, 120 : 87-9.

Pittard (W.B.), Geddes (K.M.), Brown (S.) et *al.*, «Bacterial contamination of human milk : container and method of expression», *Am. J. Perinatl.*, 1991, 8, 25-27, B. Abst., nov. 1991.

Popkin (B.M.), Adair (L.), Akin (J.S.) et *al.*, «Breastfeeding and diarrheal morbidity», *Pediatrics*, 1990, 86, 874-82. B. Abst., fév. 1991.

Popkin (B.M.), Canahuati (J.), Bailey (P.E.) et O'Gara (C.), «An evaluation of a national breastfeeding program in Honduras», *J. Biosoc. Sci.*, 1991, 23, 5-21 ; B. Abst., nov. 1991.

Quan (R.), Yang (C.), Rubinstein (S.), Lewiston (N.J.), Sun-Shine (P.), Stevenson (D.K.) et Kerner (J.A.), «Effect of microwave radiations on anti-infective factors in human milk», *Pediatrics*, 1992, vol. 89, n° 4, pp. 667-669.

Randall (M.) et *al.*, «Human milk feeding enhances the urinary excretion of immunilogic factors in mow birth weight infants», *Pediatric research*, 1989, vol. 25, n° 2, pp. 184-188.

Renz (H.), Brehler (C.), Petzoldt (S.) et *al.*, «Breastfeeding modifies production of SIgA cow's milk antibodies in infants», *Acta Paediatr. Scand.*, 1991, 80, 149-54, B. Abst., nov. 1991.

Rey (J.), «L'alimentation des jeunes enfants dans la communauté économique européenne et la perspective de 1993», *Arch. fr. péd.*, 1991, n° 48, pp. 363-367.

Rey (J.), — «Apport immunologique du lait maternel», *Les Actualités pharmaceutiques*, n° 161, déc. 1979, pp. 28-33.

— «Tables de composition des laits infantiles et des farines pour enfants», *Arch. fr. péd.*, *35*, 1978.

— «Quarante réponses aux questions que se posent les généralistes», *Le Quotidien du Médecin*, 1977, 7.

Réunion OMS/UNICEF sur l'alimentation du nourrisson et du jeune enfant, in *OMS Informations*, n° 49, oct. 1979, 11 p.

Ribadeau-Dumas (B.), «Le lait maternel», *La Recherche*, 1983, vol. 4, n° 140, pp. 8-18.

Richard (L.), Alade (M.O.), «Effects of delivery room routines on succes of first breastfeed», *Lancet*, 1990, n° 336, pp. 1105-1107.

Richter (F.) et Poschel (T.), «Le traitement des difficultés de l'allaitement par l'administration d'ocytocine par la voie nasale», *Deutsche Med. Wschr.*, 4 nov. 1960, *85*, n° 45, 1974-1976.

Riordan (J.), Auerbach (K.), «Breastfeeding and human lactation», Jones and Barlett, Londres, 1993, p. 475.

Robinson (M.), «Infant Morbidity and mortality», *Lancet*, 1951, 1, pp. 788-796.

Rochat (P.), «Activité tactile-orale chez le nouveau-né», exposé pour le colloque Recherche et pédiatrie, Mont-Saint-Aignan, 12-14 oct. 1989.

Rolland (M.), Daurignac (I.), Castano (C.), Regnier (C.), «La relation mère-enfant et son importance en pathologie néonatale», *Méd. infantile*, fév. 1975, n° 2, pp. 167 à 169.

Rollet (C.), «Allaitement, mise en nourrice et mortalité infantile en France à la fin du XIXᵉ siècle», in *Population*, n° 6, nov. déc. 1978, pp. 1189-1203.

Rossier (A.), «Les besoins nutritifs du nouveau-né et du prématuré», *Méd. infantile*, n° 5, mai-juin 1975, pp. 677-701.

Rossier (A.), Alison (F.), Mendy (F.), «Influence des lipides de la ration sur la composition des acides gras polyinsaturés du plasma chez le nouveau-né et le prématuré»; *Presse Méd.*, 1968, 76, 1939.

Royer (P.), — «Bases métaboliques de l'utilisation des laits dits maternisés», *Pädiat. Fortbild... Praxis*, 1975, *37*, pp. 15-25.
— «Les laits adaptés à l'alimentation du nourrisson», *Gaz. Méd. France*, 1977, *84*, pp. 177-178.

Ruegg (M.), Blanc (B.), «Structure and properties of the particulate constituents of human milk. A review», *Food microstructure*, 1982, vol. 1, pp. 25-47.

Ruff (A.J.), Halsey (N.A.), Coberly (J.), «Breastfeeding and maternal transmission of human immunodeficiency virus type 1», *J. of Ped.*, août 1992, pp. 325-329.

Ryan (S.), Rush (D.), Krieger (F.W.) et Lewandowski (G.E.), «Recent declin in breastfeeding in the United States, 1984 throught 1989», *Pediatrics*, 1991, 88, 719-27, B. Abst., fév. 1992.

Rumeau, Rouquette et Deniel (M.), «L'allaitement maternel au cours de la période néonatale, *Arch. fr. péd.*, 1977, *34*, pp. 771-780.

Ryder (R.W.), Manzila (T.), Baende (E.) et *al.*, «Evidence from

Zaire that breastfeeding is not a major route for perinatal HIV-1 transmission, but does decrease morbity», *AIDS*, 5, 709-14, 1991.

Sachdev (H.P.S.), «Water supplementation in exclusively breastfed infants during summer in the tropics», *Lancet*, 1991, n° 337, pp. 929-933.

Saint-Jours (Y.), «La protection sociale de la femme enceinte», in *La Revue de Pédiatrie*, n° 5, mai 1972, pp. 303-306.

Sanders-Phillips (K.), Strauss (M.E.), Gutberlet (R.L.), «The effect of obstetric medication on newborn infant feeding behavior», *Infant behavior and developpement*, 1988, vol. 11, pp. 251-263.

Sann (L.), Rigal (D.), Bienvenu (F. et J.), «Intérêt de l'allaitement maternel», *Lyon Médical*, 1979, *242*, 15, pp. 205-214.

Schnegans (E.), Rohmer (A.), Muralt (G. de), Heumann (C.), Haarscher (A.), Cohen (A.), Cronmuller (G.), «Alimentation des prématurés au lait de femmes et au colostrum», in *Alimentation des prématurés*, XXIIᵉ Congrès de l'Association des pédiatres de langue française, Expansion édit., Paris, 1969, pp. 173.

Schnegans (E.), Lauer (M.), «Démonstration de la supériorité du lait maternel sur les laits animaux», *L'Alimentation et la Vie*, 1978, *66*, n° 3, pp. 145-167.

Schnegans (E.), Lauer (M.), Dʳ Gangloff, «Pour une reprise de l'allaitement maternel», 1ᵉʳ Congrès européen des lactariums, Bordeaux, 12-14 juin 1964, tome 1, pp. 34 à 39.

«Les Seize Semaines», in *Informations sociales*, n° 12 - 1973, numéro spécial, 99 p.

Sergent (J.P.), «Une ressource naturelle en voie de disparition : le lait maternel», *Science et Vie*, n° 672, sept. 1973, pp. 72-75.

Shalaev (M.) et coll., «Treatment of lactational mastitis», *Khirurgiya* (Mosk.), 1977, n° 6, pp. 68-71.

Shanon (M.) et Graef (J.), «Hazards of lead in infant formula», *N. Engl. J. of Med.*, 326 (2), 137-1992-B Briefs-IBFAN, sept. 1992.

Silverman (W.A.), «Human milk banking practices», *Pediatrics*, vol. 47, n° 2, fév. 1971, pp. 456-457.

Six (M.F.), «Nourrir le bébé et le jeune enfant», *Cahier de la Puéricultrice*, n° 4, déc. 1977, p. 327-335.

Sloper (K.), McKean (L.), Baum (J.D.), «Factors influencing breastfeeding», *Arch. of Drs of Childhood*, 1975, *50*, pp. 165-170.

Société suisse de Pédiatrie, «Recommandations pour l'alimentation du nourrisson», *Schweiz. Apoth. Ztg.*, 1983, vol. 121, n° 5, p. 87-89.

Société suisse de Pédiatrie, «Alimentation initiale des nouveau-nés bien portants», *Bulletin des médecins suisses*, 1993, Band 74, heft 2, pp. 53-56.

Spitz R., «The first year of life», *International Universities Press*, New York, 1965.

Soule (M.), «Relations parents-nouveau-né», *Rev. Prat.*, 1977, *27*, 33, pp. 2167-2174.

Stanfield (P.), «Breastfeeding and artificial feeding. A survey of the literature», *Arch. Pediatrics*, vol. 48, 1959, suppl. 116, pp. 13 à 43.

Stern (E.), «Sleep cycle characteristics in infants», *Pediatrics*, vol. 43, janv. 1969, n° 1, pp. 65-70.

Sturman (J.A.), Rassin (D.K.), Gaull (G.E.), «Taurine in developing rat brain : Transfer of 0000 Taurine to pups, via the milk», *Pediat*, Res *11*, 1977, pp. 28-33.

Tanner (J.M.), *Growth at adolescence*, 1 volume, 2e édit. Blacwell, Oxford, 1962.

Tassovatz (B.) et Kotsitch (A.), «Le lait de femmes et son action de protection contre les infections intestinales chez le nouveau-né», *Ann. de Péd.*, 1650, mai 1961, pp. 285-288.

Thaler (M.M.), Park (C.K.), Landers (D.V.), Wara (D.W.), Houghton (M.), Veereman-Wauterg, Sweet (R.L.), Han (J.H.), «Vertical transmission of hepatitis C virus», *Lancet*, vol. 338, 6 juillet 1991.

Thirion (M.), «L'allaitement maternel. Des idées nouvelles pour tordre le cou aux idées reçues», *La Revue du praticien, médecine générale*, 1993, vol. 7, n° 226, pp. 29-38.

Thormar (H.), Isaacs (C.E.), Brown (H.R.) et *al.*, «Inactivation of envelopped virus and killing of cells by fatty acids and monoglycerides», *Antimicrob Agents Chemothers* 31, 27-31, 1987.

Thomson (A.M.), Hytten (F.E.), Billewicz (W.Z.), « The energy cost of human lactation », British Journal of nutrition, 1970, 24, pp. 565-572.

Tourne (C.E.), « Le plaisir d'allaiter, un obstacle paradoxal », Les Dossiers de l'obstétrique, 1990, n° 170, pp. 13-16.

Tozzi (A.), Pezzotti (A.), Greco (D.), « Does breastfeeding delay progression to AIDS in HIV-1 infected children ? » AIDS 4, 1990, pp. 1293-1294.

Tyson (J.), Burchfield (J.), Sentence (F.), Mize (C.), Uauy (R.), Bastburn (J.), « Adaptation of feeding to a low fat yield in breast milk », Pediatrics, vol. 1989, n° 2, 1992, pp. 215-220.

Umdenstock (R.) et Vacher (J.J.), « L'allaitement maternel en 1973 », Revue internationale de Pédiatrie, 1973-74, n° 41, pp. 29-36.

United Kingdom National Case-Control Study Group, « Breastfeeding and risk of breast cancer in young women », British Medical Journal, 1993, n° 307, pp. 17-20.

Van de Perre (P.) et al., — « Post natal transmission of human immunodeficiency virus type 1 from mother to infant », N. Eng. J. Med., 1991, 325, pp. 593-598.
— « Infective and anti-infective properties of breastmilk from HIV-1-infected women », Lancet, 1993, vol. 341, pp. 914-918.

Van Raaij (M.), Schonk (C.M.), Vermaat-Miedema (S.H.) et al., « Energy cost of lactation, and energy balances of well-nourished Dutch lactating women : reappraisal of the extra energy requirements of lactation », Am. J. Clin. Nutr., 1991, 59, 612-19, B. Abst., août 1991.

Varlet (Ph.) et Delattre (R.), « Adaptation individuelle et régime alimentaire du nouveau-né », Méd. infantile, mars 1965, n° 3, pp. 139-144.

Vlaenderen (P. Van), « Soins préventifs intégrés de santé maternelle et infantile », 28e Congrès de la Fédération des gynécologues et obstétriciens de langue française, Liège, 28-30 mai 1980.

Vorobiev (V.A.), « Alimentation au sein des nourrissons au cours de la mastite purulente aiguë », Pediatra, Moscou, 1965, n° 3, pp. 62-66.

Wade (N.), « Bottle feeding : adverse effects of a western technology », *Science*, 1974, *184*, pp. 45-48.

Weichert (C.), « Breastfeeding : First Thoughts », *Pediatrics*, Vol. 56, n° 6, déc. 1975, pp. 987-990.

Whitehead (R.G.), « The Infant - Food industry », *Lancet*, nov. 1976, pp. 1192-1194.

Widstrom (A.M.) et al. « Gastric succion in healthy newborn infants », *Acta Pediatr. Scand.*, 1987, n° 76, pp. 566-572.

Winnicot (D.W.), « L'allaitement au sein », *L'Enfant et le monde extérieur. Développement des relations*, Payot, 1957, ch. 3, pp. 113-122.

Wollast (E.), « Le rôle des professionnels de la santé dans l'allaitement maternel », 28e Congrès de la Fédération des gynécologues et obstétriciens de langue française, Liège, 28-30 mai 1980.

Woolridge (M.W.), « The anatomy of infant sucking », *Midwifery*, 1986, n° 2, pp. 164-171.

Woolridge (M.W.), Fischer (C.), « Colic, overfeeding and symptoms of lactose malabsorption in the breastfed baby : a possible artefact of feed management ? », *Lancet*, n° 8, pp. 382-384.

Zinaman (M.J.), Hughes (V.), Queenan (J.T.), Labbok (M.H.), Albertson (B.), « Acute prolactin and oxytocin responses and milk yield to infant suckling and artificial methods of expression in lactating women », *Pediatrics*, vol. 89, n° 3, 1992, pp. 437-440.

Où trouver les réponses aux principales questions que vous vous posez

■ *Prendre une décision*

— Quelle maternité choisir? 163
— Pourquoi le lait humain est-il meilleur? 91 sq.
— Quelles femmes peuvent allaiter? 36, 154 sq.
— Que faire si l'on ne veut pas allaiter? 154 sq.
— Peut-on allaiter avec des mamelons peu ou pas formés? 155-156, 206, 226
— Est-il vrai que l'allaitement fatigue? 89, 90, 146
— Faut-il avoir de gros seins pour avoir beaucoup de lait? 37-38, 43, 148
— Quelles sont les contre-indications à l'allaitement maternel pour la mère? Pour l'enfant? 122 sq., 151 sq.
— Comment le lait se fabrique-t-il? 75 sq.
— Quelle est l'évolution du lait maternel? 124-125
— Le lait de femme peut-il être dangereux? 122 sq.
— À quoi sert le colostrum? 75, 184, 185

■ *Les premières tétées*

— Quels sont les soins d'hygiène pour les seins avant et après les tétées? 174, 213, 214, 238
— Quels sont les mécanismes de la lactation? 37 sq., 68 sq., 85
— Comment se préparer à l'allaitement? 159 sq., 176

— Comment s'installer pour allaiter? 62, 63, 66, 209
— Pourquoi une tétée précoce? 169 sq.
— Pourquoi des tétées à horaire libre? 197, 262 sq.
— À quel moment le nouveau-né sait-il le mieux téter? 174, 183
   — Faut-il nourrir un enfant la nuit? 262
   — Combien de temps dure une tétée? 85, 86, 263
   — Peut-on allaiter des jumeaux ou des triplés? 86, 276
   — Pourquoi est-il inutile de peser l'enfant avant et après une tétée? 197, 201, 210
   — Quelle est la courbe de poids normale d'un nouveau-né les deux premières semaines? 202
   — Quelle est la courbe de poids normale d'un nourrisson pendant les premiers mois? 264

■ Les difficultés

   — Pourquoi les seins sont-ils tendus et lourds les premières semaines? 77, 215
   — D'où vient la douleur des mamelons lors des tétées? 205
   — Que signifient les contractions utérines pendant les premières tétées? 80, 186
   — Quelles sont les raisons du manque de lait? 227 sq.
   — Quels sont les médicaments à prendre pour stimuler une montée laiteuse? 230-231
   — Est-il vrai qu'il faut boire beaucoup? 229, 268
   — Que faire si les seins débordent? 231
   — Qu'est-ce qu'une lymphangite? Un abcès au sein? 243 sq.
   — Quels sont les premiers soins en cas d'engorgement mammaire et de crevasses? 214 sq., 239 sq., 240 sq.
   — Que faire en cas d'hospitalisation de la mère ou de l'enfant? 276, 277
   — Que faire si la maman doit s'absenter quelques jours? 268
   — Comment conserver du lait humain? 268
   — Que faire devant un bébé qui tète mal ou ne veut pas téter? 222 sq.

— Doit-on vacciner un enfant au sein ? 266

— Que faire devant une maladie ou une malformation du nouveau-né ? 187 sq., 276

— Quels sont les médicaments qu'une femme ne peut pas prendre pendant son allaitement ? 128

— Comment arrêter une lactation ? 154 sq., 300 sq.

— Peut-on rétablir une lactation après l'avoir arrêtée totalement ? 278

■ La mère et son corps

— Quelle est l'action de l'allaitement sur l'organisme maternel ? 86 sq., 267 sq.

— Peut-on avoir une sexualité normale pendant un allaitement ? 149, 272

— Comment remaigrir en allaitant ? 87, 149

— Comment doit se nourrir une femme qui allaite ? 268

— L'allaitement abîme-t-il les seins ? 47, 147, 242, 253, 301

— Une femme qui allaite peut-elle à nouveau être enceinte ? 87, 270

— Quelle contraception choisir pendant un allaitement ? 269-271

— À quoi servent les lactariums ? Comment s'y adresser pour donner du lait ? 133 sq.

■ Le sevrage

— Quel est le meilleur moment pour le sevrage ? 293 sq.

— Comment réussir un sevrage ? 297 sq.

— Faut-il sevrer un enfant malade ? 296

— Sèvre-t-on sans difficultés un enfant de plus de trois mois ? 285 sq., 299 sq.

— Comment préparer un biberon ? 309 sq.

— Les biberons de complément. Pourquoi ? Quand ? 99, 211, 226, 268

— Comment réaliser le changement de lait ? 307 sq.

— Quel lait artificiel choisir? 114, 306
— Que penser des conserves alimentaires? 323
— Quel est le rôle des farines dans l'alimentation du nouveau-né? 319
— D'où viennent les habitudes actuelles de diversification précoce de l'alimentation? 303 sq., 319
— Quand faut-il donner du jus de fruit et des vitamines? 312

■ *À qui demander conseil?*

• *Association Solidarilait*
26, bd Brune, 75014 Paris; tél. : 40 44 70 70.
• La *Leche League*. B.P. 18, 78260 L'Étang-la-Ville; tél. : 39 58 45 84.
À ces deux numéros, un répondeur automatique donne les coordonnées d'une personne pouvant vous aider ou vous renseigner.
Pour connaître les associations proches de votre domicile, vous pouvez écrire (en joignant une enveloppe timbrée pour la réponse) :
— aux deux associations ci-dessus
— au «Courrier Inter-Associations»
A.P.A. Strasbourg
B.P. 42
F. 67044 Strasbourg Cedex.

«Bibliothèque de la famille»

Maïté Jacquet et Mathilde Nobécourt, *Une Année dans la vie d'une femme, de la conception d'un enfant au sevrage*, 1987, 1993 (dernière édition).

Penelope Leach, *Votre enfant de la naissance à la grande école*, 1990.

Marie Thirion, *Les Compétences du nouveau-né*, 1994.

*La composition de ce livre
a été effectuée par Charente Photogravure à Angoulême,
l'impression et le brochage ont été réalisés
par l'imprimerie Pollina à Luçon
pour les Éditions Albin Michel.*

*Achevé d'imprimer en février 1994
N° édition : 13506 — N° d'impression : n° 64810
Dépôt légal : février 1994*